8/88

la symbologie des rêves

DU MÊME AUTEUR

LA SYMBOLOGIE DES RÊVES
La nature

Jacques de la Rocheterie

la symbologie des rêves

LE CORPS HUMAIN

EDITIONS
IMAGO

A mon fils Alain

ISBN 2-902702-20-5

INTRODUCTION

La présente symbologie des rêves est établie dans l'esprit jungien. Nullement parce que nous avons été formé et n'avons pratiqué que la seule *psychologie analytique,* mais parce que d'autres disciplines (et des plus notoires!) expérimentées avant celle de Jung, s'étaient révélées, non seulement peu efficaces, mais perturbantes.

Passionné par le symbolisme, dont les images paraissent bien se hausser au niveau du langage universel, nous nous sommes efforcé de rechercher au moyen de l' « amplification »[1] la signification de ce que, par le truchement de ces *représentations analogiques,* l'inconscient nous déléguait à travers ses messages et avertissements oniriques[2].

L'originalité foncière de la psychologie de C.-G. Jung, qui se veut avant tout empirique[3], vient, en toute généralité, de sa conception de la structure de la psyché, de sa typologie et de sa spécificité dans le recours aux rêves pour assurer le processus psychothérapeutique.

En fait, et malgré les apparences de ce livre, *il n'y a pas de « Dictionnaire des Symboles ».* Jung, à juste raison, le souligne bien : « Les Clefs des Songes et leurs interprétations toutes faites, mécaniques, n'ont aucune valeur, dit-il, les rêves sont des phénomènes totalement individuels et leur symbolisme ne peut être catalogué[4] " ... " Aucune image symbolique ne peut avoir une signification unique, universelle et systématiquement fixée[5]. » Et il ajoute : « Il est tout à fait stupide de

---

1. L'amplification est un terme créé par Jung pour désigner, au cours de l'interprétation des rêves, « l'extension et l'approfondissement d'une image au moyen d'associations centrées autour du thème du rêve et de parallèles tirés des sciences humaines et de l'histoire des symboles (mythologie, mystique, folklore, religion, ethnologie, art, etc.) », grâce à quoi le rêve devient accessible à l'interprétation (*M.V.*, p. 450).
2. Cf. *Job* XXXIII-14.
3. Par exemple, sa théorie des « Complexes » (cf. *H.D.A.,* Livre II).
4. Jung in *L'Homme et ses symboles,* éd. Pont royal, 1964, p. 53.
5. *Ibid.,* p. 30.

croire qu'il existe des guides préfabriqués et systématiques pour interpréter les rêves, comme si l'on pouvait acheter tout simplement un ouvrage à consulter et y trouver la traduction d'un symbole donné. Aucun symbole apparaissant dans un rêve ne peut être extrait de l'esprit individuel qui le rêve, et il n'y a pas d'interprétation déterminée et directe du rêve. La façon dont l'inconscient complète ou compense la conscience varie tellement d'un individu à l'autre qu'il est impossible d'établir dans quelle mesure on peut classifier les rêves et leurs symboles[1]. »

C'est pourquoi, le présent ouvrage n'a d'autre prétention que d'indiquer des références, des éléments d'appréciation, des tendances générales, susceptibles d'éclairer sur de possibles interprétations des symboles oniriques. Il ne saurait, en aucun cas, se substituer à l'analyse, dans ses moindres détails, des péripéties du rêve, aux associations du rêveur, à ses affects (souvent apparemment illogiques), au degré d'entendement du sujet qui rêve, à son acceptation de l'interprétation proposée, etc. pour ne se référer qu'à la seule « amplification », c'est-à-dire au savoir livresque[2]. L'auto-analyse à l'aide de cet ouvrage est strictement impossible[3] ; ce serait équivalent à vouloir soigner une maladie physique à l'aide d'un dictionnaire médical !

Afin de mieux saisir les mécanismes analogiques qui déterminent l'image symbolique, nous nous sommes efforcé, dans la mesure du possible, de donner les définitions caractérisant les mots, leurs étymologies ainsi que les expressions populaires, et les proverbes et sentences s'y rapportant. On notera de nombreuses répétitions car ce livre est moins fait pour être lu que pour être consulté, certaines de ces répétitions pouvant se rapporter à plusieurs rubriques. Une large part, en outre, est faite à la compilation car nous avons moins cherché à faire œuvre originale que pratique.

Les citations de l'Ancien et du Nouveau Testament sont celles de la Bible de Jérusalem.

Enfin, nous tenons à remercier Madame Karine Revert pour sa précieuse collaboration.

---

1. *Ibid.*, p. 53.
2. « Les connaissances seules ne suffisent pas à interpréter un rêve. » (*H.D.A.*, p. 62).
3. Cf. « Aveugle (Être) » et *A. et V.*, p. 119.

LA PSYCHOLOGIE ANALYTIQUE
DE
C.-G. Jung

I

Il est difficile de présenter sommairement un raccourci de l'œuvre de Jung, tant son apport à la psychologie des profondeurs — c'est-à-dire celle qui tient compte des facteurs inconscients — est vaste et profond. Nous allons nous y efforcer en toute modestie.

Jung, psychiatre et psychologue, est le deuxième, avec Freud et Adler, des « trois grands » qui scrutèrent les pulsions de l'inconscient. Il est né en Suisse en 1875, dans le canton de Thurgovie, et mort à Zurich en 1961. Après des études à l'Université de Bâle, il vint à Paris en 1902, à la Salpêtrière, où il travailla avec Pierre Janet, puis fut assistant d'Eugène Bleuler à Zurich, enfin, médecin-chef à la clinique psychiatrique de l'Université.

Rapidement converti aux théories psychanalytiques de Freud, il devint, vers 1907, son disciple et ami. Mais, en 1913, il se sépara de son maître, rebuté par le matérialisme exclusif de ses idées. En fait, Jung fut, à cette époque, en désaccord avec Freud sur deux points principaux : le problème de l'inceste et la notion de sacrifice de l'hégémonie du moi. Il fonda alors sa propre école de « psychologie analytique », ainsi nommée parce que Freud, très affecté par la rupture avec son disciple favori, lui avait interdit d'utiliser la dénomination de « psychanalyse ».

D'une érudition presque inimaginable, Jung se voulait, avant tout, un *empirique,* ne tirant ses conclusions qu'après qu'elles se sont vérifiées pendant de longues années. Pour s'assurer du bien-fondé de sa théorie fondamentale de l' « inconscient collectif », il entreprit une vaste enquête au Nouveau-Mexique, aux Etats-Unis, au Kenya, en Afrique du Nord, aux Indes et en Europe, afin d'étudier sur place mœurs, religions et psychologie des primitifs. Ce qui lui permit de dégager l'existence d'un fond commun psychique universel producteur d'archétypes, d'images et de symboles, indépendant du temps, de l'espace et d'un psychisme individuel.

Ceci dit, voyons tout d'abord quelle est la conception jungienne de la structure de la psyché, c'est-à-dire de « l'ensemble de tous les processus psychiques, conscients et inconscients [1] ». Une masse d'énergie psychique, ou « libido », anime ces processus. Nous savons que trois plans constituent l'être humain : le corps, l'âme et l'esprit. Ce que nous pouvons ainsi définir :

Corps : partie matérielle de l'être animé possédant des pulsions instinctives animales.

Ame : (du point de vue psychologique) « complexe délimité de fonctions nettement déterminées » au sein de la psyché qui comprend « la totalité des processus conscients et inconscients » [2]. L'âme constitue une sorte de personnalité intérieure.

Esprit : Principe créateur universel, source d'énergie et d'intelligence. Psychologiquement parlant, l'esprit est la substance transformante s'activant au sein de la créature humaine. Il est l'aspect dynamique de la psyché qui produit et met en ordre les images psychiques afin de permettre la prise de conscience.

« Esprit » exprime une notion d'ensemble de la vie psychique au centre de laquelle s'affirme Dieu car, dit Jung, « Dieu est une donnée manifestement psychique et non pas physique, c'est-à-dire qu'il n'est constatable que psychiquement et non pas physiquement [3] ». Dieu et l'esprit ne peuvent donc pas être prouvés rationnellement dans le sens où Pascal constate que « c'est le cœur qui sent Dieu et non la raison [4] ».

C'est pourquoi aussi, pour saint Jean, « Dieu est esprit » [5], que cet esprit créateur — le Verbe — « est lumière qui luit dans les ténèbres » [6] et que cette lumière nous permet d'atteindre à « l'esprit de vérité » [7], c'est-à-dire de découvrir le « Royaume de Dieu qui est au-dedans de nous [8] ».

Cette expression évangélique du sens de la vie correspond exactement à la prise de conscience de soi par la « psychologie analytique » jungienne. Mais Jung insiste bien sur le fait que « vie et esprit sont deux puissances ou deux nécessités entre lesquelles l'homme se trouve placé. L'esprit, ajoute-t-il, donne à la vie son sens et la possibilité d'un développement plus large. Mais la vie est indispensable à l'esprit, car sa vérité n'est plus rien si elle ne peut pas vivre [9] ». Sans la matière, l'esprit souffle en vain mais c'est l'esprit qui agence et ordonne la « prima materia » chaotique de l'inconscient.

1. *T.P.*, p. 425.
2. *Ibid.*
3. *R. à J.*, p. 228.
4. Pascal, *Pensées*, IV-278.
5. *Jean*, IV-24.
6. *Ibid.*, I-5.
7. *Ibid.*, XIV-17.
8. *Luc*, XVII-21.
9. *P.A.M.*, p. 94.

De cette masse d'énergie qui constitue donc la totalité de notre système psychique, nous n'avons conscience que d'une infime partie. C'est le *conscient,* au centre duquel trône, aussi suffisant qu'insuffisant, l' « ego », le « moi, je »... Ce conscient est défini par Jung comme étant « la relation entre le moi et les contenus psychiques. Il y a donc conscience dans la mesure où le moi perçoit cette relation[1] ».

Au-delà de la zone consciente, se situe l'insondable *inconscient,* c'est-à-dire, dit Jung, « *une zone qui englobe tous les contenus psychiques dont le rapport avec le moi n'est pas perceptible*[2] ». Freud fait du moi le centre de la psyché, l'inconscient se réduisant essentiellement aux contenus refoulés et « sorte de boîte à ordures du conscient »[3].

Jung, par contre, considère qu'empiriquement existe un *centre de l'ensemble psychique englobant et le conscient et l'inconscient;* incluant par conséquent le moi et ce qu'il a appelé *le Soi.* Le moi apparaît donc comme subordonné au Soi.

Le Soi s'exprime par des images symboliques multiples en mythologie comme dans les rêves : le trésor difficile à atteindre, la Toison d'or, le Graal, le Mandala, la Rosace, la Source, la Pierre Philosophale ou la Jérusalem Messianique de l'Apocalypse, par exemple.

Le Soi représente, en fait, l' « Imago Dei » que possède tout être humain au sein de lui-même, le « Royaume de Dieu au-dedans de nous » de saint Luc[4] car, constate Gh. Adler, « du point de vue psychologique, le Soi peut être considéré comme l'expérience de Dieu en nous[5] ». Il constitue ce que l'on pourrait appeler « la plus haute intensité de vie » et, en tant que lieu de jonction de toutes les oppositions, se confond avec l'idée que nous pouvons nous faire de Dieu et de l'Amour inconditionné, dans le sens où saint Jean proclame : « Dieu est Amour »[6].

En effet, dit Jung, « l'Amour est un des plus puissants moteurs des choses humaines. On le conçoit comme divin et c'est à bon droit qu'on lui donne ce nom car la puissance absolue de la psyché a, de tout temps, été appelée Dieu[7] ».

Atténuer l'hégémonie du moi sur l'ensemble psychique et tendre à ce que, par un élargissement du champ de conscience, ce moi se confonde avec le Soi (la « réimmersion de l'âme dans le divin » d'Aurobindo) est le « but de la Vie car le Soi est l'expression la plus complète de ces combinaisons de destin qu'on appelle un Individu »[8].

Cette recherche du Soi s'effectue à travers les religions. L'homme, dit

1. *G.P.,* p 256. *T.P.,* p. 440.
2. *Ibid.,* p. 468.
3. Gh. Adler, « *Études de psychologie jungienne* », Georg. 1957, p. 253.
4. *Luc,* XVII-21.
5. Gh. Adler, *Études de psychologie jungienne, oc,* p. 204.
6. *Jean,* 1ʳᵉ Ép., IV-8.
7. *M.A.S.,* p. 137.
8. *D.M.I.,* p. 298.

Jung, « a toujours eu besoin, pour affronter les puissances du monde intérieur, de l'aide spirituelle que lui accorde la religion du moment [1] ». Et il ajoute : « En tout lieu et depuis toujours, ont existé des clans totémiques, des communautés de cultes et des professions de foi religieuses qui avaient tous pour but de conférer des formes ordonnées aux poussées chaotiques du monde des instincts [2]. »

Malheureusement, les hommes ont tendance à déformer les religions (lat. « relegere » : « assembler à nouveau ») par un rationalisme purement intellectuel, des idéologies sentimentales subjectives ou un moralisme quelque peu pharisaïque. Autour de nous, et dans le même esprit, pullulent à travers le monde toutes sortes de sociétés secrètes et autres sectes pseudo-spirituelles, d'autant plus condamnables qu'elles favorisent les solutions de facilité. C'est pourquoi, pour garder leur pureté « numineuse » — c'est-à-dire sacrée —, les grands mystères initiatiques de l'Antiquité étaient-ils ésotériques et la sagesse chinoise nous dit « Aime la Religion, défie-toi des religions ».

Si nous revenons à la psychologie des profondeurs, nous décelons, avec Jung, que le Soi est aussi un centre organisateur d'où émane une action régulatrice et source des images oniriques.

On peut donc « considérer le Soi comme un guide intérieur, distinct de la personnalité consciente, qu'on ne peut saisir qu'à travers l'analyse de nos propres rêves » [3] et par l'expérience personnelle directe. Qu'il y ait névrose ou non, atteindre ce noyau psychique demeure, comme pour les mythologies, religions et mystères antiques, l'objectif essentiel de la « psychologie analytique » mais, ici, le développement s'effectuera principalement à travers l'interprétation du langage symbolique des images oniriques.

Jung a appelé *processus d'individuation* cet élargissement de la conscience vers le centre de gravité psychique, c'est-à-dire « *un processus de différenciation qui a pour but de développer la personnalité individuelle* » [4] (lat. « individuus » : « qui n'est plus divisible »).

Atteindre l'individuation, c'est atteindre notre propre totalité unifiée où se réalise la *conjunctio oppositorum*, ce que les Hindous appellent « entrer en nirvâna », du sanscrit « Nir » et « Dvâna » signifiant « extinction des dualités », qui nous déchirent et dont la principale est évidemment l'antagonisme conscient-inconscient.

Mais pour Jung, l'inconscient se divise lui-même en deux zones : *l'inconscient personnel* et *l'inconscient collectif*. *L'inconscient personnel récolte tout ce que nous avons refoulé et ce que nous n'avons pas encore perçu de nous-mêmes, de l'âge zéro jusqu'à l'âge actuel.*

---

1. *G.P.*, p. 295.
2. *Ibid.*, p. 307.
3. M.-L. von Franz in *L'Homme et ses symboles, oc*, p. 162.
4. *T.P.*, p. 471.

Ces contenus de l'inconscient personnel sont refoulés, soit qu'ils « représentent les désirs, les craintes et les autres tendances de notre psyché qui sont incompatibles avec notre moi, soit qu'ils soient trop infantiles ou trop pénibles ou pour tout autre raison [1] ». Les matériaux figurant dans l'inconscient personnel, dit Jung, « ont pour caractéristique qu'ils pourraient tout aussi bien être conscients [2] ». Et il note que « chez le malade mental et chez le primitif, cet inconscient personnel disparaît devant les représentations collectives » [3] en raison de l'étroitesse du champ de conscience.

L'inconscient collectif est le secteur de l'inconscient formé par l'ensemble des instincts et leurs corrélatifs, les « images primordiales », que Jung a appelées « archétypes ». Cet inconscient collectif est commun à la collectivité humaine, alors que l'inconscient personnel est le produit d'expériences personnelles, et l'on constate qu'il « forme le psychisme objectif par opposition à l'inconscient personnel qui forme le psychisme subjectif [4] ».

Il semble que l'inconscient collectif se soit élaboré à partir des « dépôts constitués par toute l'expérience ancestrale depuis des millions d'années, l'écho des événements de la préhistoire, chaque siècle y ajoutant une quantité infinitésimale de variations et de différenciations ; c'est une sorte d'image éternelle du monde [5] ». Ces expériences ancestrales, répétées à l'infini depuis les temps les plus reculés de l'aventure humaine, se traduisent par des représentations supra-personnelles — donc universelles — qui ont donné naissance aux dieux et héros mythologiques par projection des « archétypes ».

On peut donc affirmer qu'au niveau de l'inconscient collectif mythologie et psychologie sont synonymes et que la sentence du Temple de Delphes : « Connais-toi toi-même et tu connaîtras l'Univers et ses Dieux » nous invite à prendre conscience de l'inconscient collectif et de ses archétypes afin de nous réaliser.

Les archétypes sont des « centres chargés d'énergie » [6], sorte de précipité de millions d'expériences immémoriales et se traduisant par des images ou des thèmes symboliques, fortement chargés d'affects, que l'on retrouve, quelles que soient les époques et les civilisations, projetés dans les mythologies, les religions, les mystères initiatiques, les légendes, les épopées, les contes folkloriques, les gestes rituels, les superstitions, les œuvres d'art, les coutumes, le langage courant [7], les rêves, visions et hallucinations.

Le Serpent, le Dragon, l'Arbre de Vie, le Phallus, la Sorcière, la

---

1. Gh. Adler, *Études de psychologie jungienne, oc,* p. 18.
2. *D.M.I.,* p 47.
3. P. et E., p. 91.
4. *P.I.,* p. 132.
5. Jung in Gh. Adler, *Études de Psychologie jungienne, oc,* p. 11.
6. *H.D.A.,* p. 366.
7. « Touchons du bois », « jamais deux sans trois », etc.

Grande-Déesse Mère, le Héros Sauveur, l'Insignifiant, la Rotondité, la Triade, le Vieux Sage, le Poisson ou le Taureau, constituent des exemples d'images archétypiques. Le Héros qui tue le Dragon ou est avalé par le Monstre, la Descente aux Enfers, le Passage Etroit, le Baptême, la Montée en spirale, l'Abandon de l'Enfant dans la Nature, la Course Solaire ou la Catastrophe Cosmique, constituent des exemples de motifs archétypiques.

En exprimant le passé, les archétypes conditionnent l'avenir et, en tant que symboles, ils fonctionnent comme médiateurs et transformateurs en ce sens qu'ils font passer l'énergie d'une forme « inférieure » à une forme « supérieure »[1].

« Chaque archétype pénétrant dans la conscience éclaire celle-ci de la lumière d'un monde différent[2] ». Ils surgissent principalement quand une situation psychologique n'est plus acceptable ou trop chancelante et doit être remplacée par une situation psychologique plus satisfaisante pour l'état psychique du moment.

En fait, les archétypes ne sont pas exactement des représentations systématiquement héritées mais des *possibilités* de représentations héritées qui préexistent au fond de l'inconscient, ne surgissant que si un problème actuel, intérieur ou extérieur, les met en action. Ils apparaissent, dit Jung, comme « une présence pour ainsi dire " éternelle " et il s'agit seulement de savoir si la conscience les perçoit ou non[3] ».

Aussi pouvons-nous affirmer — et ceci est empirique — que la rencontre avec les archétypes procure force, soulagement et allégresse à condition d'en saisir la signification profonde. Car « lorsque nous avons fait l'expérience des archétypes, nous prenons peu à peu notre autonomie en les comprenant et en découvrant ces valeurs en dedans de nous[4] ».

« L'archétype, dit Jung, est métaphysique parce qu'il transcende la conscience[5]. »

Ainsi que nous l'avons dit, au contraire des vues de Freud, les jungiens considèrent que ce n'est pas le moi qui constitue le centre de la personnalité. Pour Jung, l'inconscient précède la formation de la conscience qui ne se représente que comme une sorte de rejeton de la masse énergétique inconsciente.

Il est certain, en effet, que le nouveau-né est totalement inconscient, n'obéissant qu'à quelques pulsions instinctives telles, par exemple, que rechercher le sein maternel. Mais le moi, comme un germe dans l'œuf, préexiste dans l'inconscient et ne va se développer que progressivement. Il sera d'abord faible et vulnérable, ce qui explique ces terreurs et ces

1. *M.A.S.,* p.386.
2. J. Hillman, *Le Mythe de la Psychanalyse,* Imago, 1976, p. 209.
3. *P. et Al.,* p. 290.
4. Cf. R. Evans, *Entretiens avec Jung,* 1964, p. 84-85.
5. Jung, « Introduction » p. 6 à E. Harding, *Les Mystères de la Femme,* Payot, 1953.

cauchemars de l'enfant de deux à six ans, son moi se sentant toujours à la limite d'être réenglouti dans l'inconscient. Et ceci jusqu'à l'âge de sept ans environ, qualifié d' « âge de raison ».

S'il nous est facile de saisir nos réactions conscientes, il nous est beaucoup plus difficile d'appréhender nos réactions inconscientes sans le secours d'une analyse psychologique avec un psychologue. Le seul phénomène que nous subissons ou percevons, en l'occurrence, est de l'ordre du symptôme, qui se produit lorsqu'une pulsion énergétique se trouve perturbée dans sa nécessité de se décharger.

Par exemple, la frigidité ou l'impuissance seront les symptômes d'une pulsion sexuelle ne pouvant se libérer ; la boulimie ou la kleptomanie seront les symptômes d'une frustration affective ; l'infantilisme psychique sera le symptôme de complexes parentaux écrasants, etc.

« Le symptôme, dit Toni Wolf, constitue le signal d'alarme qui nous avertit que quelque chose d'essentiel est en désaccord ou est insuffisant dans l'attitude consciente et que, par conséquent, il conviendrait d'élargir le champ de conscience [1] ». Si ce désaccord entre la volonté consciente et les pulsions inconscientes contrarie nos facultés d'adaptation au monde extérieur, comme au monde intérieur, on parlera de névrose et seul le recours à une psychothérapie peut nous en délivrer.

Ces processus et contenus inconscients — positifs ou négatifs — sont doués d'une forte charge émotionnelle et ont été appelés par Jung « complexes à tonalité affective », puis, par la suite, « complexes » tout court par simplification. C'est donc Jung, le premier, qui a forgé ce fameux terme de « complexe ». Depuis, le terme a été adopté par les autres disciplines psychologiques, qu'elles soient freudiennes ou adlériennes, tout en passant dans le langage courant : « j'ai tel ou tel complexe »... Et le complexe peut être défini comme *un faisceau de tendances inconscientes douées de fortes charges émotionnelles identiques.*

Les principales caractéristiques d'un complexe sont l'autonomie, l'indépendance et la libre circulation au sein de la psyché jusqu'à ce qu'il surgisse dans la conscience comme bon lui semble. Les complexes seraient comparables à des régiments qui, au sein d'une armée, agiraient pour leur propre compte, à l'insu de l'Etat-major et des autres régiments. Lorsqu'un complexe, avec sa forte charge émotive, envahit le conscient, il peut arriver que ce ne soit plus le moi qui décide, mais le complexe. Les principaux complexes correspondent aux archétypes [2], et se traduisent par des images oniriques symboliques.

Imaginons, par exemple, que je sois atteint d'agoraphobie et que je veuille traverser une place publique. Si le complexe s'y oppose, je resterai paralysé sur le trottoir. Car l'expérience montre qu'aucun raisonnement et

1. Cité par J. Jacobi in *La Psychologie de C.-G. Jung,* Éd. Delachaux-Niestlé, 1950, p. 47.
2. *R. à J.*, p. 19.

aucun effort de volonté n'a de pouvoir sur un complexe. C'est pourquoi il est si pénible d'entendre des phrases telles que : « Il n'y a qu'à... », « quand on veut, on peut... », « tu n'as qu'à prendre sur toi... » lancées à des personnes et surtout à des enfants complexés. Cela ne fait que les enferrer davantage, en ajoutant à leurs complexes des sentiments d'infériorité et de culpabilité, sans les résoudre pour autant.

La *Persona* est un terme appliqué par Jung à la psychologie des profondeurs (1923), d'après un mot latin signifiant « masque de théâtre », pour désigner le « masque » qui recouvre les composantes profondes de la personnalité afin de répondre aux exigences du milieu social qui nous entoure. La Persona est à la fois l'image idéale que je me fais de moi-même et l'image du moi que je souhaite donner aux autres en fonction du prestige que je veux à tout prix conserver à mes yeux et à leurs yeux. « Chacun sait, dit Jung, ce que veut dire " prendre une mine de circonstance " ou " jouer un rôle dans la société ", etc. Grâce à la Persona, on veut apparaître sous tel ou tel jour, ou on se cache volontiers derrière tel ou tel " masque "; oui, on se construit même une certaine Persona donnée, pour s'en faire un rempart [1]. »

Mais ce « masque » n'est pas obligatoirement en accord avec ma personnalité authentique, il est simplement ce que je « brûle » d'être et ne suis pas forcément. La Persona conduit donc à un désaccord au sein de moi-même et, plus l'antagonisme est accentué, plus le conflit ainsi créé risque de susciter de l'angoisse.

D'autre part, certains individus identifient à tel point leur Persona à une fonction de prestige qu'ils deviennent littéralement la fonction elle-même. C'est ainsi qu'il existe souvent une « Persona P.-D.G. », une « Persona médecin », une « Persona officier », une « Persona universitaire », une « Persona ecclésiastique »; et, bien certainement... une « Persona psychologue » affichant perspicacité et pénétration d'esprit ! .. Dans chaque cas, le sujet tend à se gonfler de l'importance de son état, s'affaire dans la dignité de sa profession, afin de flatter la suffisance de son moi. Mais il n'y a pas que la Persona professionnelle. On peut même dire qu'aucun de nous n'échappe à la Persona et tendra, à tout moment, à agir dans le sens qui augmentera à ses yeux « le sentiment de sa propre valeur », comme disent les adlériens.

De toute évidence, l'antidote de la Persona est — une fois qu'on en a pris conscience — le sens de l'humour. Car le sens de l'humour, qualifié de « divin » par Schopenhauer, renverse l'échelle des valeurs jusqu'ici établies, en se riant de l'importance donnée au moi et en le réduisant à sa juste dimension par rapport à d'autres facteurs essentiels du monde intérieur comme du monde extérieur. En fait, la Persona nous rend esclaves des attitudes conventionnelles stéréotypées; le sens de l'humour nous délivre avec soulagement de cet assujettissement.

---

1. *D.M.I.*, p. 134.

Si la « façade » gouverne la conduite individuelle, la confusion de la personnalité devient tellement artificielle que, dit Jung : « Dans le but de s'identifier à une image idéale de soi-même, l'individu sacrifie trop de qualités humaines[1] ». « L'autre côté » peut alors se révolter et c'est la dépression nerveuse.

Si le moi se tourne vers le monde intérieur, il se trouve confronté avec deux archétypes : *L'Ombre* et *L'Image de l'âme*.

Dans les ténèbres de l'inconscient, s'active une figure archétypique personnifiant la zone la plus obscure et la plus archaïque de la psyché, appelée « Ombre » par Jung. L'Ombre constitue donc la partie inférieure de la personnalité qui condense les éléments psychiques personnels ou collectifs non vécus ou qui s'opposent aux tendances conscientes. Dans les rêves, le personnage qui représente l'Ombre est, le plus souvent, du même sexe que le rêveur et, comme dans les mythes, légendes et contes folkloriques, ce personnage apparaîtra sous la forme d'un individu méprisable, indésirable, bestial, hostile, diabolique, violent, voire meurtrier.

Cette figure, redoutable et redoutée, est l'expression de deux aspects de notre psychisme : la somme de tous les défauts, faiblesses, contenus défavorables ou néfastes, non reconnus, et rejetés par le moi ; la zone psychique la plus obscure, primitive, grossière, non encore évoluée par rapport à une conscience plus ou moins civilisée ou par rapport à la morale établie.

« Notre croûte de civilisation, dit Jung, recouvre une sorte de brute aux formes préhistoriques[2] ». Sous son aspect le plus néfaste et démoniaque, l'Ombre demeure sous l'empire de l'avidité et cette avidité est faite d'instincts brutaux, de bestialité érotique, de passions incontrôlées, de pulsions grossières, d'égoïsmes insensibles, d'orgueil dominateur, etc. qui peuplent les ténèbres de l'inconscience. Cette violence qui confine à la barbarie et au sadisme se déchaîne collectivement à l'occasion des guerres, révolutions et émeutes, mais se manifeste également dans la vie quotidienne : pensez à l'automobiliste fou de rage pour une rivalité de parking, aux « bourreaux d'enfants », aux farouches haines politiques, religieuses et sociales et, même, familiales.

Aucun de nous n'échappe à la tentation passionnée, assoiffée et inhumaine, de possessivité immédiate, de puissance exclusive, de sensualité effrénée au profit d'un moi qui, dès lors, n'admet d'autre loi que celle de la jungle. C'est pourquoi l'archétype de l'Ombre est figuré par le Diable (lat. « qui désunit ») qui, dans les religions, apparaît comme le « tentateur ». Référez-vous à l'enseignement du catéchisme, à Faust, aux tentations de saint Antoine ou à la tentation du Christ auquel Satan,

1. *Ibid.*, p. 94.
2. *P.I.*, p. 187.

« Prince des Ténèbres », propose la puissance de la terre s'il renonce à sa mission de lumière[1].

Si nous projetons cette Ombre, non reconnue en nous, sur quelqu'un de notre entourage, celui-ci devient aussitôt notre « bête noire ». Et, comme nous avons horreur de cette composante déplaisante de notre personnalité, cette projection s'accompagne souvent de haine féroce pour ce personnage (ou pour un animal déplaisant), croyant ainsi nous en décharger en nous disant avec prédilection, dit Jung : « Merci, ô mon Dieu, de ne m'avoir point fait comme celui-là[2] » ! Nous retrouvons ce processus dans le « Bouc Émissaire » de la Bible[3] ; dans « la paille et la poutre » des Évangiles[4] ; dans « les Animaux malades de la peste » de La Fontaine ; dans les incessantes persécutions des juifs ; dans les tortures de l'Inquisition et des polices politiques ; dans la mise en esclavage par les blancs de la race « noire », etc. L'Ombre constitue donc notre « frère ennemi », thème archétypique que l'on retrouve dans les religions : Osiris et Seth-Typhon, Polynice et Étéocle, etc. Elle est « l'homme noir qui me ressemble comme un frère » de Musset.

Quelle attitude devons-nous prendre à l'égard de cette Ombre satanique que nous portons tous au fond de nous-mêmes ? Eh bien, il semble que nous devrions réfléchir à la sage parole de Maître Eckhart, ce moine mystique du XIIIe siècle, qui professait que « la propension au péché est toujours profitable à l'homme »[5] car elle l'oblige, par ses conséquences, à sortir de l'ignorance de soi-même. Il voulait dire par là que l'Ombre ne possède pas que des aspects négatifs.

Satan, « l'adversaire », le « tentateur », est également appelé le « malin », qualificatif qui signifie non seulement « disposé à faire le mal » mais aussi « habile », « rusé ». Lucifer, même déchu, est toujours « porteur de lumière ».

L'Ombre démoniaque contient en elle-même, comme le souligne Jung, des dynamismes instinctifs et une violence passionnée que nous pouvons intégrer et canaliser à des fins supérieures au lieu de la refouler avec répulsion.

Si paradoxal que cela puisse paraître à première vue, la psychologie des profondeurs met, à tout instant, en évidence la bisexualité de la nature humaine. Ce qui nous paraît naturel chez les plantes et les escargots peut paraître étrange chez des êtres dont les sexes sont apparemment parfaitement distincts.

Déjà, sur le plan physique, la différence entre les sexes n'est pas aussi tranchée qu'on pourrait le croire. L'ovule, fécondé par le spermatozoïde, demeure bisexué jusqu'au troisième mois de la vie intra-utérine. La

1. *Matth.*, IV.
2. *H.D.A.*, p. 158.
3. *Lév.*, XVI.
4. *Luc*, VI-41.
5. Maître Eckhart, *Traités et Sermons*, Aubier-Montaigne, 1942, p. 36.

prédominance sexuelle ne s'opère qu'après, par une majorité de gènes masculins ou féminins, la minorité des gènes de l'autre sexe n'étant pas anéantie. Selon l'orientation sexuelle, il se fait une atrophie de la glande opposée mais qui reste à l'état embryonnaire. Son ébauche persiste à l'état adulte, ce qui explique que les hommes aient des seins, certaines femmes de la barbe et qu'un individu, par anomalie réversible, puisse passer brusquement d'un sexe à l'autre, comme nous l'annoncent de temps à autre les journaux.

Ces constatations, vérifiables sur le plan physique, le sont également sur le plan psychologique : il est incontestable que l'énergie psychique — la libido — est bisexuée. De nombreuses théogonies, mythologies et traditions le proclament de manière explicite ou implicite. Citons, pour mémoire : l'homme sphérique de Platon, l'Atman des Upanishads védiques, le Yin et le Yang des Chinois, l'Hermaphrodite des Grecs, etc. pour en venir à la Bible qui nous est plus familière.

Yahvé-Dieu étant la Totalité parfaite renferme évidemment en lui-même le Masculin et le Féminin. Lorsqu'il créa l'homme, nous dit la Genèse, il le créa « homme *Et* femme »; après seulement, vient la naissance d'Ève, tirée d'une de ses côtes[1]. En fait, Ève n'est pas la première femme mais la composante féminine d'Adam.

On notera également que, dans les contes de fées, les héros sont toujours « Prince » et « Princesse », afin de souligner qu'il ne s'agit pas d'un homme ou d'une femme mais bien du « *Principe Masculin* » et du « *Principe Féminin* » dont le mariage prolifique — « Ils furent très heureux et eurent beaucoup d'enfants » — marque symboliquement la félicité et la fécondité issue de l'union des dualités. Donc, la psyché humaine contient en elle-même le Masculin et le Féminin.

Au *Masculin*, correspond le *Logos* créateur rationnel qui, par un jugement logique, estime, analyse, critique et organise aussi bien les valeurs spirituelles que matérielles. Par sa volonté et son initiative, par sa pensée constructive, il peut clarifier, différencier et ordonner les constituantes du monde intérieur comme celles du monde extérieur. Si elles se limitent à une sorte de lucidité glacée, ces facultés se réduisent au dessèchement intellectuel, mais elles permettent d'accéder aux lumières d'une « Connaissance » supérieure.

Au *Féminin*, correspond l'*Éros* instinctif, sentimental, sensible et irrationnel, qui désire ardemment l'harmonie des oppositions (« éros » vient de « erein » : « désirer passionnément l'union »), mais dont les ardeurs violentes et l'intensité des émotions ressenties exaltent ou perturbent les réalisations. Dans la vie intérieure comme dans la vie extérieure, il peut conduire à des antipathies déchirantes comme aux ravissements de l'Amour inconditionné !

Le Principe Masculin comprend l'expérience, le Principe Féminin vit

---

1. *Gen.*, I-27.

l'expérience. Cependant, excessif, le Principe Féminin embrouille la pensée, tandis qu'un Principe Masculin outrancier dessèche le flot émotionnel. Mais, de même que l'enfant ne peut être procréé que si l'homme s'unit à la femme, de même, une évolution ne saurait s'accomplir que par la conjonction harmonieuse du Logos et de l'Éros.

L'intellect, sans l'amour, est abstrait et stérile. L'amour, sans l'intellect, est incohérent et risque la démesure. Si donc l'amour demande à l'intellect de l'éclairer et de le tempérer, l'intellect ne saurait se passer de l'amour pour s'épanouir et créer.

Jung a appelé « *images de l'âme* » les représentations du sexe opposé qui apparaissent dans les rêves au cours du « processus d'individuation ». Il a pu démontrer que, si l'homme se ressentait comme masculin sur le plan conscient, son inconscient possédait un indice féminin, tandis que si la femme se ressentait comme féminine sur le plan conscient, son inconscient possédait un indice masculin[1].

Il a appelé « *anima* » la sphère inconsciente de l'homme et « *animus* » la sphère inconsciente de la femme. Ce n'est peut-être d'ailleurs pas par hasard que le latin possède deux mots pour désigner l'âme : « animus » qui vient du grec « anemos » (Vent) implique plus spécialement l'idée de « souffle de l'esprit » tandis que « anima » implique plus spécialement l'idée de « principe de vie » (« animer », « animation »), ce qui se retrouve dans le nom d'Ève qui, en hébreu, signifie « vie » (héb. « Havva » de « Hâyah » = « vivre »).

Bien entendu, les rêves pullulent d'images de rapports sexuels entre l'homme et la femme, mais la sexualité sera, le plus souvent, à prendre sur le plan symbolique de l'union des polarités (elle signifie « union intime avec... ») et nullement à prendre obligatoirement sur le plan physique, tout dépend du contexte onirique. Ici encore, Jung se sépare de Freud[2].

Que l'on songe au « Cantique des Cantiques », au Kama-Sutra, à la « Bien-Aimée » de saint Jean de La Croix, à l' « Époux » de sainte Thérèse d'Avila, aux « Shakti », les fidèles compagnes des dieux hindous, ou au Yin et Yang des Chinois. Comment pourrait-on, ici, se limiter au seul aspect physique de la sexualité ?

De quelle manière vont s'activer les « Images de l'âme » au sein de la psyché humaine ? Nous avons vu que le Féminin est refoulé chez l'homme et le Masculin chez la femme. Or, nous savons, par les travaux de Freud et de Jung, que tout contenu réprimé dans l'inconscient devient d'autant plus négatif que le refoulement est plus intense.

Tout se « passe comme si » ce contenu, s'exaspérant de ne pouvoir s'exprimer à sa guise, se retournait contre son agresseur, tel un bel animal sauvage devenant peu à peu enragé si on le prive de liberté.

Voyons, d'abord, le jeu de l'anima. Si l'homme étouffe son anima — sa

1. *G.P.*, p. 97.
2. Voir « Sexuels et la Sexualité (Les organes) ».

féminité —, c'est, entre autres, par peur panique de perdre le contrôle de sa froide pensée logique, dans le cas où celle-ci se laisserait submerger (ou seulement influencer) par des pulsions émotionnelles irraisonnées, fantasques, désordonnées, tantôt aveugles, souvent explosives et, parfois, en contradiction avec ses « impeccables » cogitations intellectuelles ! Mais l'anima refoulée va se « venger » en se manifestant envers et contre tout.

Tombée dans l'inconscient de l'homme, celui-ci, contrairement à ses illusions, n'en est plus le maître et ses impulsions féminines prendront le dessus, envahissantes et tyranniques, en jaillissant sporadiquement — comme par bouffées — sous forme d'idées obsessionnelles, de mauvaises humeurs inconsidérées, d'injustices criardes, de revendications puériles, bref de décharges émotionnelles capricieuses, égocentriques et incompréhensibles, car sans beaucoup de rapports avec les données correspondantes de la vie quotidienne. À la limite, il sera crispé et atteint de tics nerveux ou peut sombrer dans la névrose. On dira qu'il est « possédé par son anima ». Si, en outre, l'anima est fortement soumise à l'influence de l'image maternelle « celle-ci, dit Jung, va être projetée en bloc sur la femme ; ce qui va avoir pour conséquence que l'homme, dès qu'il contracte mariage, devient enfantin, sentimental, dépendant et servile, ou dans le cas contraire, rebelle, tyrannique, susceptible, perpétuellement préoccupé du prestige de sa prétendue supériorité virile[1] ».

Dieu merci, l'inconscient de l'homme renferme également, en puissance, les éventualités positives d'un accord avec son anima. S'il veut parfaire sa personnalité et procéder à sa réalisation totale, il devra vaincre le diabolique Dragon de ses résistances intérieures et libérer sa fonction féminine, son anima, son « âme-sœur », prisonnière des redoutables ténèbres de l'inconscience. C'est le thème éternel — archétypique — du Héros foudroyant le monstre (symbole de sa terreur de l'inconscient) pour conquérir la jeune fille (l'anima), tel Thésée libérant Ariane du Minotaure, saint George tuant le Dragon pour délivrer la jeune fille, ou Roger, du *Roland furieux,* arrachant Angélique des griffes du monstre marin.

En littérature, l'anima paraîtra sous la forme de la sorcière ou de la fée bienfaitrice des contes de fées, de la « Chatte blanche » qui se change en princesse, de Mᵐᵉ d'Aulnoy, de Béatrice menant Dante dans le monde de l'Au-delà, de l'Aurélia de Gérard de Nerval ou de l'Antinéa de Pierre Benoît.

Si donc l'homme veut se hausser à un niveau supérieur, il ne saurait éluder le problème de l'anima. C'est par l'amour qu'il peut se racheter et l'amour ne passe-t-il pas par cet « Éternel Féminin » qui, disait Goethe, « nous enlève jusqu'au ciel »[2].

A l'anima de l'homme va correspondre l'*animus* chez la femme, c'est-à-dire, répétons-le, son Principe Masculin inconscient. Mais il faut noter,

1. *D.M.I.,* p. 193.
2. Goethe, *Faust,* II-dernière scène.

dans le cas de l'animus, « qu'en raison du développement patriarcal de notre civilisation occidentale, la femme tend à croire que tout ce qui est masculin possède en soi plus de valeur que ce qui est féminin, ce qui contribue encore à accentuer la puissance de l'animus [1] ».

L'animus est donc la représentation du Masculin que chaque femme porte en elle et, en tant que fonction psychologique de virilité, sa partie forte au moyen de laquelle elle s'efforce — avec plus ou moins de bonheur — de s'affirmer. C'est l'animus qui assure sa capacité d'organiser, de coordonner, de hiérarchiser le monde des idées abstraites et qui assagit le flot tumultueux de ses émotions et de ses passions. C'est l'animus qui la rend active et réalisatrice. C'est l'animus qui préside à l'orientation de sa vie spirituelle.

Mais si l'animus demeure fortement refoulé dans l'inconscient, suivant qu'il manque de développement ou que sa puissance soit excessive, nous aurons les comportements féminins suivants :

— soit la « femme-enfant », charmante, généralement très sentimentale, mais manquant de personnalité par défaut de caractère et carence de fonction intellectuelle ;

— soit la femme acariâtre, agressive, maniant systématiquement la contradiction, au point qu'il est plus important pour elle d'avoir raison que de reconnaître une évidence qui lui échappe ;

— soit la femme intellectuelle, du genre « bas-bleu », chez qui un animus nébuleux provoque, par réaction, dit Jung, « des raisonnements et des arguments qui voudraient être logiques et critiques, mais qui, pour l'essentiel, se bornent, la plupart du temps, à ceci : un point faible et secondaire sera transformé, au prix d'un contresens, en la thèse essentielle. Ou encore, une discussion, claire en soi, se verra compliquée à l'extrême par l'adjonction de nombreux points de vue qui, à l'occasion, n'ont rien à faire avec la discussion en cours [2] ».

En tout cas, un des traits caractéristiques de la femme soumise à un animus fortement refoulé — donc négatif — est d'émettre ce que Jung a appelé les « opinions féminines ». Là où l'homme raisonne, la « femme-animus », c'est-à-dire celle dont l'animus est préjudiciable, décrète par a priorismes incontrôlés, affirme par supposés vagues. Ses « opinions » sont, généralement, énoncées avec la plus grande conviction et, souvent assenées sur un ton péremptoire et définitif, mais s'effondrent comme un château de cartes devant une argumentation logique.

Elle se réfère, la plupart du temps, à des idées collectives et, dit Jung, « à des prétendus principes ainsi qu'à une quantité d'arguments spécieux qui énervent parce qu'ils se situent souvent un peu à côté de la question en

---

1. J. Jacobi, *La Psychologie de C.-G. Jung, oc*, p. 228.
2. *D.M.I.*, p. 222.

y introduisant toujours un petit rien qui lui est étranger... Parfois, cet animus se manifeste par une passion démoniaque qui irrite les hommes, les indispose et cause aux femmes le plus grand dommage en étouffant peu à peu le charme et le sens de leur nature, rejetée à l'arrière-plan[1] ». À ce genre de femmes appartiennent celles qui « savent toujours tout mieux que tout le monde » !

Si le désaccord entre la femme consciente et son animus s'accentue, il conduit tout droit à la névrose. On dira d'une telle femme qu'elle est « possédée par son animus ». Mais un animus épanoui et équilibré conditionne des femmes de tête, efficaces, organisatrices, aimantes et compréhensives qui seront, par exemple, d'incomparables épouses et mères de famille ou ces admirables infirmières-major capables de faire marcher un hôpital tambour battant, sans perdre pour autant leurs qualités féminines de dévouement et d'humanité.

Dans les rêves, l'animus prendra les formes les plus variées suivant le degré d'évolution de la rêveuse. Il peut apparaître sous l'image de malfaiteurs, de voleurs, de violeurs, voire d'assassins; sous l'image d'animaux virils ou monstrueux (« la Belle et la Bête » de Mme de Beaumont); sous l'image du Prince Charmant; sous l'image du « Vieux Sage » possesseur de la suprême Vérité, etc., en passant par la gamme des rêves érotiques, plus ou moins réussis, au cours desquels l'animus tente de communiquer à la femme cette force paisible lui permettant de s'adapter à la vie avec l'assurance confiante qui caractérise les personnes équilibrées. En tout état de cause, « *l'image de l'âme* », tant animus qu'anima, joue, au sein de la psyché, le rôle de médiateur entre le conscient et l'inconscient et de guide à travers les dédales du monde intérieur, tels Hermès menant Héra, Athéna et Aphrodite secondées par Pâris ou, répétons-le, Ariane conduisant Thésée hors du labyrinthe crétois à l'aide de son fameux fil.

II

La méthode freudienne est avant tout *causale;* la méthode adlérienne avant tout *finaliste;* la méthode jungienne, à la fois *causale* et *finaliste.* Pour Freud, le traumatisme ou l'atmosphère traumatisante est pour l'enfant la cause des troubles névrotiques, ceux-ci étant principalement d'ordre sexuel et œdipien. Pour Adler, nous possédons en nous-mêmes un instinct de puissance qui a pour fin de nous intégrer au mieux dans l'ordre social.

Jung admet parfaitement que les relations de cause à effet puissent engendrer l'inadaptation, que les problèmes sexuels soient d'une impor-

1. *P.A.M.*, p. 281.

tance capitale et considère comme absolument exact que l'instinct de puissance se manifeste à tout instant dans nos complexes d'infériorité et leurs réactions de compensation et de surcompensation. Mais l'expérience lui a montré que nous possédions, au sein de notre psyché, une fonction psychologique qu'il a appelée « fonction transcendante »[1], fonction qui tend à concilier en nous les oppositions, à harmoniser les contraires en vue de notre individuation. Le rêve est une manifestation de cette fonction transcendante.

Au moment où le conscient suspend, par le sommeil, le vacarme assourdissant de ses cogitations intellectuelles et de ses ruminations mentales, les activités de l'inconscient deviennent perceptibles au moi, mais sous la forme de représentations et de processus symboliques. Les images et les situations présentées par les rêves échappent donc totalement à notre compréhension puisque, étant symboliques et non rationnelles, les figures oniriques nous paraissent incohérentes et absurdes. Pourquoi le rêve s'exprime-t-il par symboles?

« Un symbole, dit Jung, est la concrétisation d'un affect, d'un sentiment ou d'une activité, pleins de vivacité, mais qui ne sont pas encore conscients. Nous ne faisons alors qu'en ressentir les effets et le pouvoir, mais sans parvenir à le définir exactement[2]. » L'image symbolique ne peut s'établir que par analogie pour la bonne raison que notre « entendement », pour une chose qui nous est encore difficile à saisir, ne va pas au-delà de l'analogie, ne dépasse pas le comparatif. Prenons un exemple : imaginons que je n'aie jamais bu de Beaujolais. On aura beau me dire que ce vin est plus ou moins sec, plus ou moins corsé, ressemblant à du Bourgogne mais plus léger, etc., jamais je ne pourrai me rendre compte en toute réalité du goût exact de cette boisson tant que je n'en aurai pas moi-même fait l'expérience.

Selon Jung, il faut interpréter le rêve non seulement *au niveau de l'objet*, mais aussi *au niveau du sujet* car, en toute généralité, tout le rêve est le rêveur lui-même. Chaque élément du songe à déterminer appartient à l'ensemble psychique du rêveur qui le fait.

Prenons, par exemple, le rêve suivant : « Je plonge dans une mer grise et tue un énorme requin noir. Lorsque je reviens à terre, on me félicite mais j'apprends que j'ai, de ce fait, également tué un innocent petit mouton blanc. Le remords me réveille. » Le rêveur — qui représente le moi — doit se demander : « Quel élément de moi est cette mer grise? Quel élément de moi est ce monstrueux requin noir? Quel élément de moi est ce petit mouton innocent? Quels éléments de moi me félicitent? » Et c'est ainsi que l'on pourra réellement saisir le message de l'inconscient transmis par le rêve. Autrement dit : par un de mes rêves, je prends contact avec un processus de mon inconscient, ce qui me permet de

1. Lat. « transcendere » = « passer au-delà », « surpasser ».
2. E. Harding, *Les Mystères de la Femme, oc,* p. 168.

procéder à la prise de conscience de moi-même, donc de me « connaître moi-même ».

Le rôle du symbolisme, ici, est par conséquent double : il est médiateur entre le conscient et l'inconscient et transformateur puisqu'il me permet de modifier ma manière d'être en percevant des activités psychiques qui, jusqu'ici, m'échappaient.

L'interprétation se fera au moyen des *associations d'idées dirigées* demandées au rêveur et de *l'amplification* faite par l'analyste. Freud utilise, pour sa méthode, les « associations d'idées libres » pour les principales images se présentant dans les rêves. Mais Jung considère que ce recours a pour inconvénient de laisser le sujet errer dans le vagabondage de l'esprit, tout en s'évadant inconsciemment des points ressentis comme les plus douloureux, donc les plus refoulés. D'incidentes en incidentes, une idée en amenant une autre, le patient se retrouve rapidement à cent coudées du texte onirique. Ou encore, obsédé par un complexe perturbateur, il y revient sans cesse, tournant en rond autour de lui, risquant de s'y engluer au lieu de s'en libérer.

Jung, au contraire, se réfère aux *associations d'idées dirigées,* c'est-à-dire, écrit-il, « que les associations seront canalisées et limitées à la périphérie immédiate du rêve ainsi qu'aux éléments qui sont en rapport avec celui-ci [1] ». Si, par exemple, un rêveur rencontre en songe son ami X... qui se promène à Rome monté sur un éléphant, nous devons nous en tenir aux associations d'idées du rêveur concernant son ami X..., un éléphant et Rome.

Quant à *l'amplification,* il s'agit d'un terme et d'un procédé spécifiquement jungien ; celui-ci consiste à « étendre et à approfondir l'image d'un rêve au moyen de thèmes parallèles tirés des sciences humaines et de l'histoire des symboles » [2], c'est-à-dire de la mythologie, des religions, du folklore, de l'art, de la psychologie des primitifs, etc. Si, par exemple, dans un songe, le rêveur s'efforce de délivrer une jeune fille réfugiée dans une grotte mais ne peut y parvenir parce qu'un chien féroce en garde l'entrée, on mettra cette image en parallèle avec le monstrueux chien Cerbère interdisant à Orphée de délivrer Eurydice. On en donnera, alors, la signification symbolique, en élargissant ainsi un champ de conscience suffoquant dans ses étroites limites, en le réinsérant dans la grande aventure humaine dont la destinée est inscrite dans l'inconscient collectif.

Au lieu de se sentir isolé par la souffrance, marqué par le sort qui en fait une sorte de réprouvé, le sujet s'aperçoit « qu'il ne se trouve en aucune manière seul dans un monde étranger auquel personne ne comprend rien, mais qu'il appartient au grand fleuve de l'humanité historique, qui a vécu, et d'innombrables fois, ce qu'il considère comme une singularité exclusivement personnelle et pathologique [3] ». L'effet apaisant est parfois saisissant

1. *H.D.A.*, p. 322.
2. *M.V.*, p. 450.
3. *R.C.*, p. 338.

car le patient prend soudain conscience que « *sa* souffrance est *la* souffrance du monde, non plus une souffrance personnelle qui isole, mais une douleur sans amertume qui le relie à tous les hommes [1] ».

Nous voici arrivés au terme de cette petite étude. Nous y voyons, en particulier, l'importance donnée aux images, que celles-ci surgissent dans les phantasmes, dans la technique de « l'imagination active » ou dans les rêves. Toute idée suscite une image. Mais que signifie, en fin de compte, cette image ?

Étant symbolique la plupart du temps, elle nous choque car elle échappe à l'entendement de notre soi-disant logique intellectuelle tout en suscitant des flots affectifs incompréhensibles. Et cependant, elle est bien là, nous talonnant comme pour nous dire : « Cherche à comprendre et ta tension anxieuse cessera. »

Jung nous a apporté le moyen d'atténuer, dans la mesure du possible, la souffrance humaine en se penchant sur la signification de l'image, sachant que celle-ci traduit, à travers le symbole, ce qui se situe au-delà de la seule raison.

1. *P.A.M.*, p. 26.

SYMBOLISME DU CORPS
EN GÉNÉRAL

> Notre « être tout entier est esprit, âme et corps »,
> dit saint Paul (*I^e Thes.*, V. 23). Et il ajoute : « Ce n'est
> pas le spirituel qui apparaît d'abord, mais le matériel ;
> le spirituel ne vient qu'ensuite. Le premier homme,
> tiré de la terre, est terrestre, le second vient du ciel. »
> (*Ier Cor.*, XV-46).

L'inconscience instinctive, associée au corps, précède la conscience responsable animée par l'esprit. Au départ, le petit bébé n'est qu'un corps, l'esprit n'apparaîtra qu'avec la naissance de la conscience qu'il a de lui-même et des autres.

Si nous revenons à quelques définitions jungiennes déjà entrevues dans le chapitre sur la psychologie de C.-G. Jung, nous pouvons dire que *le corps* est la partie matérielle de l'être animé ; *la psyché* est « la totalité des processus conscients et inconscients »[1] ; *l'intellect* est « la faculté du conscient de saisir et de penser logiquement, c'est-à-dire le côté purement rationnel de l'individu[2] ».

L'âme est une sorte de personnalité intérieure, constituée par un complexe de fonctions déterminées, qui se présente comme l'attitude interne « objet » par rapport au « moi-conscient » sujet. Elle apparaît comme étant l'inconscient personnifié qui possède chez l'homme un indice féminin (l'anima) et chez la femme un indice masculin (l'animus). Elle se rapporte à la fraction de la zone inconsciente qu'il nous est possible d'appréhender. Sa fonction psychologique est aussi de nous guider — tels Ariane et Thésée, Béatrice et Dante ou Hermès et Héra — sur la voie de cette individuation qui donne un sens à notre vie.

L'esprit, principe créateur universel, source d'énergie et d'intelligence,

---

1. *T.P.*, p. 425.
2. J. Jacobi, *La Psychologie de C.-G. Jung, oc*, p. 16.

constitue l'aspect dynamique de la psyché aussi bien consciente qu'inconsciente. La dynamique de l'esprit transforme en produisant et en mettant en place les images psychiques et se trouve à la base de l'éthique et des religions.

Nous pouvons regarder le corps comme le réceptacle de l'Esprit. Tout au long de son œuvre, Jung abonde en ce sens : « Je ne crois, écrit-il, qu'au verbe incarné dans la chair et qu'au corps animé par l'esprit, dans lequel le Yang et le Yin de la philosophie chinoise sont mariés en une figure vivante[1]. » Pour lui, « la psyché dépend du corps et le corps dépend de l'esprit[2]. Et il ajoute : « un fonctionnement défectueux de l'âme peut porter au corps de notables dommages, de même que, réciproquement, une affection physique peut entraîner une souffrance de l'âme[3]. Car l'âme et le corps ne sont pas des éléments séparés ; ils constituent, au contraire, une seule et même Vie[4] ». L'esprit et la matière se présentent comme un couple d'opposés complémentaires dont chaque élément forme un pôle, antagoniste parfois, mais nécessaire à l'autre. « Sans le sculpteur, disent les Chinois, la glaise est une masse informe et inerte mais que peut le sculpteur sans la glaise ? » Cependant, nous constatons — et ceci est encore accentué par certaines religions — une tendance générale à réprimer ce qui vient du corps, soi-disant au profit de l'esprit. A son paroxysme, c'est l'anathème prononcé par les Églises — principalement au XIXe siècle — contre la sexualité, la sensualité, le plaisir, bref contre cette chair dont est fait le corps (« le péché de la chair ») qui oblige à se méfier des pulsions instinctives les plus légitimes. Voir : « Ascétisme » et « Sexuels et la Sexualité (Les Organes) ». Pourquoi cette propension si fréquente à croire à la supériorité de l'esprit sur le corps ? « C'est que, dit Jung, le corps est pour l'homme un ami douteux ; il produit souvent ce que nous n'aimons pas ; à son égard, nous nous tenons sur nos gardes ; car il a trop de choses dans le corps qui ne peuvent être mentionnées. Le corps sert souvent, psychologiquement, à personnifier notre Ombre[5]. »

L'Ombre, nous l'avons vu, condense en elle-même des imperfections non reconnues du moi-conscient et les puissances archaïques des arrière-plans psychiques non encore évolués. Mais, à travers l'Ombre, c'est aussi aux pulsions instinctives que le corps est relié.

Pour Jung relèvent de l'instinct « tous les processus psychiques dont l'énergie n'est pas dominée par la conscience et qui contraignent à certaines activités[6] ». « Les instincts, dit-il, sont l'élément le plus ancien et le plus conservateur qui soit dans l'animal et dans l'homme[7]. » Mais la

---

1. *A.D.C.*, p. 125.
2. *G.P.*, p. 82.
3. Par exemple, « on se fait de la bile » mais, inversement, les troubles hépatiques provoquent des états dépressifs.
4. *P.I.*, p. 220.
5. *H.D.A.*, p. 105.
6. *T.P.*, p. 473.
7. *R.C.*, p. 280.

dynamique de l'instinct, collaborant avec l'intellect-conscient, se trouve à la base du processus d'individuation : les aspirations spirituelles et religieuses, pour Jung, relèvent autant des instincts que les pulsions sexuelles ou sociales[1]. Et comme le corps abrite la nature instinctive, « le Soi embrasse la sphère corporelle aussi bien que la sphère psychique[2] ».

Tous ces éléments se télescopent en perpétuels conflits dans les brouillards de l'inconscience tant que nous n'avons pas eu le courage de plonger au fond de nous-mêmes pour y mettre de l'ordre et y voir clair. Et souvent, ce seront l'angoisse psychique ou la maladie psychosomatique qui attireront notre attention sur nos désordres intérieurs. L'homme possède une fâcheuse tendance à nier sa composante animale, corporelle qui, dès lors, se rappellera à lui par de violentes réactions de l'Ombre.

Le monde contemporain revient à un intérêt marqué pour le corps : Hatha-Yoga, Training Autogène, méthode Vittoz, expression corporelle, nudisme, éducation corporelle précoce, films érotiques, etc. Tant mieux si nous ne retombons pas par réaction, dans un excès contraire à l'éducation étriquée de nos parents et grands-parents. Car déjà la jeunesse moderne, très désorientée, se tourne de plus en plus vers les sectes et les sociétés secrètes. Cette oscillation entre la « Primauté de la vie instinctive » et la « Primauté de la vie spirituelle » fait partie de la loi d'alternance de l'existence : la Renaissance sensuelle a succédé au Moyen Âge mystique et le prosaïsme moderne au lyrisme romantique.

Corps et esprit, répétons-le sans nous lasser, ont une fâcheuse tendance à se heurter, au lieu de collaborer, au sein de la psyché. Que cela nous plaise ou non, le corps est au même titre que l'esprit une composante essentielle de l'être humain. Ce sont nos rêves qui, à travers les symboles les plus variés, nous avertiront[3] de l'attitude souvent aberrante du conscient à l'égard du corps afin de nous permettre de redresser nos réactions subjectives à son égard.

● *Dans les rêves :*

Un individu ne rêve que rarement de l'ensemble de son propre corps. Si c'est le cas, ce *corps* évoquera la partie inconsciente de la psyché avec ses contenus fondamentaux : Ombre, anima, animus, instincts...

Si, dans un songe, le *corps* du rêveur est blessé, mordu, piqué, mutilé, brûlé ou présente des anomalies positives ou négatives[4], ce sera, généralement, le symbolisme de la partie du *corps* ainsi atteinte qui jouera et, de ce fait, enseignera au rêveur un fait important le concernant mais encore peu précis pour lui. Par exemple, un trait se rapportant au symbolisme de l'oreille, de la main, des cheveux, des jambes, des yeux, du sexe, etc.,

---

1. *P. et A.*, p. 46.
2. *M.C.*, II, p. 270.
3. Cf. *Job*, XXXIII-14.
4. Robustesse ou débilité, par exemple.

chaque partie du corps ayant son symbolisme spécifique. Voir le chapitre suivant.

Si le *corps* d'un personnage autre que le rêveur apparaît doté de particularités intéressantes, nous avons affaire à un complexe déterminé qu'il conviendra d'analyser.

L'expérience montre que, le plus souvent, c'est un animal qui symbolisera la composante physique du rêveur, c'est-à-dire son *corps*. L'animal du rêve apparaîtra amical, dangereux ou secourable ; affamé, blessé, mutilé ou écorché vif ; splendide, puissant, intelligent ou guide, etc.

Et cet animal du rêve sera, en toute généralité, ressenti comme étant la partie de nous-mêmes en accord avec la Loi (le moi intellectuel ne l'est pas). Il indiquera notre position consciente — positive ou négative — à l'égard du monde instinctif, du domaine émotionnel, de l'acceptation de notre Destin et de la soumission à « l'Ordre des Choses » que nous redoutons tant car il dépasse notre raison. Cet aspect échappe aux limites fixées dans ce livre, et sera traité ultérieurement.

Enfin, mais tout à fait exceptionnellement, il arrive que ce soit une femme très « charnelle » qui symbolise le *corps* du rêveur, aussi bien chez une femme que chez un homme.

Concluons avec Musset :

> « L'âme et le corps, hélas, ils iront deux à deux,
> Tant que le monde ira, pas à pas, côte à côte,
> Comme s'en vont les vers classiques et les bœufs,
> L'un disant : " Tu fais mal " et l'autre : " C'est ta faute "[1]. »

---

1. *De la Coupe aux lèvres*, I, 49.

SYMBOLISME PROPRE
A CHAQUE PARTIE DU CORPS HUMAIN
DE SA NAISSANCE A SA MORT,
AINSI QU'A SES GESTES,
A SES ATTITUDES, A SES ACTIVITÉS,
A SES FONCTIONS PHYSIOLOGIQUES,
A SES ATTEINTES ET A SES ACCIDENTS

A

ABLUTIONS DU CORPS (Les)

Voir « Nettoyer. »

ACCIDENTS (Les)

Voir « Maladies et Accidents » ainsi que « Suicides ».

ACCOLADE (L')

Voir « Baiser ».

ACCOUCHEMENT (L')

Accoucher, c'est donner naissance à (un enfant) et naître, c'est venir au monde, avoir son commencement.

Mais naître, c'est aussi le premier pas vers la mort.

« Ce qui est né est assuré de mourir, ce qui est mort est assuré de naître ; c'est pourquoi ce qui est inévitable ne devrait te causer d'affliction » dit Krishna à l'initié Arjuna dans la Bhagavad Gita [1].

Lorsque la naissance est mythologique ou très symbolique, il arrive souvent que la divinité ou le héros vienne au monde de manière surnaturelle : Athéna sort tout armée du crâne de Zeus ; Bacchus sort de la cuisse de Jupiter, Vénus naît de l'écume de la mer ; Mithra naît d'un rocher et Gargantua sort de l'oreille de Gargamelle.

● *Dans les rêves :*

L'accouchement possède, en toute généralité, le même symbolisme que celui de l'enfant en gestation, mais à un stade plus avancé. L'enfant qui

1. II-27.

naît est le fruit du travail sur soi-même dans le sens où, autrefois, on disait d'une « femme en travail » qu'elle était en train d'enfanter. Cet enfant est « l'image de la prise de conscience de soi »[1]. Il y a naissance d'un élément nouveau, d'une fonction nouvelle, d'un état de conscience nouveau... comme il peut s'agir de la mise au monde de « l'enfant spirituel », fruit de l'œuvre intérieure tendant à concilier les oppositions qui nous déchirent. Le nouveau-né est alors un « symbole unificateur » qui libère de la tension des contraires. Il y a « délivrance »[2], mot qui s'applique aussi bien à un « accouchement » qu'à une « libération », au même sens que « Nirvâna » signifie « extinction des oppositions »[3].

Parfois, cependant, l'accouchement du rêve est tragique : fausse-couche, enfant mort-né, hémorragie, etc. Cette image est extrêmement négative et anxiogène. Elle indique que le moi, inconsciemment, refuse la plénitude de vie ou oppose une résistance farouche à l'œuvre de la prise de conscience[4]. Des forces autodestructrices s'opposent intensément aux forces constructives de redressement. Si le sang coule à flots, la situation est sérieuse : il y a perte d'énergie et extrême souffrance (angoisse) qui rendent l'existence inféconde et difficilement supportable (voir « Sang »).

Exceptionnellement, il peut arriver qu'un enfant mort-né ou une fausse-couche indique que l'on se libère d'un élément improductif pour laisser la place à une vie plus créatrice (à déterminer). La tonalité des affects permettra d'en juger pour l'interprétation.

Voir aussi : « Enceinte (Être) », « Naissance et Renaissance », « Bébé ».

ACCOUPLEMENT (L')

L'accouplement est pris, ici, dans le sens d'union sexuelle. Voir «Sexuels et la Sexualité (Les Organes) ».

ACROBATIES (Les)

(Du gr. « acrobatos » = « qui marche sur les extrémités »)

A la notion d'acrobatie, au propre et au figuré, se rattache l'idée d'exercices d'agilité difficiles, parfois dangereux, mais toujours extraordinaires à exécuter.

● *Dans les rêves* :

(−) Sous leur aspect négatif, les acrobaties évoquent les efforts inconsidérés, conscients ou inconscients, que fait le rêveur pour se maintenir à un niveau d'adaptatation qui ne lui est ni spontané ni naturel ou pour ne pas voir des vérités évidentes qu'il se refuse à admettre (examiner le plan matériel et le plan psychique). Ces acrobaties morales,

1. *R. à J.*, p. 182.
2. En médecine, « délivre » et « placenta » sont synonymes.
3. Cf. *T.P.*, p. 192.
4. En raison d'une intense fixation œdipienne, par exemple.

en marge des réalités objectives, sont toujours nerveusement épuisantes : faux sentiment, comédie de la Persona, fausse vocation professionnelle ou religieuse, refus d'admettre sa névrose, surmenage, mauvaise direction prise dans la vie, etc. (à déterminer).

N. B. : Se méfier, au début de l'analyse, d'acrobaties oniriques accompagnées de sentiments euphoriques prématurés.

(+) Sous leur aspect positif, les acrobaties marquent un progrès si elles sont exécutées avec aisance, sans danger, alors qu'auparavant, elles semblaient impossibles à effectuer.

Des forces nouvelles sont désormais capables d'accomplir des performances jusqu'ici irréalisables car une partie des puissances de l'inconscient, maintenant intégrées, dépassent de loin les capacités du moiconscient limité à l'intellect. C'est la libération des conflits intérieurs qui permet ces « exploits ».

AGRANDISSEMENT D'UNE IMAGE (L')

Voir « Taille plus petite ou plus grande que nature ».

AILES (Les)

Les ailes permettent de voler, de se libérer de la loi de la gravitation qui attache à la terre, et d'évoluer dans les airs, c'est-à-dire sur un plan plus psychique ou dans le domaine spirituel.

Dans l'Antiquité, on a attribué des ailes au Soleil (surtout en Égypte) ou à certains animaux : Pégase, Sphinx (Grèce), lions (Venise), taureaux (Assyro-Babylonie), Quetzalcoatl (le serpent aztèque), etc. Mercure et Isis, messagers des dieux, sont ailés ainsi que leurs caducées. Sont également ailés, les anges, les esprits, les génies, les fées, les Amours, les Ris, les Jeux, le Temps, la Renommée (« les ailes de la Renommée »), les Âmes en Égypte et le Diable aux ailes de chauve-souris.

Le Phallus ailé des Grecs indique qu'il ne faut pas prendre ce Phallus pour un pénis mais comme symbole de l'énergie créatrice dans l'Univers. Voir « Sexuels et la Sexualité (les Organes) ».

Les ailes donnent un caractère de transcendance à l'image quand elles permettent l'essor, l'ascension, la libération tel Pégase, cheval ailé, libéré de Méduse par Persée et s'élançant au plus haut des cieux. Une telle envolée permet de sortir de l'état d'inconscience souvent associé à l'état animal (Méduse), nous dit Jung[1]. Mais le Bouddha nous met en garde contre les illusions de la présomption : « Seuls les pieds qui n'ont plus à fouler des choses terrestres peuvent gravir les derniers degrés de la conduite droite. Il ne faut essayer de voler vers le Soleil que lorsque les ailes sont armées de plumes solides[2]. »

Cependant, le mythe d'Icare n'a pas d'autres intentions que de nous

---

1. *R. à J.*, p. 58.
2. M. Percheron, *La vie merveilleuse de Bouddha*, Del Duca, 1956, p. 219.

prévenir contre la vaniteuse témérité pouvant envahir l'individu en quête de libération. Notons enfin que dans la langue hellène primitive, « psyche » signifiait surtout papillon et que le papillon, aussi insaisissable que l'âme, est surtout remarquable par ses ailes.

● *Dans les rêves :*

Il arrive dans les rêves qu'un être humain apparaisse muni d'une ou de plusieurs ailes. Les ailes, d'une manière générale, psychisent l'image pour la distinguer de sa représentation purement physique.

Les ailes de chauve-souris font allusion aux ténèbres de l'inconscience, sinon à son diabolisme.

Les ailes de papillon ajoutent à l'image l'idée de libération par la métamorphose.

Voir « Plumes », « Planer », « Voler dans les airs ».

ALIMENTS (Les)

Voir « Nourriture » et « Manger » — « Repas en commun ».

AMPUTATION (L')

Par extension : ablation d'un organe.

● *Dans les rêves :*

L'amputation indique qu'un fragment plus ou moins important de l'ensemble psychique fait défaut. La tâche que devrait accomplir ce fragment amputé (mains, bras, pieds, nez, oreilles, etc.) ne fonctionne plus au sein de la masse d'énergie psychique. Cette fonction est à déterminer suivant le symbolisme de l'élément amputé (voir à chaque rubrique). Il y a lieu de réintégrer cet élément et ce qu'il représente au sein de la vivante totalité psychique. Par exemple, la virilité pour l'homme ou l'animus pour la femme.

Mais l'amputation peut également concerner un membre atteint d'un mal incurable (la gangrène, par exemple) dont il faut se débarrasser : renoncer à une activité extrêmement négative est ressenti comme un sacrifice douloureux.

Souvent, l'amputation est aussi ressentie comme une image de castration (voir ce mot).

ANUS (L')

Cette région du corps a été vénérée à différentes époques et chez différents peuples. Tout ce qui concerne le symbolisme de l'anus et des excréments remonte, en majeure partie, à des démarches psychologiques infantiles que la mémoire a perdues. « Les enfants, écrit Jung, vouent à l'acte de défécation et à ses produits un intérêt que l'hypocondre seul leur accorde. Plus tard, nous comprenons un peu de cet intérêt quand nous voyons que, très tôt déjà, l'enfant rattache à la défécation une théorie de la génération. L'enfant pense : c'est la voie de la production, la voie par où l'on sort quelque chose[1]. » De là, la croyance des enfants à la naissance par l'anus qui, par ailleurs, produit l'œuf.

La défécation s'associe donc à l'idée de puissance créatrice comme à celle d'enfantement. (Chez certaines peuplades primitives, la divinité produit l'homme par défécations successives.) A l'anus, qui semble produire les excréments, s'attache l'idée de production. L'anus, par extension et similitude, peut combler les vœux les plus fantaisistes en « produisant » les désirs imaginaires. Les excréments expulsés par l'anus ont de tout temps été assimilés à l'or : la vie nouvelle germe de l'humus dans la Nature et, en alchimie, la matière précieuse de la matière vile.

Cependant la défécation symbolise également, par analogie, la libération de nos toxines psychiques. Pour se régénérer, il faut détruire le périmé en soi (les passions et les attachements égoïstes).

Voir aussi « Excrétions physiologiques ».

● *Dans les rêves :*

La proximité de l'anus, pour un objet, peut être un signe de valorisation.

L'anus évoque un lieu de production, de création, de naissance et de renaissance psychique.

Quant à l'image de l'accouchement par l'anus, elle exprime le réenfantement de soi-même ou d'une partie de soi-même à partir de ses propres excréments, comme Phénix renaissait de ses cendres.

Voir « Excréments ».

ASCÉTISME (L')

Du gr. « askèsès », exercice. Ascète vient de « askètès », celui qui exerce.

Moins l'individu a conscience de lui-même, plus la balance penche en faveur des poussées incohérentes agissant en faveur du moi (puissance et jouissance). Et plus l'individu devient conscient de lui-même, plus il tend à harmoniser corps et esprit afin de parvenir à ce que Jung appelle : « l'optimum vital[2] ».

L'ascèse exagérément pratiquée sur l'esprit aux dépens du corps peut témoigner d'une sorte de cupidité fourbe au profit d'un moi impatient de mériter pour lui-même, et en fin de compte, égocentré. Voir « Voler (dérober) ».

Le rationalisme conscient peut, par exemple, parvenir à la conclusion « logique » que le renoncement au monde sensuel développe l'esprit, considéré abusivement comme supérieur à l'animalité corporelle. L'infantilisme névrotique peut aussi entraîner à se réfugier dans un certain ascétisme qui sert de prétexte pour fuir les servitudes et obligations de

1. *M.A.S.*, p. 321.
2. *T.P.*, p. 216.

l'existence. Mais, dans les deux cas, « Qui veut trop faire l'ange fait la bête [1] ».

Tous les grands maîtres restent humains, tel le Bouddha représenté, la plupart du temps, la main droite touchant le sol pour indiquer que, même en illumination, il demeure lié à la terre et à ses lois.

Dans la Bhagavad-Gita, le dieu Krishna dit à son disciple Arjuna : « Les hommes qui accomplissent des austérités violentes, contraires aux Écritures et aux règles prescrites, avec arrogance et égoïsme, poussés par la force de leurs désirs et de leurs passions, hommes d'esprit non mûri tourmentant les éléments agrégés qui forment le corps, et Me tourmentant aussi. Moi qui loge en leurs corps, sache que ceux-là sont " asuriques " [2] en leurs desseins [3]. » Et Krishna précise : « Le Yoghin est plus grand que ceux qui s'adonnent à l'ascèse... [4] » C'est que contrairement aux idées reçues, la sagesse hindoue refuse l'ascétisme.

Le Bouddha, qui était marié et avait un fils, avait coutume de dire : « Il y a deux choses, ô disciples, qu'il convient d'éviter. Une vie de plaisir : cela est bas et vain. Une vie de mortification : cela est inutile et vain [5]. »

« Si, constate Jung, je ne reconnais que des valeurs "naturelles ", je minimiserais, gênerais ou même anéantirais par mon hypothèse physique le développement spirituel de mon patient. Si, par contre, en dernière analyse, je ramène tout aux sphères éthérées, je reconnaîtrais et violenterais l'individu naturel dans sa légitime existence physique [6]. » Lorsque par ascétisme, l'homme jugule ses pulsions physiques les plus naturelles, cela « ne saurait aller sans révolte de la part de sa partie animale, assoiffée de liberté [7] ».

Saint Antoine, patriarche des Cénobites (251-356), se retire dans le désert, travaille de ses mains, macère son corps et ne fait qu'un repas par jour après le coucher du soleil. Aussi, par compensation, subit-il les terribles assauts de « démons » apparaissant sous la forme de femmes sensuelles et de cochons. Ce thème du combat intérieur qui nous déchire est archétypique (comme celui de don Juan et de saint Georges tuant le dragon) puisqu'il a inspiré de nombreux artistes. Les exigences de l'Ombre peuvent aussi conduire, par compensation, aux horreurs de l'Inquisition.

Pour Jung, rejoignant en cela tous les grands instructeurs de l'humanité, « l'ascétisme est une sublimation forcée qui se rencontre toujours là où les tendances animales sont encore si puissantes qu'il faut les anéantir par la violence. Le suicide déguisé qu'est l'ascétisme n'a pas besoin d'autres preuves biologiques [8] ».

1. Pascal, *Pensées*, VI, 358.
2. Ce que le mental contient d'hostile à la réalisation.
3. *Bhagavad Gita*, XVII, 5/6.
4. *Ibid.*, VI, 46.
5. M. Percheron, *Le Bouddha et le Bouddhisme*, Seuil, 1956, p. 34, 92.
6. *H.D.A.*, p. 22.
7. *P.I.*, p. 48.
8. *M.A.S.*, p. 159.

● *Dans les rêves :*

Les allusions à l'ascétisme sont rares dans les songes et viennent, soit compenser une vie trop axée sur un sensualisme bassement matériel, soit avertir le rêveur qu'il fait fausse route en dégradant son corps, réceptacle de l'esprit.

Le déroulement du rêve, les associations d'idées et les affects permettront de déterminer l'interprétation.

ATTAQUER ET ÊTRE ATTAQUÉ

« Attaquer » vient de l'italien « attacare » = « attacher », « commencer ».

● *Dans les rêves :*

L'attaque est fréquente dans les songes où l'on observe à son sujet trois éventualités possibles.

Le rêveur attaque un être humain, un animal :

Il s'agit, dans ce cas, d'un élément (à déterminer) qui gêne le rêveur et qu'il se met à secouer ou à battre rageusement, la plupart du temps parce que cet élément est contraignant pour lui (complexe parental, infantilisme, animalité, fonction sur-développée, Ombre, etc.). On peut considérer ce geste comme négatif si le rêveur n'est pas en psychothérapie car il indique que celui-ci voudrait écarter le problème mais n'y parvient pas car il n'a pas conscience de sa signification.

Par contre, en psychothérapie, ce geste peut être considéré comme très positif car il témoigne de l'intention (un peu brutale, mais qu'importe !) de « s'attaquer » à un problème majeur.

Le rêveur assiste à l'attaque de personnages par d'autres personnages ou par des animaux :

Cette image possède le même sens que celui indiqué ci-dessus mais le rêveur ne fait qu'approcher le problème (à déterminer) de façon indirecte.

Le rêveur est attaqué par un être humain ou par un animal :

Ce thème est celui que l'on rencontre le plus fréquemment en cours d'analyse.

L'agresseur homme (Ombre ou animus), femme (Ombre ou anima) ou animal (vie instinctive), dont il faut déterminer le symbole, s'en prend au rêveur comme pour lui signifier : « Et moi ? Pourquoi ne tiens-tu pas compte de moi ? » Car l'agressé, malgré son angoisse, est bien obligé de faire face à son agresseur qui attire ainsi son attention sur lui. L'attaque oblige à « s'attaquer » à un problème déterminé.

La réconciliation des combattants indique toujours un progrès appréciable au cours du travail analytique.

AVALER

Le mot vient de « â » et « val » = « descendre le val ». Il ne faut pas confondre « avaler » qui consiste à faire descendre dans le gosier de la nourriture ou un breuvage pour l'absorber et « être avalé », généralement par une créature géante (ogre, ogresse...) ou par un animal monstrueux (dragon, baleine...).

Pour la première éventualité, voir « Manger », « Repas en commun » et « Boire ».

Pour la deuxième éventualité, voir « Dévoré (Être) ».

AVEUGLE (Être)

Le mot « aveugle » vient du latin « ab oculis » = « sans yeux ».

L'analyse psychologique nous « ouvre les yeux » sur nous-mêmes pour l'intégration des contenus objectifs de l'inconscient plongés jusqu'ici dans les ténèbres, « de même qu'une lampe apportée dans une salle obscure nous permet de distinguer ce qui s'y trouvait déjà[1] ».

La cécité peut prendre deux sens opposés :

(−) Sous son aspect négatif, l'aveuglement souligne à quel point est épaisse l'obscurité de la voie de la Connaissance. Le Dr Roland Cahen a appelé « *aveuglement spécifique de l'individu, fût-il clair-voyant pour autrui* »[2], le fait de ne rien voir, de ne rien appréhender, de ne rien comprendre de nous-mêmes. De nombreuses sentences nous le soulignent : « l'œil voit tout excepté lui-même », « le bossu ne voit pas sa bosse et voit celle de son confrère », « la passoire se moque de l'aiguille parce qu'elle est trouée ! » (proverbe bengali). Qui ignore la parabole de « la paille et la poutre » ?

L'aveuglement spécifique vient de l'hégémonie du moi sur l'ensemble psychique. Plus l'homme a tendance à se référer au seul conscient, plus il s'installe dans une inconscience aveugle de lui-même et de l'existence.

Dans la mythologie grecque, Œdipe devient aveugle, c'est-à-dire inconscient, du fait d'avoir « co-habité » avec son inconscience maternelle au lieu de l'avoir vaincue par la prise de conscience.

Ramakrishna rapporte la parabole suivante : « Quatre aveugles s'assemblèrent un jour pour examiner un éléphant. Le premier toucha la jambe de l'animal et dit : " L'éléphant est comme un pilier. " Le second palpa la trompe et dit : " L'éléphant est comme une massue. " Le troisième aveugle tâta le ventre et déclara : " L'éléphant est comme une grosse jarre. " Le quatrième enfin fit bouger une oreille de l'animal et dit, à son tour : " L'éléphant est comme un gros van. " Puis ils se mirent à discuter à ce sujet. Un passant leur demanda la raison de leur querelle ; ils la lui exposèrent et le prirent comme arbitre. Il n'a pas l'air d'un pilier, mais ses jambes sont des piliers. Il n'a pas l'air d'un van, mais ses oreilles y

1. Le Bouddha.
2. « Vocation et affectivité » in « *Cahiers Laennec* » n° 4, 1950.

ressemblent. Il n'a pas l'air d'une jarre, c'est son ventre qui en est une. Il n'est pas une massue, c'est sa trompe qui est semblable à une massue. L'éléphant est une combinaison de tout cela : jambes, oreilles, ventre et trompe. Ainsi se querellent ceux qui n'ont vu qu'un aspect de la divinité[1]. » Soulignant le danger qui existe de se mêler de diriger les autres sans avoir « œuvré » sur soi-même, le Christ, parlant des Pharisiens, dit : « Laissez-les, ce sont des aveugles qui guident des aveugles! Or, si un aveugle guide un aveugle, tous les deux tomberont dans le trou[2]. » Quant à saint Paul, il frappe de cécité le magicien Elymas, faux prophète, qui l'empêchait de répandre la parole de Dieu[3], tandis que le coq de saint Pierre paraît bien être un symbole de vigilance contre l'aveuglement de saint Pierre lui-même.

Adam et Ève sont tentés de consommer le fruit de l'arbre interdit afin que leurs yeux s'ouvrent et, comme des dieux, qu'ils connaissent le Bien et le Mal[4]. Tout porte à croire que l'illusion aveugle de l'homme vient de ce que son moi se leurre au point de se prendre pour le Soi.

(+) Parfois, mais très rarement, le thème de la cécité prend un sens positif. Il indique alors la fermeture aux sollicitations, attraits et tentations superficiels du monde extérieur afin de mieux bénéficier de l'inspiration poétique, prophétique ou spirituelle.

Il est bien connu que les aveugles ont une intense vie psychique. Les anciens rhapsodes grecs étaient des aveugles mendiants qui allaient de place en place charmer les longues veillées d'hiver par les récits des exploits des héros et des dieux. Il en était de même pour les chanteurs de la vieille Chine, et, Homère, le plus grand des poètes grecs, passait pour être aveugle. Mais surtout, le célèbre devin de l'Antiquité, Tirésias, qui rendait ses oracles à Thèbes, était aveugle. Non seulement il connaissait le passé, le présent et l'avenir, mais il interprétait le langage des oiseaux.

La cécité évoque, ici, la rançon de la voyance. Le monde extérieur est sacrifié au profit du monde intérieur. Le devin a perdu la vue au bénéfice de cette voyance. Il semble que toute prééminence se paye cher car, dit une sentence arabe, « le trop de quelque chose est le manque de quelque chose ».

« Dieu voit l'aveugle comme l'aveugle voit Dieu », dit un proverbe arménien.

● *Dans les rêves :*

(+) Sous son aspect positif, le thème de l'aveugle est très rare. Nous ne l'avons jamais rencontré et il semble qu'on ne puisse l'interpréter qu'en fonction de la situation individuelle du sujet[5].

1. Ramakrishna, *Enseignement,* § 687. Albin Michel, 1949.
2. *Matth.,* XV-14.
3. *Actes,* XIII-8.
4. *Gen.,* III-5.
5. Il ne faut pas confondre « être aveugle » et les yeux fermés de certaines représentations des Sages extrême-orientaux qui, tout à leur illumination intérieure,

(−) Sous son aspect négatif, le fait, pour le rêveur, d'être aveugle ou de voir un personnage atteint de cécité doit être rattaché aux aveuglements de celui qui vit le songe, quant à sa vie matérielle, affective, caractérielle, psychologique ou spirituelle (à déterminer).

Cet aveuglement est généralement dû à la sur-conscience et à l'hégémonie du moi sur l'ensemble psychique. La suprématie de l'ego refuse inconsciemment de « voir » et ce refus correspond, en fait, à des résistances parfois fanatiques qui agissent de manière totalement inconsciente [1].

Très souvent, la cécité des rêves est suscitée par une attitude unilatérale de la conscience qui fait illusion et aveugle le pôle opposé de cette attitude. « La passion est aveugle, l'avidité est aveugle, l'ambition et l'intérêt sont aveugles et si nous nous y laissons prendre, ils nous feront tomber tête baissée dans quelque vilaine trappe [2]. »

AVORTER

Voir « Accouchement ».

B

BAISER (Le)

Baiser, c'est appliquer ses lèvres sur une personne, un animal ou une chose par affection, amour, réconciliation, respect.

« Qu'il me baise du baiser de sa bouche », dit l'épouse du Cantique des Cantiques [3].

Les premiers chrétiens — l'Église n'ayant pas encore établi de liturgie — se réunissaient en repas en commun, les agapes, au cours desquels ils partageaient le pain et se donnaient le baiser de paix.

Le baise-main était dû par un vassal à son supérieur, au roi, à la reine ; de nos jours, on baise l'anneau de l'évêque, le récipiendaire de l'ordre de la Légion d'Honneur et, dans un certain milieu, la main des dames. Le baiser aux genoux et aux pieds était un signe d'humilité ou de supplication (baisements des pieds des rois de Perse, de la statue de saint Pierre à Rome), et lors de la remise d'un chapeau de cardinal, celui-ci baise la main

---

se préservent ainsi des distractions, diversions et tentations du monde extérieur. Mais seuls les êtres exceptionnels peuvent se permettre cette abstraction de la vie matérielle.

1. Cf. *E.P.*, p. 239 et s.
2. Cf. *V.I.C.F.*, p. 92.
3. *Cant.*, I-1.

et le pied du pape, puis il embrasse les autres cardinaux. La plus haute trahison est, par ailleurs, évoquée par le « baiser de Judas »[1].

Considéré dans sa dimension sexuelle, le baiser excite les zones érogènes et semble découler de l'acte de nutrition dans le sens que l'on voudrait absorber, assimiler, l'être cher pour mieux le posséder : « dévorer de baisers ». Ce qui fait dire à Jung que : « Le baiser provient plus de l'acte de nutrition que de la sexualité[2]. » On « en mangerait! » Voir « Manger. »

● *Dans les rêves :*

On s'inspirera du contexte et des affects du songe pour déterminer si le baiser relève d'un acte d'amour, de respect ou de trahison.

BALANCEMENT (Le)

Le balancement est un mouvement alternatif et lent d'un corps de part et d'autre de son centre d'équilibre. Le balancement du berceau (voir « Bercement ») apaise l'enfant tandis que le « rocking-chair » et le hamac délassent les adultes. L'éléphant se balance avec régularité d'un côté sur l'autre, les oiseaux se balancent sur les branches flexibles et les enfants adorent les balançoires.

Au niveau psychologique, les balancements conduisent à « *laisser aller le monde* » et à vivre plus intensément la pure sensation physiologique qui, ainsi, « prend congé » du moi-conscient et de ses émotions paralysantes. Ils facilitent donc le déconditionnement des anciens réflexes.

● *Dans les rêves :*

Les balancements, rares dans les songes, peuvent prendre un aspect positif ou un aspect négatif.

(+) Ils semblent être particulièrement bienfaisants lorsqu'ils évoquent l'oscillation harmonieuse d'une polarité à l'autre, la libre expression des rythmes de la vie dans sa manifestation la plus pure, non « ankylosée » dans l'angoisse par un moi-conscient dominé par le surordonnancement intellectuel, le sentimentalisme, la Persona, les complexes négatifs non résolus, etc.

(–) Cependant, le balancement peut prendre un aspect négatif. M.-L. von Franz écrit à ce sujet que « l'idée archétypique selon laquelle les démons sont animés d'un mouvement de balancement mécanique, expression de leur condition de non-racheté[3] » se trouve proche du thème de Sisyphe, de Tantale, des Danaïdes. Toujours d'après M.-L. von Franz, ce thème apparaît dans les cas d'obsessions et de psychose.

Tel l'âne de Buridan balançant la tête entre le seau d'eau et le picotin

1. *Matth.*, XXVI-47.
2. *M.A.S.*, p. 678.
3. *F.C.F.*

d'avoine, le rêveur semble momentanément ou définitivement condamné à alterner les phases de dépression et les phases de guérison ce qui, en définitive, aboutit au tourment de la stagnation.

BARBE (La)

Dans le symbolisme collectif, la barbe souligne la toute-puissance de la virilité paternelle de l'homme, du roi, du patriarche, du philosophe, du héros, du Dieu biblique, etc. Que l'on songe à la nostalgie de la « barbe au menton » chez de très jeunes gens et au désespoir d'un visage moustachu et barbu chez les femmes.

En Égypte, les noms propres des divinités mâles se terminent habituellement par un caractère, figuratif ou linéaire, signifiant la barbe. D'après le Rig-Veda, Indra dont la main droite porte la foudre possède une barbe azurée (le ciel) qui, lorsqu'il secoue ses poils, laisse tomber la pluie[1]. Jupiter, Neptune, Vulcain, Hercule, sont toujours figurés avec la barbe, tandis que, pour évoquer l'éternelle jeunesse du « principe masculin », Apollon et les princes charmants sont imberbes.

Les Romains conservaient leur première barbe avec le plus grand soin. Les gens riches la plaçaient dans une petite boîte d'or ou d'argent que l'on consacrait à Jupiter.

L'imagerie populaire attribue une « barbe fleurie » à Charlemagne qui, paraît-il, n'en portait pas ! Chez les Gaulois, les longues moustaches remplaçaient la barbe avec les mêmes attributs de dignité, de noblesse, de souveraineté ; puis au Moyen Âge, le sceau des souverains incluait trois poils de leur barbe, tandis que le seigneur suzerain touchait la barbe de son vassal auquel il accordait sa protection.

Les premiers chrétiens condamnèrent la mode de se raser, s'inspirant sans doute de la Bible qui recommande aux Hébreux « de ne pas couper en rond leur chevelure, ni les côtés de leur barbe[2] ». Jusqu'au xve siècle, le Christ était souvent représenté sans barbe : de nos jours, il est impensable qu'il n'en porte pas ainsi que les Apôtres, les Pères de l'Église et la plupart des saints.

À Sparte, ceux qui avaient fui devant l'ennemi étaient exclus de tous les emplois et n'avaient le droit de porter que la moitié de la barbe.

Les Perses de l'Antiquité se rasaient la barbe en signe de deuil alors que les Égyptiens la laissaient croître comme marque funèbre.

La barbe en pointe est phallique chez les satyres, le dieu Pan, les faunes, les boucs, les sorciers, certaines sorcières ainsi que le diable.

Dans l'Antiquité, une barbe postiche était parfois accordée aux reines qui gouvernaient en homme. Dans l'île de Chypre, on adorait une Aphrodite à barbe et, à Rome, une « Vénus barbata », image de la bisexualité de l'énergie vitale.

1. *Rig-Veda*, V. 7.
2. *Lév.*, XIX-17.

Ce symbolisme de la barbe attribuée à une femme se retrouve dans la légende chrétienne de sainte Wilgeforte. C'est ainsi que, sur le mur du bas côté-sud de l'église de St-Étienne à Beauvais, on peut la voir crucifiée et ornée d'une superbe barbe (statue du xvie siècle). Selon la légende, Wilgeforte était fille d'un roi du Portugal, non chrétien, qui aurait voulu la marier à un roi voisin, païen comme lui ; elle pria Dieu de l'en délivrer, et, dans la nuit, il lui poussa une longue barbe. Son père furieux la fit crucifier. On retrouve sa vénération à St-Paul de Londres, dans le Pas-de-Calais, en Belgique et en Hollande, et il est difficile de ne pas rapprocher les qualificatifs attribués à cette sainte du « nirdwandva » (sanscrit : « libéré des oppositions ») hindou et de la *conjunctio oppositorum* de Jung.

Un dernier aspect symbolique de la barbe est moins connu : la barbe se présente parfois comme quelque chose d'involontaire qui croît autour de la bouche. Elle évoque les pensées, les mots qui jaillissent de celle-ci, comme des bulles, sans réflexions. Ce « parler » nerveux qui n'en finit pas sans que rien ne soit dit est un symptôme typique de névrose, surtout chez les femmes — mais pas seulement chez elles — véritable flot de logos incontrôlé, inconscient et nuisible. C'est la barbe *animus*. Bien des « scènes féminines » proviennent d'un tel aspect inconscient de leur animus qui fait ainsi déborder la bouche de paroles semblables à des poils de barbe[1]. On peut songer ici à Barbe-Bleue[2], aspect négatif et féroce de l'animus féminin qui entraîne la femme hors de l'existence et tue la vie en elle[3].

● *Dans les rêves :*
Chez l'homme, la barbe apparaît comme essentiellement virile. Elle représente, dit Jung, « la plénitude de la force vitale[4] ».

Chez la femme, elle est l'image soit d'un attribut masculin positif ou négatif, ceci dépendant du contexte onirique ou des affects, soit d'une véritable logorrhée agressive.

Le Vieux Sage des songes apparaît toujours avec une imposante barbe blanche.

BEAUTÉ OU LA LAIDEUR D'UN CORPS (La)

● *Dans les rêves :*
Il arrive, dans un songe, qu'apparaisse un individu d'une grande beauté ou atrocement laid. Parfois, un personnage connu du rêveur comme étant laid se présente transformé par la beauté ou vice-versa.

Nous ne pouvons que souscrire à cette constatation de M.-L. von Franz : « L'homme sent spontanément la beauté physique comme divine et

1. *I.C.F.*, p. 127.
2. Le bleu est la couleur symbolisant la fonction pensée.
3. *I.C.F.*, p. 302.
4. Jung et Kerenyi, *Introduction à l'essence de la mythologie*, oc, p. 38.

inséparable de la bonté et le mal et la laideur comme liés[1]. » C'est pourquoi l'on dira « laid comme les sept péchés capitaux » aussi bien que « beau comme un ange », tandis qu'un enfant insupportable est qualifié de « vilain » petit garçon ou « vilaine » petite fille ! Et tout le monde connaît les méfaits de « l'affreux Jojo »...

Cependant, il arrive qu'un être laid et difforme compense son imperfection par des qualités exceptionnelles, tel Héphaïstos dans la mythologie se révélant un incomparable forgeron.

BÉBÉ (Le)

● *Dans les rêves :*

L'apparition d'un bébé bien portant est toujours un élément positif. Cette image exprime que le rêveur lui-même ou une de ses composantes psychiques (animus, anima, instinct, fonction psychologique...) se renouvelle pour se développer désormais dans le sens d'une remise en ordre au sein de la psyché. Les associations d'idées du rêveur indiqueront de quelle composante il s'agit.

Mais en toute généralité, un enfant asexué sera une image du développement du Soi. Voir « Naissance et Renaissance ».

Un enfant d'un sexe masculin sera l'image d'un début de réadaptation chez un homme et d'un animus positif en croissance chez une femme. Un enfant de sexe féminin sera l'image d'un début de réadaptation chez une femme et d'une anima positive en croissance chez un homme.

Des bébés animaux se rapporteront à une future remise en ordre de l'instinct. Des bébés, enfants de personnages représentant, pour le rêveur, une fonction psychologique précise, se rapporteront au développement de cette fonction qui jusqu'ici était déficiente.

Voir aussi : « Enceinte (Être) », « Accouchement ».

BEC (Le)

Dans les expressions populaires : « avoir bec et ongles » signifie avoir le moyen de se défendre et d'attaquer ; « donner un coup de bec » équivaut à lancer un trait agressif et une « prise de bec » est une altercation plus ou moins violente.

● *Dans les rêves :*

Il arrive parfois, dans un songe, qu'un personnage soit muni d'un bec ou que l'on soit attaqué par un animal à bec. Le bec est associé à l'agressivité qui fait mal, principalement lorsque la femme possède un animus négatif et l'homme une anima négative.

D'autres fois, il apparaît comme compensation si le rêveur est mou et manque, précisément, de courage et d'agressivité dans la « lutte pour la vie » matérielle ou psychique.

1. *A.O.A.*, p. 167.

BERCEMENT (Le)

Le bercement est un mouvement de va-et-vient analogue à celui du berceau. D'instinct, une mère berce son bébé dans ses bras tandis que l'enfant des primitifs, installé sur le dos de sa mère, est constamment bercé par les mouvements de celle-ci.

Déjà chez les Grecs, « l'habitude de bercer les enfants était constante et on les endormait en leur chantant des berceuses. Platon compara ces usages à l'emploi combiné de la danse et de la musique pour guérir le " mal des Corybantes[1] ", c'est-à-dire des " possédés "[2] ».

Dans toute l'Europe, les bébés ont été placés dans des berceaux et se sont endormis au son des berceuses.

● *Dans les rêves :*

Le symbolisme onirique du bercement est le même que celui du balancement. Voir « Balancement ».

BLESSURE (La)

Le thème de la blessure et, principalement, de la blessure qui guérit, se retrouve dans toutes les mythologies. Le centaure Chiron, thérapeute et précepteur des dieux, était porteur d'une blessure incurable. Il en était de même pour Asclépios, divinité de la médecine. Machaon, fils d'Asclépios, passait pour être chirurgien, c'est-à-dire précisément celui qui blesse pour guérir. Héraclès qui conjure les épidémies était atteint, d'après certaines légendes, d'épilepsie et ne devint immortel qu'après avoir été brûlé par la tunique de Nessus. La lance d'Achille et celle du Graal avaient le double pouvoir de blesser et de guérir. Longinus perce le flanc du Christ, libérant ainsi l'eau et le sang d'où coulera une vie nouvelle[3]. Sainte Thérèse d'Avila parle d'un dard mortel qui « donne la vie »[4].

Le mythologème de la blessure incurable a diverses significations : elle témoigne du sacrifice accompli pour se séparer de la paradisiaque inconscience maternelle afin d'affronter la vie. Le risque de succomber à la tentation d'y retourner reste présent car cette blessure sacrificielle ne se cicatrisera jamais totalement. C'est la blessure du tabou de l'inceste.

La blessure matérialise également le fait que seul celui qui a souffert dans son âme et dans son corps est apte à réellement comprendre, pour le soulager, le malade en détresse (le meilleur garde-chasse est l'ancien braconnier !).

Enfin, elle montre à quel point la douloureuse « contamination psychique » peut atteindre le thérapeute mais elle est nécessaire car elle permet d'aider la guérison. « Ce n'est point une erreur si le médecin se sent touché

1. Corybantes : danseurs sacrés associés au culte de Cybèle phrygienne.
2. R. Flacelière, *La Vie quotidienne en Grèce au siècle de Périclès*, Éd. Famot, 1977, p. 102, et Platon, *Les Lois*, VII, 790, d-e.
3. *M.A.S.*, p. 704, note 215.
4. Sainte Thérèse de l'Enfant Jésus, *Œuvres complètes*, Seuil, 1949, p. 1530.

au plus profond de lui-même par son malade : ce n'est que dans la mesure où il est lui-même blessé qu'il pourra guérir son patient : le mythologème grec du médecin grec blessé ne signifie rien d'autre[1]. »

Voir aussi « Boiter ».

● **Dans les rêves :**

La blessure peut prendre des sens très différents. Elle se rapporte parfois aux meurtrissures suscitées par les événements de la vie extérieure ; nous pouvons être blessés dans nos affections, dans nos sentiments, dans notre dignité, dans notre vanité, dans nos aspirations déçues, dans notre sensibilité profonde et cela nous fait mal.

Une attitude, une fonction, un complexe ou toute position très étrangère à l'état actuel de la conscience, peuvent être ressentis comme une blessure. Prenons un exemple : un sujet trop rationnel peut être attaqué et blessé par un animal, image de l'instinct mal vécu ; un sujet à la morale trop ascétique peut être attaqué et blessé par une image illustrant la violence de l'Ombre ; un sujet vaniteux peut être blessé physiquement ou moralement par l'image d'un personnage insignifiant, etc.

Parfois, nous sommes angoissés et meurtris par un symbole maternel (qui n'est pas l'image de notre mère personnelle). C'est que la blessure du tabou de l'inceste n'est pas cicatrisée. Le tabou peut, selon Jung, « frustrer l'homme de la sécurité pleine d'espoir de l'enfance et de la première jeunesse, de toute l'activité instinctive inconsciente qui permet à l'enfant de vivre comme suspendu à ses parents sans qu'aucune responsabilité ne vienne l'accabler[2] »

Enfin, et peut-être le plus souvent, la blessure dans les rêves est l'expression de la souffrance de la névrose qui nous conduit à la « guérison », c'est-à-dire à la prise de conscience de soi qui oriente vers l'individuation. « Ce n'est pas la névrose qu'il s'agit de guérir, c'est elle qui nous guérit[3]. »

La blessure dans les songes, image de notre propre souffrance, nous contraint à nous mettre en question, à réfléchir et à nous pencher sur le problème intérieur en nous interrogeant sur sa signification : « Pourquoi ? », « Dans quel but ? »

C'est pourquoi Gh. Adler a pu écrire à propos des Anciens : « Pour eux, toute maladie était le résultat d'une intervention divine, c'est pourquoi elle ne pouvait guérir que par Dieu ou quelque chose de divin[4]. De sorte que le divin médecin était, à la fois, la maladie et le remède, disons même plus, le divin guérisseur — étant la maladie — est lui-même malade, blessé ou persécuté[5]. »

1. *G.P.*, p. 239.
2. *M.A.S.*, p. 392.
3. *G.P.*, p. 203.
4. C'est-à-dire les puissances de l'inconscient.
5. in *Disque Vert*, 1955, p. 77.

N. B. : Bien entendu, il faut tenir compte de l'emplacement de la blessure sur le corps au cours de l'interprétation ainsi que de la nature de cette blessure car on guérit par où l'on est blessé.

Voir aussi « Brûlure », « Transpercement douloureux » et « Chocs et collisions ».

BOIRE

Certains breuvages peuvent se rapporter à l'ivresse, tel l'alcool ; à l'immortalité, tels le nectar grec et l'amrita et le soma hindous ; à l'amour s'ils sont sucrés (voir « Manger — Repas ») ; à l'inconscient si le breuvage est de l'eau ; évoquer la magie s'ils se présentent comme possédant des qualités supra-normales (voir « Immortalité »).

• *Dans les rêves :*

Boire possède le même symbole général que manger. Voir ce mot.

L'avidité à boire indique surtout que l'on est « assoiffé de... ».

Voir « Soif (Avoir) ».

BOISSONS (Les)

Voir « Boire ».

BOITER

Le mot vient de « boîte » appliqué à la cavité de l'os. Le dieu olympien Héphaïstos, irremplaçable artisan des métaux traités par le feu, était boiteux.

Dans la Genèse[1], Jacob lutte toute une nuit avec un ange, reçoit sa bénédiction après l'avoir vaincu, mais se retrouve boiteux. D'après la Bible, l'ange, en tant que délégué de Dieu, est considéré comme Dieu lui-même. Cet épisode symbolise un combat victorieux du moi contre la sur-puissance du Soi, car Jacob ne tombe pas dans le piège de l'inflation psychique mais, au contraire, « défend avec succès sa nature d'homme »[2] sans glisser vers la paranoïa dans laquelle le moi se prend précisément pour le Soi. Jacob sort donc vainqueur de cette lutte mais avec une hanche démise et va boiter le restant de ses jours. Ceci signifie que, même si le conscient ne s'est pas laissé dénaturer par les puissances à la fois démoniaques et divines de l'inconscient, il sera pour toujours atteint d'une blessure inguérissable. Autrement dit, l'affrontement conscient-inconscient étant maintenant chose faite, la constante menace d'irruptions inconsidérées de contenus inconscients demeure.

Pour le restant de sa vie, Jacob se distinguera de la masse stéréotypée, conventionnelle et rationnelle. La marche en avant de son évolution dans la vie se distinguera de celle de la multitude qui la considérera comme « boiteuse ».

1. *Gen.*, XXXII.
2. *M.A.S.*, p. 560.

● *Dans les rêves :*

(−) Quelque chose « boite » dans la vie matérielle, psychique ou spirituelle du rêveur.

(+) Le rêveur vit aussi bien « l'anormal » que le « normal » ; sa façon d'avancer dans la vie se différencie de celle des autres. Il n'est plus comme tout le monde.

BORGNE (Être)

● *Dans les rêves :*

(−) Être borgne correspond à un semi-aveuglement. Voir « Aveugle (Être) ».

On ne voit qu'un aspect des choses, comme les monstrueux cyclopes — frustres et se nourrissant de chair humaine — que combattait Ulysse. Dans ce cas, le borgne du rêve demeure primitif car il vit de manière unilatérale au lieu de se soumettre au jeu des dualités.

(+) Très rarement, cette image fait allusion au thème de « l'œil unique » ou « troisième œil », tel le dieu Odin qui passait pour borgne. Voir « Yeux ».

BOSSU (Être)

Voir « Difformité ».

BOUCHE (La)

La bouche reçoit les aliments et éventuellement permet de respirer. Mais elle évoque également la parole — le verbe — et le chant (voir « Langage » et « Chant »).

À ce titre, une idée de création s'y associe et, constate Jung : « La bouche devient (comme d'ailleurs l'anus mais à un moindre degré) un lieu de naissance primitif[1]. »

C'est ainsi que, dans la Genèse[2], chaque fois que « Dieu dit... », un élément « conçu » par lui est créé. Plus tard, l'Ecclésiaste rappelle que « par sa parole, le Seigneur a fait ses œuvres et [que] la Création obéit à sa volonté ».

Voir aussi « Langage » et « Voix ».

● *Dans les rêves :*

Organe de la parole et du chant, la bouche crée et enchante. Elle peut donc traduire la création par l'esprit et les possibilités d'expression émotionnelle ; le bavardage inconsidéré (logorrhée) ou le caquetage obsessionnel du mental (voir « Barbe ») ; l'assimilation des contenus de l'inconscient (par exemple, manger du poisson, des œufs ou de la viande

1. *Ibid.*, p. 279.
2. Chap. I.

rouge. Voir « Manger », « Repas ») ; l'érotisme, on « dévore de baisers » ; l'avidité du désir : « on a soif de... », « faim de... ».

Une bouche largement ouverte, dont le fond est parfois éclairé, semble être une invitation à pénétrer dans son propre monde intérieur par l'introversion dirigée (à rapprocher du héros avalé par le monstre).

BOULIMIE (La)

La boulimie est une faim excessive accompagnant certains troubles physiques ou psychiques. Le mot vient du grec « boulimia » = « faim de bœuf » de « limos » = « faim » et « bous » = « bœuf ».

● *Dans les rêves :*

La boulimie s'observe dans les songes, comme dans la vie éveillée, lorsque le rêveur a été frustré de quelque chose, généralement de tendresse de la part des parents, principalement de la mère. Il renouvelle le geste du bébé avide du sein maternel projeté sur la nourriture, surtout si celle-ci est sucrée (affectivité). Il y a comme un perpétuel inassouvissement dont le rêveur tente d'apaiser la faim. La cause est encore inconsciente — de même que dans le vol (au sens de dérober) et dans la kleptomanie ; le rêveur s'efforce de « récupérer » autour de lui ce dont il se sent avoir été injustement privé.

Voir « Faim (Avoir) », « Manger — Repas » et « Voler (Dérober) ».

BRAS (Le)

Le bras évoque spontanément l'activité, l'œuvre, le travail : « On vit de ses bras » ; on « prête son bras » ; on « travaille à tour de bras » ; on « brasse des affaires » ; ou on « reste les bras croisés ».

Aux Indes, les principaux dieux sont représentés avec quatre bras et, en Chine, la Déesse-Mère Kwan Yin avait de multiples bras pour marquer son action permanente dans l'Univers. L'archange Avalokiteçvara, qui s'incarna en Bouddha, avait onze têtes et mille bras.

Mais le bras est aussi un symbole de puissance dans l'action, de crédit d'influence et de possibilité de protection (« avoir le bras long » — « tendre les bras »).

La Bible parle du bras de Yahvé[1] et l'imagerie populaire du Moyen Âge représente fréquemment la colère divine sous la forme d'un bras armé sortant d'un nuage, colère qui frappe comme la foudre (issue du nuage) par la calamité ou la guerre.

Au Moyen Âge également, le bras armé de l'épée ou de la hache indiquait le pouvoir temporel, la judicature, le connétable, et on désignait par « bras séculier » la puissance du juge séculier ou laïque auquel le tribunal ecclésiastique renvoyait l'exécution de certaines ordonnances.

Enfin, sous l'Ancien Régime, le bras fut adopté comme attribut de la corporation des Maîtres d'armes.

1. Par exemple : *Isaïe* LI-5, et LIII-1

● *Dans les rêves :*

Le bras symbolise la possibilité d'œuvrer, de créer, d'agir, d'exécuter un travail ; le pouvoir de…, la capacité de… ; la protection, l'aide, le secours ; la défense ; la justice immanente qui se fait craindre et, le cas échéant, frappe.

Le bras coupé, cassé ou déboîté est un symbole de castration ; les bras levés (geste d'impuissance à…) expriment l'incapacité d'agir, la démission ou la soumission.

L'interprétation découlera des associations d'idées du rêveur et de ses affects.

BREUVAGE (Le)

Voir « Boire ».

BRÛLURE (La)

La brûlure détruit les tissus organiques et, si elle s'étend à la plus grande partie du corps, parvient à paralyser la respiration cutanée, donc à étouffer.

● *Dans les rêves :*

(−) La plupart du temps, les brûlures, dans les rêves, sont « l'expression d'un affect on ne peut plus fort [1] » et s'accompagnent presque toujours d'une extrême angoisse (suffocation par destruction de la fonction respiratoire des téguments de la peau).

Elles se rapportent à des émotions d'une telle intensité que le rêveur ne parvient plus à les assumer : il « suffoque d'émotion », il est « paralysé par l'émotion ». Ces catégories d'affects traduisent des passions violemment refoulées et nous savons que, si passions et émotions sont nécessaires à l'évolution, trop puissantes, elles sont comparables au feu qui peut tout détruire. Aussi pourra-t-on être saisi par le « feu des passions » ; on pourra être « consumé de passions », on pourra vivre « une passion ardente » et, occasionnellement, « déclarer sa flamme » !…

(+) Très rarement, les rêves de brûlure prennent un sens positif. Elles correspondent au « Baptême du Feu » du Nouveau Testament [2].

Il s'agit, dans ce cas, du feu purificateur et transformateur de l'esprit qui consume l'hégémonie de l'ego, dont nous avons tant de mal à nous défaire.

Le contexte du rêve et les affects ressentis diront si la brûlure amorce une telle métamorphose.

1. *M.M.*, p. 83.
2. Cf. *Matth.* III-11, *Luc* III-16, XII-49.

C

CADAVRE (Le)

● *Dans les rêves :*

(−) Un contenu psychique (à déterminer) ne vit pas comme il le devrait. Il demeure comme en sommeil, complètement refoulé dans l'inconscient. Ce contenu ne participe donc pas à l'activité de l'ensemble psychique et cette absence peut avoir de sérieuses répercussions névrotiques. Le cadavre peut se présenter sous la forme d'un être humain (un complexe), d'un animal (les instincts) et même d'une plante (la vitalité).

Le phénomène serait comparable à un moteur auquel manquerait une pièce essentielle.

Plus les cadavres des rêves sont nombreux, plus l'éventualité d'une psychose est à envisager.

(+) Le cadavre peut évoquer un aspect négatif du rêveur qui disparaît au profit du même aspect en voie de devenir positif. Par exemple : le rêveur aperçoit le cadavre d'une de ses relations extrêmement névrosée ou particulièrement attachée à sa mère. « Lorsque le cadavre se met à respirer ou à ouvrir les yeux, l'élément mort commence à revivre *mais de lui-même*. Par contre, en cours d'analyse, il convient de ne jamais s'efforcer de réanimer le cadavre rencontré en songe, car il symbolise alors un contenu ou un processus psychique négatif (à déterminer) qui doit disparaître. Le réanimer, c'est réactiver un élément ou un réflexe caduc, aujourd'hui dépassé. Il faut, au contraire, laisser s'opérer d'elle-même la transformation qui va permettre la régénérescence[1]. »

Le rêveur se voit lui-même décédé et, parfois, constate qu'il suit son propre enterrement. C'est le thème de la « mort du vieil homme » de saint Paul[2] : l'ancienne personnalité inadaptée laisse la place à des possibilités vitales régénérées.

N. B. : L'image onirique du cadavre est typique pour nous permettre de comprendre à quel point l'interprétation des symboles peut être polyvalente. Par exemple : au début de l'analyse, un sujet peut rêver de la mort de son père ou voir son cadavre. Cela signifie qu'il refoule au maximum son « complexe père », au lieu de l'affronter afin de pouvoir le surmonter. Par contre, si la prise de conscience analytique a permis de réduire le « complexe père », la mort du père ou l'apparition de son cadavre signifie que ce « complexe père » disparaît au profit de sa propre virilité, s'il s'agit d'un rêveur, ou au profit d'un animus adulte, s'il s'agit d'une rêveuse.

Voir « Mort ».

CASTRATION (La)

C'est Freud qui le premier, en 1908, parle du « Complexe de Castration » : le petit garçon redoute de perdre le pénis, membre qui le valorise,

1. *V.I.C.F.*, p. 272, 273.
2. *Col.*, III 9-10.

tandis que la petite fille s'infériorise de ne pas le posséder et cherche à le compenser par certains comportements spécifiques. Le fait est certainement vrai, tout comme sont réelles les inhibitions dues à l'attachement œdipien de l'enfant au parent du sexe opposé.

Mais Jung va au-delà, dans les obscures profondeurs de l'inconscient collectif. Nous savons que le conscient est universellement ressenti comme étant l'enfant (Fils-Fille) de l'« inconscient-Mère ». Nous savons également que la naissance de la conscience crée une opposition formelle entre le conscient et l'inconscient. Le premier est poussé par le destin à se réaliser ; le second s'y refuse afin de demeurer dans la bienheureuse inconscience animale.

Ce conflit est vécu, parfois, de manière si douloureuse que, tout au long de notre existence, nous gardons le regret du temps paradisiaque où cet antagonisme anxiogène[1] n'existait pas encore. Et, bien entendu, une enfance malheureuse ou trop protégée accentue encore ce pénible regret. C'est le thème archétypique bien connu sous le nom de « *Nostalgie du Paradis Perdu* ». Dans cette perspective, il semble qu'on puisse observer trois aspects de « castration psychique » réactionnelle :

Dans la première catégorie, rentre le cas où le « conscient-Enfant » se châtre en renonçant à l'accession à l'état adulte par incapacité de sacrifier son attachement à la paradisiaque inconscience maternelle.

C'est la position d'Œdipe dont le geste castrateur est bien indiqué par le fait qu'il se crève les yeux, c'est-à-dire qu'il demeure dans l'aveuglement de cette inconscience maternelle. Pour son plus grand malheur, il s'est soustrait au tabou protecteur de l'inceste en cédant à son désir d'union avec sa mère Jocaste. Ici, la castration *suit l'inceste* auquel Œdipe a succombé ; elle est *définitive,* paralyse toute évolution et s'accompagne de dégoût de la vie et d'impression de mort. Œdipe ne peut plus transformer l'anima primordiale — la Mère — en épouse intérieure pour l'homme, ce qui correspond, pour la femme, à l'incapacité de développer sa féminité adulte.

La castration correspond à un état d' « impuissance » totale, modérée ou momentanée, à devenir adulte, c'est-à-dire à pouvoir faire face, sans angoisse, aux exigences de l'existence quelles que soient leurs formes : matérielles, sexuelles, sociales, affectives ou spirituelles. La castration psychologique conduit, donc, à une inhibition entière ou partielle qui paralyse plus ou moins l'action devant les responsabilités de la vie et la capacité d'assumer soi-même son évolution[2]. Ce refus d'évoluer vers la maturité maintient à l'état « infantile ».

Dans la deuxième catégorie, rentre le cas de toutes les castrations culturelles, réelles ou symboliques. Sont symboliques les castrations de

---

1. C'est-à-dire : « qui engendre l'angoisse ».
2. Pour Jung, « virilité (ou état adulte) signifie : savoir ce que l'on veut et faire le nécessaire pour atteindre le but ». *P.A.M.* p. 291.

ceux qui font vœu de chasteté, de ceux qui se font raser la chevelure ou de ceux qui se font circoncire. Sont réelles les castrations de certains cultes de l'Age de Bronze, de la secte russe Skoptzi, ou des Galloi, prêtres de Cybèle.

En Asie Mineure, lors des fêtes de printemps en l'honneur de la Grande-Déesse Mère Ishtar, d'innombrables pèlerins arrivaient des contrées les plus lointaines, à Hiéropolis, le « lieu sacré ». Ils se livraient à des ivresses orgiaques qui atteignaient leur point culminant lorsque les hommes, qui pensaient ne pas pouvoir satisfaire sexuellement la déesse en s'unissant aux « prostituées sacrées » du temple, se castraient dans une sorte de frénésie. Ceux qui accomplissaient cette mutilation devenaient fréquemment prêtres dans les nombreux sanctuaires de la divinité d'amour, de fécondité et de combats.

Relèvent aussi de cette catégorie de castration ceux qui préfèrent confier à une « organisation collective le soin de se laisser différencier par elle », c'est-à-dire qui n'ont pas encore discerné que c'est la tâche de l'individu de se tenir sur ses propres pieds et d'être différent de tous les autres. Pour Jung : « Toutes les identités collectives, qu'elles soient appartenance à des organisations, professions de foi en faveur de tel ou tel " -isme", etc., gênent et contrecarrent l'accomplissement de cette tâche [1]. »

Dans la troisième catégorie — la plus rare — « l'Enfant-conscient » surmonte son désir d'union incestueuse avec la « Mère-inconscient », tel le héros terrassant le dragon, afin de délivrer la jeune fille (l'anima) ou conquérir le trésor inestimable (le Soi). Ce dragon, monstrueux et terrifiant, symbolise l'angoisse et le danger de tomber dans le piège de l'union incestueuse.

Une telle tâche est celle du héros — c'est-à-dire d'un « demi-dieu » — « héroïque » d'admettre le péril de l'inceste et, parallèlement, de triompher de la tentation brûlante de demeurer dans la paradisiaque inconscience infantile.

Ici, la castration *découle bien de l'inceste* mais pour permettre au héros de la dépasser, et le stimuler à entreprendre son « individuation ». Le désir de la Mère étant castré, il devient possible, suivant le sexe, de s'unir avec « l'Epouse intérieure » (l'anima) ou « l'Epoux intérieur » (l'animus). Bien entendu, cette « castration » est psychique et n'a aucun rapport avec la pulsion physique.

Ces trois catégories de castration sont merveilleusement, mais symboliquement, décrites par le Christ qui, bien que signalant que « tous ne comprennent pas ce langage mais seulement ceux à qui c'est donné », nous précise : « il y a, en effet, des eunuques qui sont nés ainsi du sein de leur mère, il y a les eunuques qui le sont devenus par l'action des hommes, et il

---

1. « Si tu t'engages, voilà le malheur ! » pouvait-on lire dans le vestibule du temple de Delphes.

y a les eunuques qui se sont eux-mêmes rendus tels en vue du Royaume des Cieux. Comprenne qui pourra[1] » !

● *Dans les rêves :*

Nombreux sont les symboles de castration totale ou partielle, dans les songes.

Elle se traduit par des images telles que les mutilations des parties sexuelles, des bras, des mains, des doigts, du nez ou de la langue ; les blessures et les morsures paralysant les activités des membres blessés ou mordus ; la chute des cheveux chez les hommes[2] comme chez les femmes ; le rasage de la barbe ; les dents brisées ; l'œil crevé ou énucléé ; la torsion des bras ou des doigts, et, même, certaines décapitations.

Les meurtres et cadavres peuvent, également, être l'image d'une certaine castration car ils témoignent d'une diminution des forces créatrices.

De cette castration découlent des attitudes infantiles dans l'existence : on ressent un manque d'affirmation de soi déterminant des difficultés dans la vie affective et professionnelle. On est saisi d'hésitations, voire d'inhibitions, chaque fois qu'il est nécessaire de prendre une décision importante ; on éprouve toutes sortes de résistances à rencontrer en soi-même une anima ou un animus positif, donc, par projection, à s'harmoniser avec le sexe opposé. Bref, tout est prétexte à des renoncements générateurs d'angoisses et lourdement chargés de sentiments d'infériorité et de culpabilité[3].

CHALEUR ET DE FROID (Sensation de)

D'une manière générale, on peut dire que toute situation d'isolement et d'inconnu crée un pénible sentiment de froid, d'insécurité et d'angoisse.

A l'inverse, toute situation d'heureuse intégration sociale, de fraternelles relations amicales et d'un connu rassurant, crée un sentiment apaisant de chaleur et de sécurité, de réconfort. En outre, si la chaleur transforme, le froid fige par congélation.

● *Dans les rêves :*

Les impressions de froid ou de chaleur sont fréquentes dans les songes. Elles se manifestent, soit sous forme de paysages glacés ou torrides, soit par des sensations de froid ou de chaleur éprouvées par le rêveur lui-même ou un être vivant du rêve.

---

1. *Matth.*, XIX-12.
2. Samson et Dalila, (*Juges* XVI-19).
3. A noter que le père a un rôle prépondérant à jouer pour arracher l'enfant à sa « Mère » et le lancer dans l'existence.

Sensation de froid :

(+) Quelquefois, mais rarement, le rêveur éprouve une sensation de fraîcheur bienfaisante qui indique une certaine détente dans les contraintes intérieures psychiques.

(−) Mais le plus souvent, le froid des rêves est mal ressenti. Il peut alors exprimer, selon le contexte du rêve, les associations du rêveur et ses affects :

■ Un état de sur-conscience intellectuelle qui s'est démesurément développé aux dépens de la chaleur de la vie affective et instinctive. La fonction pensée a « congelé » la fonction sentiment. La cérébralité domine.

■ La difficulté rencontrée dans les échanges sociaux. Il y a défaut de chaleur affective dans les contacts avec autrui, accompagné d'un sentiment (subjectif) de rejet, d'abandon, de solitude morale.

■ La mauvaise relation avec l'anima ou l'animus qui, par projection, « glace » tout élan spontané avec le sexe opposé. Une femme, par exemple, pourra reprocher à son compagnon son manque « d'ardeur » et l'homme, la « froideur » de sa compagne.

■ L'excès d'introversion qui accentue l'appréhension des contacts avec autrui.

■ La fin de « l'ardente » jeunesse pour une vieillesse ressentie comme isolante au difficile passage du milieu de la vie [1]. Voir « Vie (Ages de la) ».

■ Enfin, il arrive qu'au cours de l'analyse, la plongée dans l'inconscient collectif, qui tend à isoler de la masse, déclenche un triste sentiment de solitude glacée.

Sensation de chaleur :

(−) Une chaleur étouffante ou suffocante est, dans un rêve, une traduction de l'inhibition et de l'angoisse.

(+) Toute transformation chimique, tout travail mécanique, tout fonctionnement physiologique, etc., produit ou absorbe de la chaleur. Inversement, la chaleur métamorphose la propriété des corps. Ainsi, par la chaleur, les aliments sont rendus assimilables ; le germe de l'œuf se développe (au moins chez les oiseaux) par la chaleur maternelle et c'est la chaleur qui, en alchimie, transforme la matière vile en matière précieuse. Dans les thèmes mythologiques de « traversées nocturnes » (voir « Dévoré (Etre) »), le héros est englouti par un monstre marin qui, au cours du Transitus, dévore le cœur ou le foie de l'animal puis allume un grand feu. Ce qui signifie que, par la chaleur éclairante (prise de conscience) et transmutatrice (couvaison), il crée une vie nouvelle au sein de l'inconscient (le monstre). Ces gestes toujours assimilés à la course solaire équivalent à la prise de conscience totale de la psyché : la clarté de la conscience

---

1. Trente-cinq à quarante ans pour la femme   quarante à quarante-cinq ans pour l'homme

triomphe des ténèbres de l'inconscience grâce à l'action transformatrice de la chaleur. Ainsi, dans un songe, la chaleur peut indiquer l'incubation du rêveur, ou d'une de ses composantes, en vue d'une renaissance.

Mais la chaleur des rêves peut également exprimer l'intensité de l'ardeur à l'action, celle des sentiments « chaleureux » ou celle de l'amour-passion. C'est ainsi que l'on parlera de la « chaleur des combats » ou d'une « bouillante jeunesse » et, pour la fougue du désir sexuel, on « brûlera de désir », un mammifère sera « en chaleur ». Enfin, on éprouvera un amour « ardent » ou une passion « brûlante », on se « consumera d'amour » et on déclarera sa « flamme ». Plus rarement, la chaleur des rêves est liée à la vie, à l'animation, à l'inverse de la mort qui est froide et inanimée.

CHANT (Le)

Le mot « chant » dérive de « en-chant-ement », venant lui-même du mot latin « incantare » signifiant « charmer », « ensorceler par des opérations magiques ». Car « chant » (lat. « cantus ») venait, à l'origine, du mot « carmen » qui signifie « charme », « sortilège ».

C'est pourquoi, en latin, « chanson » se dit aussi bien « carmen » que « cantio » et « enchantement », aussi bien « cantio » que « incantamentum ». De même que, par ailleurs, « incantation » ou « emploi de paroles magiques » se dit soit « incantamentum », soit « cantio ».

Dans le mythe, Orphée « charmait » les bêtes sauvages de sa lyre comme de ses chants et on connaît l'envoûtement exercé par les « chanteurs de charme ». On constate, en effet, qu'aux chants sont liés les impressions de « charme », de « sortilège » et d' « apaisement ». Le chant calme, tranquillise, rassure, repose. Il nous permet d'abréagir un trop-plein de flot émotionnel oppressant ou paralysant et, de ce fait, d'assumer nos sentiments.

Au cours de contraintes émotives particulièrement douloureuses, pour atténuer notre tension, nous nous surprenons à fredonner intérieurement. Quand un enfant a peur dans le noir, il se rassure, il se donne le change, en sifflotant ou en chantonnant et nous savons que les primitifs abréagissent leurs émotions en dansant et en chantant [1].

Les sirènes attiraient les navigateurs sur les écueils en les charmant par leurs chants. Cette image symbolisait le risque du sortilège exercé par la mère-inconscient, évoquée par la mer, qui ne peut que perdre celui qui y succombe. Voir « Castration ».

Enfin, les chants religieux magnifient l'émotion du sacré, de la transcendance, aussi indispensable à notre vie psychique que les activités purement physiques.

● *Dans les rêves :*

Il est rare, dans un songe, que les chants apparaissent sous un jour négatif.

---

1. *H.D.A* p 172

Bien au contraire, quand ils s'expriment, ou bien ils apaisent les passions négatives ou bien ils bouleversent par leur beauté, créant ainsi un inexprimable sentiment de complétude. En somme, ils permettent de vivre les émotions qui, sinon, risqueraient d'étouffer (angoisse) par les tensions intérieures qu'elles provoquent.

Voir « Danse » qui s'apparente au chant par le rythme et l'harmonie.

CHEVEUX (Les)

Si, à l'époque actuelle, la plupart des hommes portent les cheveux courts, il n'en a pas toujours été ainsi, du moins pour les gens de qualité.

Il est certain qu'au début des époques civilisées, c'est par hygiène que les cheveux et la barbe furent rasés, en raison de la vermine. Mais la chevelure abondante s'associe à l'idée de beauté et de dignité, car les cheveux sont inconsciemment assimilés aux rayons solaires, surtout s'ils sont blonds. C'est dans ce sens, principalement, que le symbolisme des cheveux paraît dans les mythes, religions et hiérarchie des sociétés.

Krishna, dans la Bhagavad Gita[1], est appelé « Keshava », c'est-à-dire « Celui qui a les cheveux longs ».

Un hymne à Apollon disait : « Oh Dieu favorable, jamais tes cheveux ne seront coupés, ils ne subiront aucune souillure, car c'est la loi éternelle. » Et, en effet, Phœbus-Apollon est toujours représenté les cheveux longs et flottants, car ils matérialisent l'éclat des rayons solaires qui luiront éternellement. Les perruques « léonines » du temps du Roi-Soleil relèvent de la même idée, le lion évoquant l'astre solaire.

D'après plusieurs légendes antiques, les très hauts personnages possédaient un cheveu d'or ou de pourpre qui indiquait leur nature immortelle : Nisus, Didon, etc. Si l'on coupait ce cheveu, le personnage devenait mortel. Les Anciens, avant de s'embarquer pour une longue et périlleuse traversée, immolaient leurs cheveux à Neptune. En Égypte, les enfants royaux se distinguaient par une longue tresse qui pendait à droite de leur tête.

Les coupes de cheveux furent un signe de deuil chez les Égyptiens, les Grecs, les Perses et les Hébreux, ou bien, ils se couvraient de cendre et de boue et c'est Isis elle-même qui coupait le cheveu fatal des femmes qui allaient mourir.

Chez les Juifs, le « Nazir » ou « voué à Dieu » (qui pouvait aussi bien être une femme qu'un homme) s'engage, pour le temps de son vœu, à ne pas couper sa chevelure, ceci pour exprimer sa consécration à Yahvé dont il laisse la force agir en lui sans s'y opposer inconsciemment[2]. Le temps de sa consécration résolu, le « Nazir », après divers sacrifices, « rasera sa chevelure consacrée à l'entrée de la Tente de Réunion, et, prenant les

1. Chap. III-1.
2. *Nombres*, VI-5.

cheveux de sa tête consacrée, il les mettra dans le feu du sacrifice de la communion [1] ».

« En coupant les cheveux de Samson, observe M.-L. von Franz, Dalila le châtre psychologiquement en détruisant ainsi sa créativité, ses pensées, ses idées [2]. »

Voici comment Jung commente cet épisode de la Bible : de même qu'Isis avec Râ et Omphale avec Héraclès, Dalila « affaiblit Samson en lui coupant les cheveux, donc les rayons solaires, privant ainsi le héros de sa force. Cette femme démoniaque du mythe est, en réalité, " la Sœur-Épouse-Mère ", le " féminin de l'homme ", c'est-à-dire l'inconscient lui-même dont la tendance orientée différemment se met à entraver le progrès conscient [3] ». Ce phénomène se présente souvent au milieu de la vie, lorsque le conscient en a pris trop à son aise avec l'inconscient, mais ce douloureux rappel à l'ordre permet parfois la régénérescence.

Les Anciens, comme les premiers chrétiens d'ailleurs, solennisaient la première coupe de cheveux des enfants, généralement vers sept ans ; l'enfant cessait, dès lors, d'être un bébé et était inscrit sur les listes d'état civil.

Saint Paul indique : « Est-il décent que les femmes prient Dieu la tête découverte ? La Nature elle-même ne vous enseigne-t-elle pas que c'est une honte pour l'homme de porter les cheveux longs, tandis que c'est une gloire pour la femme de les porter ainsi ? Car la chevelure lui a été donnée en guise de voile [4]. »

A ce sujet, Jung spécifie : « Aujourd'hui encore, il est de règle que les femmes se couvrent la chevelure à l'église. Jusque dans le courant du XIXe siècle, il y avait, dans les pays protestants, beaucoup d'endroits où les femmes portaient un bonnet spécial (dont la forme a été conservée par le bonnet des diaconesses) pour aller à l'église le dimanche. Cet usage était motivé, non point pour le public masculin mais la présence possible d'anges qui pouvaient être éblouis à la vue de la " coiffure " féminine. L'origine de cette manière de voir doit se trouver dans le récit de la Genèse suivant lequel les " fils de Dieu " (les anges) manifestèrent une affinité particulière pour les " filles des hommes " et ne surent pas mettre un frein à leur fougue... De telles manières de concevoir les anges s'accordent remarquablement avec la psychologie féminine aussi bien qu'avec la psychologie masculine. Si, en effet, les anges ont une réalité quelconque, ils sont des intermédiaires personnifiés de contenus inconscients qui veulent avoir droit à la parole [5] ».

Les cheveux peuvent aussi être l'expression des pensées et des fantasmes parce qu'ils jaillissent de la tête.

1. *Ibid.*, VI-18.
2. Cf. *F.C.F.*, p. 127.
3. *M.A.S.*, p. 397 et 398.
4. *1re Cor.*, XI-13 à 15.
5. *R.C.*, p. 160.

En Grèce, selon Esther Harding, la prostitution sacrée des temples de Cybèle fut remplacée, à des époques plus évoluées, « par le sacrifice des femmes de leur chevelure à la place de leur virginité, tout en passant encore la nuit dans le Temple, en souvenir du rite originel[1]. »

Chez les Francs, on rasait la tête et la barbe des princes incapables de succéder au trône (c'était une marque de leur impuissance, de leur castration).

Au temps des Mérovingiens, « les rois portaient toute leur chevelure flottante sur les épaules, librement répandue en longues boucles. Selon une croyance commune à beaucoup de peuples depuis la plus haute Antiquité, elle était considérée comme le réceptacle de leur vertu, la condition et le signe de leur légitimité. C'est pourquoi un roi tondu cesse d'être un roi, quitte à faire valoir ses droits quand ses cheveux auront repoussé. Les hommes libres, chez les Francs, portent aussi les cheveux longs mais liés en " queue de cheval ". Le crâne tondu est preuve de servitude : serfs, esclaves, vaincus[2] ».

Les musulmans rasent la tête de l'enfant de cinq à six ans sauf la Koutaia, touffe de cheveux au milieu de la tête, centre vital important, qui doit leur porter bonheur. Aux Indes, le chignon qualifie l'ascète et, avec le trident et la peau de tigre, est un attribut de Çiva.

Par le scalp, les Gallo-Romains de l'époque mérovingienne, comme les Indiens d'Amérique, infligèrent à leur ennemi mort la suprême dégradation castratrice, tout en s'appropriant son principe vital, sa puissance phallique et sa bravoure. C'était l'annihiler définitivement. Plus un guerrier possédait de scalps, plus son courage était réputé.

Le dieu Kairos, divinité de la fortune, de l'occasion et du moment favorable, est chauve par-derrière (une fois passée, on ne peut plus « saisir l'occasion par les cheveux »). Les Méduses et les Furies avaient des serpents pour cheveux.

Ce rapide aperçu montre l'importance du symbolisme attribué aux cheveux. « Ils sont, écrit M.-L. von Franz, au niveau du symbole, une source de force magique ou " mana ". Des mèches de cheveux, conservés comme souvenir, sont censés mettre en relation des individus éloignés l'un de l'autre. Sacrifier les cheveux en les coupant est souvent un signe de soumission à l'état collectif nouveau : un renoncement suivi d'une renaissance[3]. »

Ce côté « magique » des cheveux est également ressenti lorsque le roi est considéré comme représentant de la divinité sur terre : il semble que ses cheveux aient été assimilés à des sortes d'antennes émettrices et réceptives qui permettaient une constante communication avec le divin.

---

1. E. Harding, *Les Mystères de la Femme, oc,* p. 149.
2. C. Lelong, *La Vie quotidienne en Gaule à l'Époque mérovingienne,* Hachette, 1963, p. 138.
3. *I.C.F.,* p. 214.

D'où l'importance de la chevelure et des coiffures en forme phallique ou très abondantes des divinités assyro-babyloniennes, phéniciennes, égyptiennes, etc.

Enfin, un dernier point à noter réside dans le fait que, parfois, les cheveux peuvent être le reflet de la bonne ou de la mauvaise santé : les cheveux souples, luisants et ondulés indiquent un meilleur état physiologique que les cheveux raides, ternes, clairsemés, fourchus ou cassants. Ceci s'observe particulièrement lors des troubles hépatiques qui rendent les cheveux rêches et rebelles.

● *Dans les rêves :*

Pour l'homme :

Les cheveux évoquent la forme phallique solaire dans toute sa puissance virile. Voir « Phallus », le pouvoir séducteur de la sexualité masculine, ainsi que la vigoureuse beauté du « mâle ».

Cependant, les cheveux sont également associés aux pensées involontaires, aux fantaisies créatrices qui jaillissent de la tête. En effet, la chevelure pousse telle qu'elle l'entend, indomptable et indisciplinée, à l'image des « épis » qu'elle forme, comme par caprice.

Pour la femme :

C'est l'un de ses principaux pouvoirs de séduction, de charme, d'expression de sa féminité et d'attrait sexuel. La chevelure est la parure naturelle de la femme qui ignore la calvitie ; elle exprime la splendeur radieuse de son « sex-appeal ».

« La beauté du ciel est dans les étoiles, la beauté de la femme est dans sa chevelure », dit un proverbe italien.

Cheveux blonds ou or :

Sauf dans les pays habités par des êtres humains au teint foncé, les dieux, les déesses et les héros portent généralement une chevelure blonde ou d'ambre, couleur de la lumière solaire, alors que les divinités chtoniques, ou personnifiant la terre, comme la Diane d'Éphèse, font exception. Cette règle s'observe aussi bien chez les divinités gréco-romaines que chez les divinités germaniques et scandinaves. Apollon avait comme surnom « Phoïbos » = « le Brillant », « Xanthos » = « le Blond » ou « Chrysocomes » = « à la chevelure d'or ».

David est décrit dans la Bible comme étant blond (certaines éditions disent roux). L'Enfant Jésus, le Christ, saint Joseph et saint Jean-Baptiste sont généralement représentés blonds, quoique juifs et méditerranéens.

On peut dire que, dans la plupart des cas, la chevelure blonde spiritualise le personnage du rêve ; elle est « céleste » en ce qu'elle évoque la lumière solaire. Le blond idéalise l'image, il « l'immatérialise », la rendant plus psychique que physique. Ceci, par opposition aux chevelures noires ou foncées, plus « terrestres », concrètes et sensuelles qui « matérialisent » l'image.

Par exemple, dans les rêves de *femmes,* l'extrême virilité de l'animus impersonnel (c'est-à-dire leur principe masculin incorporel enfoui dans l'inconscient) est généralement représenté, à son maximum d'expression, par un homme du type nordique, grand, blond avec des yeux très bleus (sérénité spirituelle) qui suscite des affects d'attraction se situant bien au-delà de ceux provoqués par la simple sexualité physique.

Dans les rêves d'*hommes,* plus leur anima (c'est-à-dire leur principe féminin incorporel enfoui dans leur inconscient) devient impersonnelle, plus elle se désexualise pour devenir l'épouse intérieure et plus elle apparaît comme blonde aux yeux bleus.

Quant à « l'Enfant Spirituel », lorsqu'il se présente dans toute la pureté de son expression la plus profonde, il baigne généralement dans la lumière très douce de sa chevelure blonde et le rêveur demeure fasciné par l'intensité de son regard bleu.

Cheveux noirs ou foncés :

Une telle chevelure donne au personnage du rêve un caractère objectif, matériel ou sensuel. L'image peut traduire toutes les possibilités instinctives animales, voire érotiques, possibles entre deux êtres de sexe opposé.

Cheveux roux ardent :

Cette couleur rappelle celle du feu et donne au personnage du rêve un caractère intense, « brûlant » et parfois démoniaque. Ésaü « était roux et tout entier comme un manteau de poils »[1] ainsi que David[2] mais, également, Seth-Typhon, dieu égyptien de la concupiscence.

Cheveux blancs :

La chevelure blanche évoque l'âge avancé et la sagesse acquise par une longue expérience. C'est la couleur des cheveux de l'archétype du Vieux Sage.

Pour les Chinois, Lao-Tseu était né avec les cheveux et les sourcils blancs après une gestation de quatre-vingt un ans, d'où le surnom « d'Enfant-Vieillard » qu'ils lui donnaient[3].

Quant au « Fils de l'Homme » de l'Apocalypse, il a des « cheveux blancs comme de la laine blanche ou de la neige[4] ».

Dans un rêve, il est rare que la chevelure blanche se rattache à une idée de dégradation (le complexe qu'elle symbolise est à déterminer).

1. *Gen.,* XXV-24.
2. *Sam.,* XVI-12.
3. Le qualificatif « tseu » signifie aussi bien « enfant au maillot » que « sage ».
4. *Apo.,* I-14.

Perdre ses cheveux, devenir chauve :

(−) Chez l'homme comme chez la femme, cette image est ressentie comme une perte de force vitale et du pouvoir séducteur de l'attraction sexuelle. Vers l'âge mûr : crainte de vieillir. L'affect est, de ce fait, très douloureux.

(+) Mais la perte des cheveux, après un long travail sur soi-même, peut évoquer un retour à l'état de bébé, censé naître sans cheveux : une renaissance annonce une vie nouvelle régénérée.

Se raser volontairement les cheveux :

Cette image souligne le sacrifice de la volonté de puissance, de l'abolition de l'hégémonie du moi, afin de se régénérer. A ce sujet, Jung écrit : « Depuis une époque reculée, les cheveux rasés sont en relation avec la consécration, c'est-à-dire la transformation spirituelle ou initiation : les prêtres d'Isis avaient le crâne rasé et la tonsure est, on le sait, une pratique demeurée en usage jusqu'à nos jours. Ce symptôme de la transformation peut s'expliquer par l'idée antique que le sujet de la métamorphose est un enfant *nouveau-né* (néophyte, *quasi modo genitus*) à la tête chauve. Dans le rite primitif du héros, celui-ci perd la totalité de sa chevelure pendant l'incubation, c'est-à-dire pendant son séjour dans le ventre du monstre par suite de la chaleur qui y règne (chaleur de couvaison). Cet usage de la tonsure, basé sur des conceptions très antiques, présuppose naturellement la présence du barbier rituel. Chose curieuse, nous rencontrons encore le barbier dans cet autre " mysterium " alchimique que sont " Les Noces chysmiques " de 1616. A peine entré dans le château mystérieux, le héros est assailli par des barbiers invisibles qui lui pratiquent une espèce de tonsure. Ici encore, les cheveux rasés accompagnent de façon significative l'initiation et le *processus de transformation* en général [1]. »

Raser la tête d'une personne :

Ce geste évoque l'idée de soumission, de discipline, d'obéissance (conscrits, serfs, esclaves, etc.) ; d'humiliation, d'avilissement, de honte (prisonniers de guerre, femmes qui se sont prostituées à l'ennemi, etc.) et, parfois, volonté de renoncement, de mortification, de pénitence, d'ascétisme, (religieux catholiques, égyptiens, hindous, etc.). Il peut aussi indiquer un désir d'abolition de l'hégémonie du moi et de suprématie de l'intellect sur l'ensemble psychique.

Peigner, brosser, laver ou se coiffer les cheveux

Ce geste, généralement très positif, indique une mise en ordre de la nature frustre et sauvage du rêveur. Il « démêle » tout ce qui, dans sa tête

---

1. *R.C.*, p. 243 et s.

est encore embrouillé et incohérent par rapport à la prise de conscience de lui-même qui donnera un sens à sa vie.

Coiffeur, coiffeuse

Ces personnages évoquent la dynamique inconsciente qui aide le rêveur à dompter et discipliner sa nature brute. Souvent, dans les rêves, le geste est accompli par l'analyste qui « lave la tête » et aide le rêveur à mettre sa psyché en ordre.

CHEVILLE (La)

• *Dans les rêves :*

Le symbolisme de la cheville allie ceux de la jambe, du pied et du talon. Voir ces mots.

CHOCS ET COLLISIONS (Les)

• *Dans les rêves :*

Chocs et collisions sont relativement fréquents dans les songes. Selon le contexte du rêve, les associations du rêveur et ses affects, ils peuvent être négatifs ou positifs.

(−) Le moi-conscient, encore bien infantile, trop intellectuel, trop sentimental ou trop « moraliste », se fracasse contre les dures réalités de l'existence matérielle ou contre les légitimes pulsions de la vie instinctive.

(+) Des forces intérieures (à déterminer), violemment antagonistes, se heurtent brutalement. De tels rêves suscitent généralement des angoisses telles que le rêveur se réveille en sursaut. Mais il indique qu'un premier contact (quelle que soit sa brutalité) s'instaure afin de permettre la réduction du conflit perturbateur jusqu'ici refoulé.

CHUTE DANS LE VIDE (La)

Voir « Tomber dans le vide ».

CIRCONCISION (La)

La circoncision est une opération de caractère religieux (et non hygiénique comme certains le prétendent) qui consiste en une excision du prépuce ou du clitoris. Le mot vient du latin ecclésiastique « circumcidere » = « couper autour ».

La circoncision est une pratique extrêmement ancienne effectuée, primitivement, avec un silex tranchant[1]. Elle constitue une cérémonie d'initiation qui apparaît dans la Bible comme un rite d'agrégation au clan, puis au peuple d'Israël[2]. Mais, dans la religion juive, elle est considérée, avant tout, comme un signe d'alliance entre Dieu et son peuple[3]. À

1. *Exo.*, IV-25 ; *Jer.*, V-2.
2. *Jud.*, XIV-10.
3. *Gen.*, XVII-10.

l'époque du Nouveau Testament, les Juifs opéraient la circoncision sur leurs enfants mâles, huit jours après leur naissance[1]. Les Musulmans pratiquent aussi la circoncision, mais vers huit ou treize ans[2]. On la retrouve aussi chez de nombreux primitifs.

Depuis le IVe siècle, l'Église catholique célèbre, le 1er janvier, la Circoncision de Jésus-Christ, huit jours après la fête de Noël qui est censée correspondre à sa date de naissance.

Cependant, l'Ancien Testament spécifie bien que la circoncision est rituelle et que c'est « dans son cœur » qu'il faut être circoncis[3]. Autrement dit, la « circoncision du cœur » nous invite à « castrer » notre désir d'union avec la Mère-inconscient afin de mieux nous consacrer à Yahvé[4], c'est-à-dire, en langage jungien, au Soi. Car, dit saint Paul, si l'on parvient à se « dépouiller du vieil homme » et que l'on s'est régénéré, « on s'achemine vers la vraie connaissance en se renouvelant à l'image de son créateur. Là, il n'est plus question... de circoncision ou d'incirconcision..., il n'y a que le Christ (autre image du Soi), qui est tout et en tout[5] ».

Bref, la circoncision est une « castration » (voir ce mot) rituelle qui, si elle est « entendue » dans son esprit, et non prise à la lettre, nous permet de sacrifier notre attachement à la « Mère-inconscient », de sortir de l' « être animal » afin de passer de l'état « infantile instinctif » égocentré à l'état d' « homme adulte doué de conscience » et solidaire de l'ensemble de l'humanité.

● *Dans les rêves :*

Le thème de la circoncision est très rare. Tout au plus, peut-on parfois trouver une allusion à ce geste rituel, si répandu dans le monde, mais difficile à interpréter. Voir « Naissance et Renaissance. »

On s'inspirera de l'exposé sur la castration pour tenter de comprendre une telle image onirique.

CIRCUMAMBULATIO (La)

Le terme « circumambulatio » (lat : « circum » = « autour » et « ambulare » = « marche », « mouvement ») a été créé par Jung pour désigner les mouvements circulaires exécutés dans mythologies, religions, initiations et dans les rêves.

« La " protection par un cercle " ou " circumambulatio ", dit Jung dans son *Commentaire sur le Mystère de la Fleur d'Or*, est exprimée [...] par l'idée de la " circulation ". La " circulation " n'est pas un simple mouve-

---

1. *Lev.*, XII-3.
2. Il est intéressant de noter le symbolisme du nombre 8 : « retour à l'équilibre transcendantal par une juste répartition de l'énergie » et celui du nombre 13 · « mort de la personnalité primitive en vue d'une renaissance ».
3. *Deut.* X-16 et *Jos.* V-2.
4. *Deut.* XXX-6.
5. *Rom.* II-25 et *Col.* III-11.

ment circulaire, mais elle signifie d'une part le tracé d'une enceinte sacrée et d'autre part une fixation et une concentration ; la roue solaire commence à tourner ; autrement dit, le soleil est ravivé et entame sa course, ou même, le Tao commence à opérer et à prendre la direction... Psychologiquement, cette circulation consisterait à " tourner en cercle autour de Soi ", ce qui manifestement fait entrer en jeu tous les aspects de la personnalité : les pôles du lumineux et de l'obscur sont mis en mouvement circulaire. Par suite, le mouvement circulaire a également la signification morale d'une vivification de toutes les puissances lumineuses et obscures de la nature humaine, et donc de tous les opposés psychologiques de quelque nature qu'ils soient. Cela n'est autre que la connaissance de soi par l'auto-incubation (en Inde, tapas) [1]. »

La « *circumambulatio* » apparaît fréquemment dans les mythes, religions et initiations.

On observe des marches rituelles autour des temples autant au Tibet que dans l'ensemble des Indes. D'autre part, « dans le culte du lingam de Shiva, la cérémonie se termine souvent par le " pradkshina " au cours duquel les fidèles tournent autour du lingam, représentant le mouvement incessant de toutes choses sacrées autour du Centre immobile, immuable et éternel [2] ».

Dans les mystères cabiriques de Samothrace, au cours de l'initiation, le récipiendaire était placé sur un trône, la tête couronnée d'un rameau d'olivier et ceint d'une écharpe pourpre. Les initiés présents formaient un cercle autour de lui et exécutaient une danse circulaire en se tenant par la main, au son d'hymnes sacrés.

Chez les Égyptiens, le Cosmos était considéré comme étant en perpétuel mouvement circulaire. Ce dernier était évoqué dans les mystères par la danse exécutée en tournant autour des autels pour imiter la marche des astres autour du soleil ainsi que le rythme et l'harmonie des circulations célestes de l'univers.

Pour les musulmans, au Moyen Âge, lors de leurs pèlerinages à la Mecque, « une première obligation — mystère de signification astrologique — consistait à faire le " tawa ", c'est-à-dire sept fois le tour de la Kabah [3] ».

Dans la religion catholique, « la " circumambulatio " rituelle s'appuie souvent de façon consciente sur la similitude cosmique de la rotation du ciel stellaire, de la " ronde des étoiles ", idée que renferme encore l'antique comparaison des douze disciples aux signes du Zodiaque, de même que les représentations assez fréquentes du cercle zodiacal devant l'autel ou sous la croisée des transepts [4] ». Au niveau de la liturgie

1. *M.F.O.*, p. 42-43.
2. A. Desjardins, *Yoga et Spiritualité*, Éd. La Palatine, 1972, p. 67.
3. *Coran*, Sourates II-119 et XXIII et 30.
4. *R.C.*, p. 302.

catholique actuelle, on retrouve la « circumambulatio » dans l'encensement rituel exécuté en tournant autour de l'autel ainsi que dans les processions parcourues, avec retour au point de départ, à l'intérieur et à l'extérieur de l'église comme les Hébreux tournaient autour de l'autel de Yahvé.

● **Dans les rêves :**

La « circumambulatio » est fréquente dans les songes. Tout d'abord, on peut dire que la « circumambulatio » vers la droite (sens des aiguilles d'une montre) exprime un déplacement en direction de la conscience, ce qui équivaut à un effort vers la prise de conscience en passant des ténèbres de l'inconscience aux clartés de la conscience. La « circumambulatio » vers la gauche (sens trigonométrique ou zodiacal) exprime un déplacement en direction de l'inconscient, ce qui équivaut à un effort vers le centre créateur, celui-ci n'étant pas suffisamment éclairé [1].

Mais la « circumambulatio » peut prendre un aspect positif ou un aspect négatif :

(+) Traduisant le mouvement circulaire éternel du macrocosme et du microcosme, la « circumambulatio » trace, en premier lieu, « un cercle protecteur qui empêche l'inconscient de faire irruption à l'extérieur, ce qui équivaudrait à une psychose » [2]. Elle évoque aussi, par l'image de l'Ouroboros, le mouvement perpétuel de la conservation de l'énergie à travers l'univers et, plus spécialement, au sein de la psyché, polarisée par le moi.

Mais, surtout, la « circumambulatio » rappelle que la voie de l'évolution ne va pas en ligne droite mais s'effectue de manière cyclique (spirale) [3]. Le mouvement circulaire est toujours l'expression « d'une concentration exclusive vers le centre, générateur de vie et lieu de transformation créatrice [4] ». En outre, il conduit à demeurer « à l'intérieur de soi sans prendre la fuite [5] ».

Enfin, la « circumambulatio », par son brassage des pôles contraires, permet de regarder (prendre conscience) dans toutes les directions psychiques au lieu de demeurer figé, à ne « vivre » de manière unilatérale qu'un aspect de l'existence tout en demeurant aveugle sur les autres directions. Marcher en cercle, c'est mettre en mouvement toutes les fonctions et contenus antagonistes, toutes les forces contraires qui se télescopent au sein de la psyché.

La « circumambulatio » concentre l'activité de l'évolution autour d'un point central : le Soi. Car, dit Jung, « la danse circulaire solennelle a pour

1. Cf. *P. et Al.*, p. 165 et 253-254.
2. *Ibid.*, p. 195.
3. Cf. *Ibid.*, p. 41.
4. *Ibid.*, p. 192 et 235.
5. *Ibid.*, p. 228.

but et pour effet d'imprimer l'image du cercle et du centre comme de mettre chaque point de la périphérie en relation avec le centre [1] ». C'est pourquoi, dans un rêve de danse par couple, cette danse est-elle généralement une valse, danse qui ne se démode jamais et qui fait tournoyer le féminin et le masculin tel le jeu circulaire du Yin et du Yang au sein du Tai-Ki-Tou.

(−) Dans son sens négatif, la « circumambulatio » traduit une situation objective (affective, professionnelle ou tout autre) qui ne « tourne pas rond » et, même, qui peut « mal tourner ». Il semble alors au rêveur qu'il « tourne en rond », ne parvenant pas à trouver d'issue à ses difficultés.

Et, sur le plan purement psychique, il se peut qu'on « soit prisonnier d'un complexe névrotique, la même idée tournant sans arrêt dans l'esprit : les gens ne peuvent sortir de leurs problèmes et vous répètent indéfiniment les mêmes phrases [2] ».

Le rêveur est comme enfermé dans un « cercle vicieux ». Sur un plan beaucoup plus hermétique, mais archétypique, l'aspect négatif de la « circumambulatio » semble figuré, dans le mythe, par le supplice d'Ixion. Celui-ci, ayant assassiné son beau-père, personne parmi les dieux ne voulut le purifier de ce meurtre. Zeus y consentit par pitié. Pour toute gratitude, Ixion tenta de séduire Héra qui s'en plaignit à son époux. Zeus abusa l'imposteur en formant un nuage à l'image de la déesse puis, pour le punir de son audace criminelle, il commanda à Hermès de lier Ixion à une roue lancée dans l'espace où elle devait tourner à l'infini.

Cette fable, proche de celle d'Œdipe (assassinat du Père, désir d'union avec la Mère), souligne qu'il faut être aussi crucifié et « tournoyer à vide » pendant une longue période pour avoir voulu séduire la « Mère-inconscient ». C'est-à-dire, être tiraillé entre la « Nostalgie du Paradis Perdu » et l'obligation formelle d'avoir à évoluer vers la conscience totale.

CLAUDICATION (La)

Voir « Boiter ».

CŒUR (Le)

Si le foie était considéré comme le principal viscère corporel chez les Orientaux et certains peuples de l'Antiquité, le cœur est l'organe fondamental pour les Occidentaux et pour d'autres civilisations anciennes.

Une des caractéristiques essentielles de la vie réside en ce qu'elle est vibrations, rythmes, alternances. Or, qui dit cœur, dit pulsations et si ces pulsations cessent, l'existence s'arrête. Le cœur est donc, avant tout, ressenti comme un centre vital. Nous retrouvons le symbolisme du cœur dans toutes les mythologies et religions, ainsi que dans les expressions populaires.

1. *R.C.*, p. 302.
2. *A.O.*, p. 185.

Pour les Égyptiens, c'est le cœur du mort qui est pesé le jour du Jugement. Chez les Grecs, le cœur était, entre autres, l'emblème de Dionysos, dieu de l'exaltation extatique de la Vie et on le représentait vêtu d'un ample manteau rouge « sang » (le dynamisme de vie).

Le cœur ailé volant était l'emblème de l'ordre des Soufis.

Le cœur de la Vierge Marie est représenté percé d'un glaive[1] et celui de Jésus, percé d'une lance[2] pour marquer la souffrance qui les atteint au plus profond d'eux-mêmes.

Considéré comme étant, par excellence, le siège de la vie, le cœur, dans les sacrifices, était particulièrement réservé aux dieux (par exemple, dans l'Antiquité mexicaine).

Chez certaines tribus africaines, le guerrier vainqueur dévore rituellement le cœur de son ennemi vaincu ; ce faisant, il transmet à son propre esprit la vaillance du mort, augmentant ainsi ses vertus guerrières personnelles.

On observe également que le cœur est divisé en quatre compartiments faisant une croix, ce qui évoque un Mandala, donc le Soi. Cette idée de centre régulateur (le Soi) se retrouve chez les Égyptiens pour qui le cœur et la langue sont les agents de tout ce qui existe : « Si les yeux voient, si les oreilles entendent et si le nez respire, ils conduisent au cœur ce qu'ils ont recueilli et celui-ci prend ses décisions. La langue alors les énonce[3] ».

« Kordia », en grec, signifie aussi bien « cœur », « âme » et « esprit » que « courage » : on est accueilli « cordialement », on prend un « cordial ».

Dans le Zodiaque, le cœur est régi par le signe du Lion, image de la bravoure, de la générosité et de la grandeur d'âme. Enfin, plus prosaïquement, en cartomancie, le « cœur » est lié à l'amour, la bienveillance, la joie.

On rencontre un thème symbolique, mais nous ne l'avons jamais observé dans les rêves, aussi mystérieux que singulier qui est celui du « cœur spirituel » situé à droite de la poitrine. D'après les Hindous, il est situé approximativement à deux doigts à droite du milieu du sternum. Le maître Ramana Maharishi apprenait à ses disciples à se plonger dans la méditation en se demandant « qui suis-je ? » tout en centrant leur attention sur le cœur, non pas l'organe physiologique placé à gauche dans la poitrine, « mais le cœur spirituel qui est à droite ». Ce cœur se situe au-delà des frontières du corps naturel, il n'est pas circonscrit dans les limites physiologiques.

On peut rapprocher cette curieuse conception de celle de l'Ecclésiaste : « Le Cœur du Sage est en son côté droit et le cœur de l'insensé est en son côté gauche[4] », ainsi que de nombreuses représentations où l'on voit la

---

1. *Luc*, II-35.
2. *Jean*, XIX-35.
3. A. Erman, *La Religion des Égyptiens*, Payot, 1952, p. 118.
4. *Eccl.*, X-2.

lance de Longinus percer le Christ au niveau du cœur à droite de sa poitrine. Peut-être le symbolisme de ce cœur à droite relève-t-il de celui de la droite en général. Voir « Droite et gauche du corps ».

Le cœur revient souvent, ce qui montre son importance, dans les expressions populaires. Il peut évoquer le centre (« au cœur du problème »), l'amour, la haine, le sentiment, l'émotion (« une affaire de cœur », « aller droit au cœur »), l'énergie, le courage (« avoir du cœur au ventre »), la générosité (« avoir le cœur sur la main »), l'amour universel, la Caritas (« le Sacré-Cœur de Jésus »).

● *Dans les rêves :*

Le cœur symbolisera tout ce qui concerne l'amour profane ou mystique, le domaine du sentiment et de l'expérience vécue, l'intensité des émotions qui font « battre le cœur » ainsi que l'intuition la plus irrationnelle, par opposition au savoir purement intellectuel.

Maladies et troubles de cœur :

Cette image onirique, relativement fréquente, indique, suivant le contexte du rêve, un défaut ou un excès de sentiment qui déséquilibre l'ensemble psychique.

S'il y a carence de sentiment, le rationalisme logique de la pensée dessèche le sens de l'humain. S'il y a profusion de sentiment, une incohérence peut s'installer qui, rejetant l'ordonnancement raisonnable de la pensée, peut aboutir à un gaspillage de forces et un style de vie désorganisé.

Parfois le cœur du rêve est surtout incommodé par une angoisse ou, plus simplement, une hyper-émotivité pénible à supporter, dont il faudra rechercher les causes. D'où les tachycardies et éréthismes cardiaques si fréquents chez les névrosés.

COLLISIONS (Les)

Voir « Chocs et collisions ».

CORNES (Les)

Dans la mythologie ou dans les songes, le corps humain peut porter une ou plusieurs cornes insolites.

Prise isolément, la corne, par sa forme phallique, possède un caractère masculin mais, du fait de sa viduité, représente également une coupe — certains cratères antiques étaient formés d'une corne — qui, en tant que contenant, évoque le féminin. Elle est, de ce fait, « un symbole unificateur qui exprime la polarité de l'archétype »[1] sur lequel elle s'est développée. D'autre part, sous cet aspect, on rencontre des représentations unicornes dans les mythes, religions, légendes, etc.

1. *P. et Al.*, p. 592.

Dans la Bible, l'autel des Holocaustes est orné de cornes à ses quatre angles[1] ; David anéantit les Philistins et « pour toujours, il brisa leur corne[2] ». Dans l'Antiquité, les fleuves étaient représentés par un vieillard portant deux cornes ou par deux cornes de taureau pour exprimer la puissance des flots. Bacchus avait, entre autres épithètes, celle de « dieu dont la tête est ornée de cornes » et « dieu aux deux cornes à la force de taureau », etc.

Dans l'iconographie assyrienne, presque tous les génies sont représentés porteurs d'une tiare ornée de deux paires de cornes de taureaux. Cette tiare à cornes superposées était l'apanage des divinités ou de quelques rois hissés au rang de héros.

En Égypte, les cornes jouent un grand rôle en raison du culte de la déesse Hathor, du Bœuf-Apis et du dieu Amon-Râ. Dans les œuvres d'art, elles accompagnent le disque et les plumes sur les têtes des divinités, des rois et des reines. La déesse Hathor possède deux cornes sur la tête, Isis porte un disque entre deux cornes (évoquant vraisemblablement la lune) et Amon était appelé le « Maître de la double corne ».

Alexandre le Grand est représenté sur ses monnaies portant les cornes du dieu bélier Amon car il estimait être de nature divine.

Le dieu gaulois Cernunnos (« le cornu »), vraisemblablement assimilable à une divinité diabolique, était porteur de cornes.

Dans les miniatures anciennes se rapportant à la Bible, Moïse était représenté porteur de deux cornes sur la tête, jaillissant de son cerveau et dont Michel-Ange a repris l'image pour la colossale statue du Prophète de St Pierre de Rome. Elles exprimaient la lumière de la conscience qui émane de son crâne à partir de l'intelligence illuminée par la connaissance.

Pour d'autres raisons, les Gaulois, comme les Barbares, portaient des cornes de taureau sur leurs casques (image de la puissance invincible).

En latin, « cerebrus », c'est-à-dire « cerveau » et « cervus », c'est-à-dire « cerf » possèdent la même racine « cer » qui a donné « cornu », c'est-à-dire « corne ». Ici, les cornes expriment le rayonnement de la connaissance acquise par l'activité de la pensée consciente intelligente à partir de la base animale — le cerveau du cerf — qui conduit à la lumière.

Un dernier point, à propos des cornes, concerne le fait qu'elle est l'emblème du conjoint trompé. En voici l'origine : dans l'Antiquité, le bouc passait pour faire de tels excès sexuels, et trop jeune, qu'il était réputé devenir impuissant à six ans. On disait qu'il devenait alors simple spectateur des infidélités de ses chèvres. Et, pour les Romains, l'épithète « tête cornue » s'appliquait au mari « désarmé » devant les infidélités de sa femme. Par la suite furent créées les expressions « Porter des cornes » et de « cornard ».

---

1. Entre autres : *Exo.* XXVII-2.
2. *Eccl.*, XLVII-7.

● *Dans les rêves :*

Dans les songes comme dans le symbolisme universel, les cornes sont toujours un symbole de puissance.

Mais cette puissance peut être négative ou positive suivant qu'elle est destructrice ou créatrice.

(−) La corne sera négative si la puissance de son énergie est mise au seul service de l'ego et de l'ombre en brutalisant et violentant pour leur seul profit. Dans cette éventualité, les cornes évoquent la fureur et la rage aveugle du taureau ou du bélier en colère et dont la sauvagerie déchire et décime tout sur leur passage.

Le Diable est de ce fait cornu ainsi que, parfois, les sorciers et les sorcières qui se vouaient à Satan. Il y a domination des instincts brutaux.

(±) La corne ne sera ni négative ni positive si elle exprime simplement l'exaltation de la vitalité de l'existence. Des cornes sont donc attribuées à Silène, Dionysos, Pan, les Satyres et au dieu gaulois Cernunnos car il faut bien accepter les lois de la vie. Le tout est d'éviter de tomber dans les excès d'une existence bestialement instinctive ou dans les excès d'un ascétisme outrancier.

(+) La corne sera positive si l'énergie créative phallique est utilisée à des fins de progression psychique stimulée par l'esprit. Dans cette éventualité les cornes s'associent à la lune, image des forces spirituelles agissant dans les ténèbres de l'inconscient. Elle symbolise alors « la force phallique du Soi »[1].

Pensons alors à Isis-Hathor et aux cornes de Moïse. Sous cet aspect, la corne devient la « Corne d'Abondance ».

CORPULENCE (La)

● *Dans les rêves :*

Lorsque, dans un songe, un personnage inconnu, frappe par sa corpulence ou qu'un personnage connu se présente avec une corpulence qu'il ne possède pas en réalité, et que le rêveur ne propose pas d'associations d'idées valables, ce personnage évoque, à faible degré de puissance, l'imago maternelle ou l'imago paternelle.

Pour le petit enfant, le père et la mère apparaissent comme « corpulents » au sens de la définition du terme.

COU (Le)

● *Dans les rêves :*

Le cou, dans les songes, symbolise le point de jonction qui sépare la tête, c'est-à-dire le siège de la conscience, de la pensée ainsi que du monde rationnel d'avec le corps, c'est-à-dire du siège de l'inconscience, du monde irrationnel, du sentiment, des instincts et du « vécu » émotif.

1. *A.O.A.*, p. 158.

En outre, le cou contient la gorge qui réagit toujours très vivement aux affects et à l'angoisse. Voir « Gorge ».

COUDE (Le)

Une des caractéristiques du coude, c'est qu'il est hypersensible aux chocs. (Le « petit juif ».)

● *Dans les rêves :*

Le coude apparaît comme traduisant (avec ou sans commotion) un psychisme hypersensible qui vibre douloureusement au moindre choc lorsque l'émotivité ne parvient que difficilement à s'assumer.

CRACHER

Voir « Salive ».

CRÂNE (Le)

Voir « Tête ».

CRI (Le)

Le mot vient du latin populaire « critare », contraction du latin « quiritare » = « appeler les citoyens au secours ».

Or, la voix s'apparente au « Verbe », au « Souffle » et au « Vent » qui jouent un rôle considérable dans la philosophie antique, dans les mythes et religions où Vent, Souffle et Verbe sont l'expression de la divinité. Voir « Voix ».

Voir également « Éternuement ».

● *Dans les rêves :*

On a noté que, chez les animaux, la volupté s'exprime par des sons graves, la mélancolie par de longs hurlements (le chien qui hurle à la mort) et la douleur par des sons aigus.

Il en va de même pour les cris des rêves, ceux-ci peuvent témoigner des puissances destructives ou des puissances constructives qui s'activent en nous :

(−) Le cri est négatif s'il exprime la souffrance du moi qui ne peut supporter la manifestation du Soi.

Tel ce violent cauchemar effectué au début de son analyse par un sujet dont l'intellect s'était développé outrageusement aux dépens des valeurs instinctives et affectives : « En ski derrière un moniteur de chasseurs alpins, je fais des virages en " slaloms ". Brusque danger ; je m'en évade en explosant avec mon cri dilaté, éclaté comme une bulle, un microcosme qui va rejoindre vertigineusement le macrocosme, à la limite » (rédaction du rêveur lui-même).

L'analyse était ressenti comme une acrobatie entraînée par l'analyste moniteur de ski. Elle menaçait l'intégrité du moi et fut immédiatement arrêtée au profit d'un traitement mieux supporté par le sujet.

(+) Le cri est positif si, par son truchement, le rêveur trouve, dans cette inépuisable réserve d'énergie qu'est le Soi, le moyen de renforcer son moi pour effectuer le dur travail de la réalisation intérieure.

Telle cette rêveuse qui se voyait en songe assaillie de toutes parts par une horde de femmes déchaînées dans un vacarme indescriptible. Elle se sent sérieusement en danger.

« C'est alors, écrit-elle, que j'essaye de chanter, c'est-à-dire de faire une sorte de gamme. D'abord, cela sort mal. Puis, tout à coup, une note aiguë perce comme une bulle d'air. Elle semble monter, puis redescendre dans la vallée. Elle est sonore, claire, ronde et, peu à peu, le son retombe, neutralisant les assaillantes.

De violents battements de cœur me réveillent, s'accompagnant de sentiments d'apaisement. »

Bien entendu, entre ces deux cas extrêmes, existent des rêves de cri qui ne sont ni négatifs, ni positifs mais dont l'interprétation relève des associations d'idées du rêveur.

CUISSE (La)

Le mot cuisse vient du latin « coxa » = « hanche ». Voir aussi « Jambes ».

En Égypte, la cuisse était considérée comme le principe mâle, la force virile ou positive. Or le « Chef de la Cuisse » est Tem, « l'âme des âmes, l'architecte divin, le Créateur des étoiles[1] ».

Dans les sacrifices du culte de Pluton, les cuisses de l'animal immolé étaient particulièrement consacrées à ce dieu.

Dionysos naquit de la cuisse de Jupiter. Il fut élevé par ses tantes sur le Mont Méros (« Méros » = « cuisse » en grec) en Béotie. À la suite de sa conquête de l'Inde, ce Mont prit, pour les Hindous, le nom de Mont Mérou, montagne symbolique située au centre des mondes habités.

● *Dans les rêves :*

Les cuisses apparaissent rarement, en tant que telles, dans les songes.

Elles semblent être surtout phalliques ou simplement en rapport avec la sexualité : « Avoir la cuisse légère », « être facile de la cuisse », « le haut de la cuisse ».

---

1. M. Sénard, *Le Zodiaque*, Colonne Vendôme, 1948, p. 217.

D

DANSE (La)

Que les danses soient mondaines, chorégraphiques, guerrières, primitives ou sacrées, la danse joue un rôle considérable dans le monde entier.

Les Grecs considéraient Terpsychore (« qui aime la danse »), muse de la danse, comme la première des Muses. Les Bacchantes dansaient dans le thiase (cortège) de Dionysos et, en tant que prêtresses, dans les cérémonies religieuses données en l'honneur de ce dieu. Les Corybantes, prêtres de Cybèle et eunuques en souvenir d'Attis, dansaient de manière désordonnée au son de la flûte dans leurs extases sacrées. Le dieu Pan réglait les danses des nymphes.

Thésée, d'après Plutarque, exécutait toute une chorégraphie appelée « danse de la grue » qui imitait la démarche imposée par les innombrables détours du labyrinthe crétois. Il aurait été le premier à faire danser ensemble jeunes gens et jeunes filles car, avant, les hommes et les femmes dansaient séparément, nous dit Homère qui indique également que, sur le bouclier d'Achille, Héphaïstos avait gravé une danse semblable à celle que Dédale inventa, dans les temps lointains, pour l'aimable Ariane.

Aucune fête et cérémonie religieuse grecque, nous dit Lucien, ne s'effectuait sans danse et toutes ces danses auraient été inventées par Orphée. Elles consistaient surtout à évoluer autour de l'autel du dieu que l'on voulait honorer. Voir « Circumambulatio ».

Dans chacune des initiations antiques, des danses figurant quelques signes mystérieux d'un antique ésotérisme étaient regardées comme sacrées ; c'est la raison pour laquelle divulguer un secret initiatique était verbalement appelé « sortir de la danse ».

Au cours des Mystères de Samothrace, le myste était placé sur une sorte de trône, le front couronné d'un rameau d'olivier et ceint d'une écharpe pourpre ; les initiés présents formaient un cercle autour de lui en se tenant la main et exécutaient une danse circulatoire au son d'hymnes sacrés. Plus tard, à Rome, la danse fit plutôt partie des spectacles et fut réservée aux professionnels[1].

Il est certain que, dans l'Antiquité, les danses furent d'abord religieuses car les Anciens, comme l'indique Platon[2], estimaient que le corps tout entier devait subir l'influence de la religion. « Tournez autour de vous en adorant » disait une maxime de Pythagore.

Pour les Égyptiens, les danses qu'ils exécutaient dans leurs Mystères figuraient les mouvements célestes et l'harmonie de l'univers, tandis que la

---

1. D'après G. Lanoé-Villène, *Le Livre des Symboles*, Éd. Librairie Générale, 1933.
2. Platon, *Les Lois*, 815-C.

déesse chatte Bastet, divinité de la joie de vivre, dansait l'ivresse joyeuse de l'absence de toute contrainte.

Les Hébreux connaissaient également des danses sacrées dans leurs cérémonies religieuses et David danse devant l'Arche (image de Dieu), entraînant avec lui tout le peuple d'Israël[1].

Aux Indes, la Grande-Déesse Mère Kâli-Dourga est parfois évoquée comme dansant la danse cosmique de l'univers, c'est-à-dire sa création et sa destruction.

Mais c'est surtout le dieu Çiva, aux multiples bras, qui est, le plus souvent, représenté dansant dans une auréole frangée de flammes, image qui évoque le cosmos tout entier. Il est alors qualifié de « Natararya », c'est-à-dire « Roi de la danse ». Il tient dans la main droite un tambourin évoquant le son, premier élément de l'éveil de l'Univers naissant, tandis que sa main droite tient une langue de feu, image de la destruction finale du monde. Ses autres bras traduisent l'équilibre éternel de la vie et de la mort. Un de ses pieds est posé sur le démon cobra de « l'oubli », l'autre est levé par le mouvement de la danse, cette image illustrant les perpétuelles alternances de l'Ignorance et de la Connaissance. Tout ceci explique que Çiva soit le dieu des cycles inéluctables de la nature, des puissances génératrices de l'existence, qui aboutissent à la mort, elle-même réengendrant la vie. D'autres dieux hindous se livrent à la danse mais l'Inde vénère également les Apsaras (de « ap » = « eau » et « sara » = « écume »), épouses des Gandharvas, hommes-chevaux chanteurs et musiciens célestes. Les Apsaras sont danseuses (la vie) et courtisanes (l'amour universel) autant que nymphes des eaux. Elles sont servantes d'Indra qui les utilise pour troubler les ascètes dont les austérités menacent sa suprématie. Elles sont également les messagères de Kâlî et convient les hommes à l'amour de la Déesse. Leur nom ainsi que leur goût pour les baignades les rattachent au symbolisme des eaux primordiales car, nées de l'écume de la mer en mouvement, elles sont des divinités du jeu de la vie et de ses possibilités informelles infinies.

Chez les musulmans, les Soufis chantent et dansent en priant et les derviches tourneurs dansent en rond pour atteindre un état second qui abolit la suprématie du moi et permet la révélation. Il en est de même chez les Balinais et pour les danses extatiques des Chamans[2].

La danse compte parmi les exercices de sorcellerie et le peuple danse aux feux de la St Jean. Les fées et lutins passent pour danser des rondes.

Au Moyen Âge, on donnait le nom de « danse macabre » à une ronde infernale, peinte ou sculptée, dansée par des morts de toutes les conditions et de tous les âges, rois ou sujets, riches ou pauvres, vieillards ou enfants. C'était une allégorie ingénieuse figurant la fatalité qui condamne tous les

---

1. *Chro.* XIII-8 et XV-29.
2. Mircea Éliade, *Le Chamanisme et les Techniques Archaïques de l'Extase*, Payot, 1974, p. 41 et 357.

humains au trépas. C'est la mort elle-même qui dirige cette ronde endiablée, se servant d'un squelette pour violon et d'un tibia pour archet.

La plupart des peuples connaissent ou ont connu des danses folkloriques aussi bien à l'échelon national qu'à l'échelon régional.

L'ultime carte majeure du Tarot, la lame XXI — « Le Monde » —, présente, au centre d'une mandorle de feuillage, un personnage androgyne qui danse l'harmonie cosmique finale, le Soi de Jung.

La danse est, en dernier ressort, un mouvement rythmique aux moyens d'expression illimités, tels ceux de la vie dont les cadences infinies s'intègrent à l'harmonie cosmique. La vie, comme la danse, se manifeste par des répétitions rythmées toujours analogues, jamais identiques. Les saisons, par exemple, se suivent semblables à elles-mêmes mais jamais exactement pareilles. Telle la danse, la vie est à la fois rythmes et fantaisies.

Tous les dynamismes de l'existence, réprimés ou refoulés par le conscient, peuvent s'exprimer par la danse. Elle permet, donc, de se libérer des tensions émotives et constitue, ainsi, une merveilleuse possibilité de décharge cathartique. Car, pour Jung, « tous les phénomènes psychiques émotionnels, et donc chargés d'énergie, ont une tendance marquée à prendre la forme de rythmes. Toute excitation révèle une tendance aux manifestations rythmiques, c'est-à-dire à des manifestations qui persévèrent. C'est là, vraisemblablement aussi, l'explication de nombreuses activités rythmiques rituelles des primitifs par lesquelles l'énergie psychique ainsi que les représentations et les activités qui lui sont liées sont imprimées et solidement organisées dans la conscience ; d'où aussi la dépendance du travail par rapport à la musique, à la danse, au chant, au tambour et au rythme en général. *On parvient aussi à limiter l'instinctualité incoordonnée.* L'introduction du rythme dans l'énergie psychique a vraisemblablement constitué le premier pas vers sa mise en forme culturelle et donc vers sa spiritualité [1] ».

C'est en cela que réside l'importance de la place qu'elle occupe, sous toutes ses formes, dans l'ensemble de l'humanité : elle apaise car elle aide à assumer, en les canalisant, le flot désordonné des affects instinctifs et elle va jusqu'à permettre des « transes » qui équivalent aux « ivresses sacrées » des dieux tels Dionysos, Pan, les Satyres...

● *Dans les rêves :*

Le rêveur ou une personne du rêve danse :

Ce thème indique qu'il y a animation des moyens d'expression. Le moi, ou un contenu psychique à déterminer, prend vie à travers le rythme des mouvements de la danse. Il y a donc libération des refoulements, inhibitions, interdits, tensions et tout ce qui, jusqu'ici, était incapable de s'exprimer librement. Le danseur « abréagit » ainsi ses affects les plus

---

1. *N. et T.*, p. 165.

légitimes contraints par l'intellect ou la morale conscients qui, peu à peu, en étaient arrivés à négliger le côté fantaisiste et émotionnel de l'existence par crainte de leurs incohérences.

Parfois, le rêveur ne parvient pas à se joindre au groupe de danseurs ; c'est que le moi éprouve de la difficulté à s'intégrer harmonieusement à l'ensemble psychique : il est encore sur-différencié.

Par la danse, le rêveur ou le complexe à déterminer tente d'ajuster le rythme du microcosme à celui du macrocosme.

Plusieurs personnes du rêve dansent :

Tout un ensemble de contenus, jusqu'ici figés dans l'inconscient, s'animent avec entrain pour les mêmes raisons que celles indiquées ci-dessus. Elles commencent à « vivre ».

La danse circulaire et la danse en couple :

L'expérience montre que, dans l'éventualité de la danse par couple, il s'agit généralement d'une valse qui joint la « circumambulatio » (voir ce mot) au symbolisme de la danse.

Les opposés — généralement un homme et une femme — synchronisent dans la totalité (le cercle) leurs rythmes, afin d'atténuer l'antagonisme des contraires, générateurs d'angoisse.

Si la danse circulaire se présente comme rituelle, « celle-ci a pour but et pour effet d'imprimer l'image du cercle et du centre, comme de mettre chaque point à la périphérie (psychique) avec le centre [1] », c'est-à-dire avec le Soi.

DÉCAPITATION (La)

Voir « Tête ».

DÉFÉCATION (La)

Voir « Excréments ».

DÉMEMBREMENT (Le)

Démembrer, c'est dépecer un animal en arrachant ses membres.

Dans la mythologie, plusieurs dieux subissent le supplice du démembrement et du morcellement avant de renaître dans la gloire de l'immortalité.

Osiris est dépecé par son frère Seth-Typhon, jeté dans le Nil et, par la suite, reconstitué par son épouse Isis à partir de son phallus, avant de régner dans le ciel.

Zagreus, dans la mythologie de l'Orphisme, venait probablement d'un ancien dieu crétois qui se confondit avec Dionysos. Fils de Zeus et de Déméter, il fut tué et dépecé par les Titans sur l'ordre d'Héra. Ceux-ci

1. *R.C.*, p. 302.

dévorèrent ensuite ses membres et ses viscères, à l'exception du cœur. Grâce à cet organe essentiel, Zeus pourra reconstituer son fils.

Penthée, adversaire de Dionysos, tenta de s'opposer à son culte en Béotie ; mais le dieu frappa de folie furieuse sa mère Agavé et ses tantes Autonoé et Ino, qui s'emparèrent de sa personne et le mirent en pièces après avoir incendié son palais. Pour une autre légende, ce furent les Bacchantes.

Les femmes de Thrace auraient voulu consoler Orphée de la perte d'Eurydice, mais dédaignées par lui, elles lui vouèrent une telle haine qu'elles le déchirèrent pendant la célébration des Bacchanales. La tête et la lyre d'Orphée furent jetées dans l'Hèbre et partirent, emportées par le courant jusqu'à Lesbos où les Muses rassemblèrent pieusement ses restes et les ensevelirent au pied de l'Olympe, tandis que Zeus plaça sa lyre parmi les constellations.

La légende de Penthée semble bien illustrer le fait qu'il est dangereux de s'insurger brutalement ou prématurément contre les arrière-plans psychiques où la vie purement instinctive s'exalte, exempte de toute contrainte, se déploie et déborde de sensualité déchaînée.

Mais dans les autres mythes cités, le démembrement évoque la souffrance d'avoir à renoncer à ses anciennes adaptations, (limitées au conscient, donc à la merci des pulsions instinctives désordonnées), en vue d'une plus grande réalisation.

● *Dans les rêves :*

Les songes de démembrements sont rares.

(−) En négatif, ils indiquent à quel point les instincts ont été maltraités par l'intellect ou la pseudo-morale consciente.

(+) En positif, (ce que nous n'avons encore jamais rencontré) le thème devrait symboliser la souffrance évoquée par le renoncement à l'hégémonie du moi. Mais le moi lui-même ne doit pas être détruit car lui seul peut assumer l'œuvre d'évolution vers l'individuation. C'est pourquoi le remembrement s'effectue à partir d'un organe capital demeuré intact (Phallus, Cœur).

Voir « Naissance et Renaissance ».

La reconstitution symbolise la renaissance qui ne peut s'accomplir que dans la souffrance.

DENTS (Les)

La denture évoque un certain nombre d'idées douées d'affects importants.

Elle s'associe à la notion *d'assimilation*. C'est ainsi que, chez les Grecs, le dieu Sommeil était représenté tenant, d'une main, une dent (assimilation) et, de l'autre, une corne d'abondance (bénéfices apportés par cette assimilation). Allusion évidente aux bienfaits recueillis, durant le sommeil, par l'aperception des contenus de l'inconscient au cours des rêves qui rendent possible leur assimilation.

Même en amour, joue la notion d'assimilation. Les hommes, comme les animaux, se plaisent à mordre le partenaire amoureux : on « dévore de baisers », on est « dévoré d'amour »... Les dents expriment donc bien « l'appétit du désir » ; on voudrait « manger l'objet aimé » : la mère, son bébé ; le partenaire amoureux[1].

Les dents évoquent *l'agressivité (positive ou négative)*, la puissance virile qui attaque ou se défend (l'animus agressif chez la femme), ainsi que la haine, la rage (une « rage » de dents), la vengeance martienne : on « montre les dents », on « a une dent » contre quelqu'un, on a « les dents longues », on a « la dent dure », on manifeste une ironie « mordante » et on peut afficher un ton « incisif » ou « prendre le mors aux dents ».

Certaines tribus aborigènes d'Australie arrachent une dent à l'adolescent en cours d'initiation. C'est dire que, pour devenir adulte, il faut savoir dominer et contrôler ses pulsions agressives, ses appétits immodérés, sortir de l'animalité enfantine égocentrée pour devenir un homme et s'intégrer au clan. Ce geste équivaut à la circoncision. Voir ce mot[2].

Au cours de certaines cérémonies religieuses, les prêtres bâlinais liment les dents avec des cailloux pour les rendre égales. Ils sont censés éliminer ainsi l'agressivité malfaisante, ne laissant apparaître que la bonté et la beauté du sourire. La cérémonie se termine par un banquet. Voir « Repas pris en commun ».

Les sorcières sont parfois représentées avec une longue dent phallique pour mettre en relief la bisexualité de la libido inconsciente magique.

Les dents soulignent la *beauté du visage*. On aime, par un large sourire, montrer que l'on possède une belle dentition et les dents de femmes sont alors comparées à des perles. Car rien ne dépare une physionomie comme des dents gâtées, mal plantées ou, bien entendu, absentes. On n'ose plus rire, se laisser aller à la joie ; on demeure crispé, gêné par le regard d'autrui (ici, le problème de la Persona peut intervenir).

Les dents portent la marque d'une jeunesse et d'une *vigueur saine,* d'une belle énergie vitale à la disposition du sujet, surtout si elles se prolongent intactes et éclatantes jusqu'à un âge avancé !

Quelquefois, enfin, les dents sont liées à l'idée d'une *émotivité* plus ou moins contenue, plus ou moins contrainte, selon que le sujet peut ou non assumer ses émotions. On peut « serrer les dents » et même « claquer des dents ». C'est ainsi que dans le « Training Autogène » de Schultz, on demande au sujet, s·exerçant à la relaxation, de décontracter les mâchoires et tous les muscles du visage afin de préparer la détente générale.

---

1. « Éros » ou « Amour », en grec, vient de « erein » = « aimer » qui, lui-même vient de « eran » = « désir passionné d'union ». Le maximum « d'union avec »..., semble bien de dévorer l'objet du désir car, dès lors, on ne fait plus qu'un avec lui.
2. Cf. J. L. Henderson in *L'Homme et ses symboles, oc,* p. 131.

● *Dans les rêves :*

Les songes concernant la denture sont souvent difficiles à interpréter. D'une manière générale, les dents sont associées à la virilité, à l'agressivité phallique et à l'assimilation ; parfois à une bonne ou à une mauvaise santé ; rarement à la Persona.

Perte de toutes les dents :

Déperdition de virilité, de vitalité, de dynamisme, tant au point de vue psychique que physique pouvant aller jusqu'à la psychasthénie dépressive.

S'il s'agit des molaires, l'image concerne principalement les difficultés d'assimilation des contenus de l'inconscient : ces contenus gênent l'attitude de sur-conscience intellectuelle ou sentimentale en venant ébranler son hégémonie. Dans tous les cas, cette perte équivaut à une véritable castration psychique, avec ses incidences physiques érotiques, et elle s'accompagne de sentiments de mutilation, d'infériorité, de frustration, de culpabilité.

C'est que, dans l'inconscient, toute rupture avec les fondements instinctifs et sexuels est ressentie comme une faute contre l'ordre des choses. Exceptionnellement, lorsque l'affect du rêve est particulièrement positif et imprégné d'un sentiment de soulagement, la perte de toutes les dents se rapporte à une « deuxième naissance ». Le rêveur redevient un petit poupon, encore édenté, qui va développer une régénérescence psychique. Voir « Naissance et Renaissance ».

Perte d'une dent qui tombe ou que l'on arrache, généralement gâtée ou ayant un caractère particulier qui contrarie (trop grosse par exemple) .

Libération, soit d'un élément, soit d'un comportement (à déterminer) négatif, pernicieux, destructeur ou subjectif, dont on se délivre au prix d'un douloureux sacrifice. De ce fait, la difficulté à vivre normalement l'existence est en voie de résolution et va permettre de « mordre dans la vie à pleines dents ».

Mort symbolique en vue d'une renaissance. Voir « Naissance et Renaissance [1] ».

Peut-être, chez la femme, le pénible souvenir d'un avortement ou d'une fausse-couche, comme si quelque chose de soi en avait été arraché, volontairement ou involontairement, mais mal supporté.

Dentiste :

Force thérapeutique psychique intérieure qui guérit les problèmes et complexes attachés aux symbolismes de la dent.

DÉPEÇAGE (Le)

Voir « Démembrement ».

---

1. Cf. *Ibid.*, p. 132.

DÉVORÉ (Être)

Les mythes, les contes folkloriques et l'alchimie utilisent le thème archétypique du monstre ou de l'animal dévorant.

La plus connue des dévorations par le monstre marin est celle de Jonas avalé par une baleine. C'est le thème typique pour symboliser la mort en vue d'une renaissance et on en connaît plus de quatre-vingts versions de par le monde. On peut y admettre des mythes analogues tels que Osiris et sa caisse de bruyère, Noë et son arche, Ogygès et son tonneau, etc. L'eau est toujours associée à ces péripéties car elle est le principal symbole de l'inconscient maternel.

La dévoration par la sorcière, l'ogre ou l'ogresse, comme le loup des contes de fées, exprime la peur panique de la menace constante d'être réenglouti dans l'inconscient et de ne pouvoir en sortir, c'est-à-dire la peur de la folie. Seuls les « héros » surmontent le danger, alors que Péreithoos, descendu aux Enfers avec Thésée, ne peut faire surface car il est pétrifié sur place[1].

L'alchimie représente le même thème par l'image du lion dévorant le Soleil[2]. Ce qui fait dire à J. Jacobi :

« Être dévoré évoque une sorte de " descente aux Enfers ", la régression dans les entrailles maternelles, qui a pour conséquence l'extinction du conscient, donc la mort du moi. Le conscient est alors englouti par les ténèbres de l'inconscient, symbole aussi de la Mère Terrible, qui représente la gueule dévorante de la mort ou submersion de la libido dans l'inconscient.

Une délivrance est alors nécessaire : c'est celle décrite dans toutes les légendes, par tant de hauts faits de héros[3]. »

● *Dans les rêves*.

Le fait ou la simple menace d'être dévoré traduit, dans les songes, la panique de perdre le contrôle conscient en étant saisi par la mort, le chaos, les tourments infernaux en pénétrant dans l'inconscient. Mais cette rentrée dans l'utérus maternel constitue pour nous le seul moyen de renaissance, de régénération.

DIFFORMITÉ (La)

Dans les mythologies, contes et légendes folkloriques, de nombreux dieux, personnages ou esprits sont difformes, infirmes, unijambistes, boiteux ou nains.

Héphaïstos était laid et difforme mais, de tous les dieux de l'Olympe, il était le plus industrieux et le plus ingénieux. Bien qu'il fût nain, boiteux et

---

1. Les Enfers grecs sont l'image typique de l'inconscient où l'on trouve le meilleur et le pire.
2. *P. et Al.*, p. 426.
3 J. Jacobi, *Complexe, Archétype, Symbole*, Delachaux et Niestlé, 1961, p. 129.

eût les jambes cagneuses, les pieds tordus et marchât difficilement, il avait fabriqué le char du Soleil, les armes d'Achille et d'Énée, la couronne d'Ariane, la cuirasse d'Héraclès, etc. Mais surtout, il était le seul à pouvoir forger les foudres de Zeus (virilité) et les bijoux des déesses (féminité). On le considérait comme forgeron et divinité du feu qui métamorphose tout et il travaillait dans les entrailles de la terre (l'inconscient) aidé par les Cyclopes géants aux yeux uniques (grec « cuclos » = « rond » et « ops » = « regard ») forces primitives de la nature, puisque de leur œil rond, ils ne différenciaient pas les aspects opposés qui caractérisent toutes choses.

Les Cabires, fils d'Héphaïstos, dieux chtoniques secrets auxquels on attribuait une énorme puissance miraculeuse et qui travaillaient les métaux, étaient d'aspect phallique et contrefaits[1]. Ils présidaient à de très importants et énigmatiques « Mystères » malgré leur insignifiance et leur difformité.

Priape, divinité phallique, qui personnifiait la fécondité de la nature et des hommes, était affreusement difforme.

Tirésias, qui était devin et interprétait le langage des oiseaux (compréhension de ce qui se situe au-delà de la raison), payait ce don d'une infirmité : il était aveugle.

Œdipe, dont le nom signifie « pied enflé » (« oidein » et « pous ») fut pendu par les pieds à un arbre sur l'ordre de son père. (Le phallus créateur qu'est le « pied enflé » est alors dirigé vers le vide et Œdipe ne peut développer sa conscience).

Silène, compagnon et précepteur de Dionysos, était un petit vieillard chauve, au nez retroussé, corpulent, au rire béat, à la démarche chancelante et presque toujours en état d'ivresse.

« Odin était représenté comme un vieux borgne, ou doué d'une faible vue quand on n'en faisait pas un aveugle... » « Le dieu forgeron japonais s'appelle le " dieu borgne du ciel " et la mythologie japonaise présente un certain nombre de divinités borgnes ou unijambistes, inséparables des dieux de la foudre et de la montagne [...]. D'une manière générale, les divinités marquées d'une invalidité étaient mises en rapport avec les " étrangers ", les " hommes de la montagne ", les " nains souterrains ", c'est-à-dire des populations montagnardes et excentriques entourées de mystères, généralement redoutables métallurgistes. Dans les mythologies nordiques, les nains avaient le renom d'admirables forgerons ; certaines fées jouissaient du même prestige. La tradition d'un peuple de petite taille, consacré entièrement aux travaux de la métallurgie, et vivant dans les profondeurs de la terre, est aussi attestée ailleurs [...]. Pour les Dogons, les premiers habitants mythiques de la région étaient les Négrillos, aujourd'hui disparus sous terre, forgerons infatigables, dont on entend encore résonner les marteaux[2]. »

---

1. Cf. *M.A.S.*, p. 226 et 230.
2. Mircea Éliade, *Forgerons et Alchimistes*, Flammarion, 1956, p. 108.

En Égypte, une très ancienne divinité était le dieu Bès, représenté avec des jambes torses, la barbe en broussaille et la face hilare ; il protégeait les femmes enceintes et les nouveau-nés et réjouissait les dieux par la musique, la danse, le plaisir, etc. On pourrait le comparer aux Satyres grecs car, comme eux, il semblait se démultiplier en se trouvant partout dans la Nature. Un autre groupe de divinités naines égyptiennes étaient les Patèques à l'aspect d'enfants malvenus et aux membres difformes ; ces enfants estropiés protégeaient des serpents[1]. Un fils d'Osiris lui-même, Harpocrate, frère d'Horus, était né avant terme et de ce fait resta un enfant chétif et difforme. On le considérait comme le dieu du silence mais sa statue était placée à l'entrée des temples (c'est dans la naïveté et le silence que se développe l'initiation par la prise de conscience de soi).

Enfin, les contes de fées parlent de lutins, de gnomes, de kroll, etc. partout présents mais cachés.

Il résulte de cette brève amplification concernant les divinités contre-faites que toutes ont une tendance à être considérées comme insignifiantes et « enfants » ; la plupart sont naines et maîtrisent le feu (Héphaïstos, les Cabires, les Négrillos), ou exploitent les richesses de la terre (les sept nains de Blanche-Neige). Beaucoup ont quitté les humains trop arrogants, pour se réfugier sur les montagnes ou dans la terre, et elles sont alors énigmatiques, souterraines et président à d'importants mystères initiatiques (Priape, les Cabires...). Parfois, elles sont bouffonnes, dionysiaques, artistes et président aux joies de l'existence (le dieu égyptien Bès, par exemple).

● *Dans les rêves :*

Les êtres difformes des songes — et ceux qui peuvent leur être symboliquement assimilables — peuvent avoir un sens négatif ou un sens positif.

(−) Le sens est négatif si le rêveur ou un élément du rêveur (à déterminer) est plus ou moins handicapé du fait qu'il ne vit que partiellement l'existence qui devrait être la sienne. Le rêveur ou un aspect du rêveur ne s'épanouit pas, est humilié, inhibé, souffrant.

(+) Le sens est positif si, dans le rêve, apparaît un être difforme, un nain ou un enfant qui se montre aussi malin et secourable que décontracté.

Le thème se rapproche alors de celui de « l'Insignifiant ou du Prince Niais » qui veut que le surdéveloppement de la conscience ait méprisé « l'obscure puissance créatrice de l'inconscient, qui se révèle quand on lui obéit et qui est à même d'accomplir des miracles[2] ». Généralement, cet « Insignifiant » se montre beaucoup plus habile, déluré et adroit que le rêveur et semble lui donner une leçon de modestie[3]. Il trouve des solutions

---

1. A. Erman, *La Religion des Égyptiens, oc.* Cf. à « Bès » et « Patèque ».
2. *M.A.S.*, p. 228.
3. Rappelons que, dans un rêve, le rêveur est le moi.

là où l'intellect conscient se trouve désarmé. Il apparaît dans les rêves comme pour lui montrer que rien n'est à négliger dans l'ensemble psychique.

En tout cas, l'apparition de la difformité dans les rêves constitue toujours un avertissement dont il est préférable de tenir compte.

DIGESTION (La)

● *Dans les rêves :*

Les allusions à la digestion, dans les songes, évoquent l'assimilation par le conscient des contenus de l'inconscient (voir « Estomac ») qu'il faut intégrer à l'ensemble psychique.

Si la digestion se fait mal, une donnée (à déterminer) du monde intérieur ou du monde extérieur est difficile à accepter : « Je ne puis avaler ça... », « ça ne passe pas... », « je n'arrive pas à digérer ce qui m'arrive... »

DOIGT (Le)

Les doigts sont utilisés pour créer, manipuler, désigner, mais évoquent également l'idée de l'ordre prescrit, de direction à prendre et de sanction. On « désigne du doigt », on « place le doigt sur la difficulté », on « met le doigt dans l'engrenage », on « s'en mord les doigts », on « montre du doigt »... et on peut avoir plus ou moins de « doigté ». En grec, « phallanx » signifie « bâton » puis, par extension « os des doigts » et il est curieux de constater que « phalange » possède la même consonance que « phallus ».

Dans la mythologie grecque, on rencontre les Dactyles (grec « dacty-los » = « doigt ») ou « Doigts du Mont-Ida ». Ces Dactyles étaient les prêtres de Rhéa (la Terre) qui, après leur mort, étaient considérés comme des génies de la métallurgie dont les forges se trouvaient à l'intérieur de ce Mont-Ida. Comme les nains de Blanche-Neige, aux bonnets en forme de prépuce, travaillaient dans la mine, les Dactyles sont l'expression des forces phalliques (masculines) s'activant au sein de la nature (féminine), de l'esprit agissant dans l'inconscient au profit du conscient.

M.-L. von Franz note à propos des Dactyles qui escortaient la Déesse-Mère en Grèce : « Ce sont les doigts phalliques de la Terre-Mère. » Cependant « ce qui, relié au moi, s'exprime sous la forme de complotages égotiques, se transforme en énergie créatrice, lorsque distinct du moi et relié à l'inconscient [1] ».

Dans l'Antiquité, la représentation d'un dieu ou héros suçant son pouce signifiait qu'il était l' « enfant » possédant le secret de la sagesse qu'il fallait taire [2].

Quant au « Petit Poucet », son symbolisme relève de celui de l' « Insi-gnifiant » qui veut que la force créatrice de l'inconscient, méprisée, trouve,

---

1. *F.C.F.*, p. 234.
2. Harpocrate chez les Égyptiens, par exemple.

sans payer de mine, des solutions que l'intellect, si présomptueux qu'il soit, est incapable d'imaginer.

Chez les Grecs et les Latins, « pour se moquer de quelqu'un, pour le tourner en dérision, on ne faisait pas un pied de nez, mais on tendait vers lui le doigt du milieu — celui de Saturne —, tous les autres doigts repliés. Car le doigt du milieu était le doigt infâme. C'était donc un geste de gaminerie obscène analogue à certains gestes licencieux que font les Arabes avec leurs doigts levés [1] ».

Dans la Bible, par contre, il est plusieurs fois fait allusion au « Doigt de Dieu » [2] et nous utilisons couramment l'expression « c'est le doigt de Dieu » pour désigner les manifestations imprévisibles de la volonté divine.

● *Dans les rêves :*

Les doigts dans les songes possèdent, avant tout, un symbolisme phallique. Un doigt coupé est donc un signe de castration.

Parfois, l'index (lat. « index » = « indicateur ») allongé indique une direction à prendre.

DORMIR

Si, pendant le sommeil, la conscience pour la plus grande part, cesse ses activités, celles de l'inconscient s'expriment par les rêves. C'est dire que le sommeil « nous plonge dans une inconscience apparente, mais qui nous laisse cependant un reliquat d'activité psychique ; celui-ci pourvoit au déroulement de l'imagination onirique et à sa fixation, incertaine il est vrai, par le souvenir [3] ».

En tout cas, le sommeil constitue un état passager de moindre résistance de l'opposition entre le conscient et l'inconscient, ce qui est extrêmement reposant, sauf au cas où des rêves pénibles ne cessent d'assaillir le rêveur, ce qui le conduit à l'insomnie par crainte de se trouver plongé dans d'atroces angoisses.

On observe également que la peur de la vie par infantilisme peut amener un sujet à ne pouvoir trouver le sommeil qu'en dormant à plat ventre sous peine de terribles cauchemars. Ce faisant, le dormeur tourne le dos aux « agressions » de l'existence et met ainsi à l'abri les parties les plus vulnérables de son corps (comme un soldat se place instinctivement à plat ventre sous un bombardement). Parallèlement, il se fait protéger en étreignant la Mère, figurée par le lit. Certains même abritent leur tête sous les couvertures.

D'autres, très nombreux, ne peuvent dormir que dans la position fœtale. Cette attitude exprime, à un moindre degré que la précédente, la

---

1. R. Flacelière, *La Vie quotidienne chez les Grecs au temps de Périclès, oc,* p. 234.
2. *Exo. VII-19, par exemple.*
3. *H.D.A.,* p. 318.

« nostalgie du paradis perdu ». Par crainte de devenir adulte et responsable (psychiquement et matériellement), le sujet retourne machinalement à l'état du petit enfant dans le sein de sa mère.

Enfin, au cas où le besoin de sommeil est anormalement nécessaire, il se peut que celui-ci constitue un « refuge » inconscient de caractère morbide ou que les conflits intérieurs entraînent à une psychasthénie généralisée que le sommeil s'efforce de réparer.

Il arrive parfois qu'un contenu psychique soit mis en sommeil pendant un temps plus ou moins long. M.-L. von Franz note à ce sujet : « Du point de vue individuel, l'histoire de La Belle au Bois Dormant est celle d'une femme qui a un complexe mère négatif ou d'un homme chez qui l'anima s'est endormie sous l'influence de ce même complexe[1]. » L'arrivée du Prince Charmant ou la résolution du Complexe Mère éveille le contenu psychique de sa profonde léthargie.

D'autre part, certains sommeils correspondent à une mort en vue d'une renaissance, telle la plongée en sommeil magique de Brunehild par Wotan ou les sommeils initiatiques des mystères de l'Antiquité. C'est pourquoi on dit : « Un sommeil de mort » et « Dormir de son dernier sommeil ».

Le sommeil des contes de fées et des mythes souligne également la nécessité du temps d'incubation comme si le conscient devait se « mettre en sommeil » pour permettre à l'inconscient d'agir en toute liberté.

● *Dans les rêves :*

Au cours des songes, l'allusion au sommeil se présente généralement par le fait que le rêveur, une personne ou un animal sont endormis.

Cette image révèle que ces éléments ont besoin de sortir de l'inconscience comme on sort d'un profond sommeil. Ne dit-on pas « l'éveil de la conscience » et le mot « Bouddha » signifie « éveillé », « illuminé ».

N. B. : « Ce sont les rêves qui apportent le plus de dérangement au sommeil ; il en existe même — plus fréquents qu'on ne le pense — dont la structure dramatique amène, pour ainsi dire logiquement, un paroxysme affectif, paroxysme si parfaitement réalisé dans le rêve que le dormeur se trouve forcément arraché à son sommeil par les émotions déchaînées[2]. »

Or, « nous nous réveillons, à l'occasion d'un rêve — abstraction faite des dérangements extérieurs — au moment où son sens a atteint son point culminant et où le rêve, ayant épuisé son thème, met un point final à son propre déroulement. Le réveil est probablement dû à ce que la fascination exercée par le rêve cesse soudain et à ce que l'énergie ainsi libérée provoque une reprise de conscience[3]. »

Les réveils en sursaut provoqués par certains symboles dont la signification, par analogie, est terrifiante ou fascinante, obligent le rêveur à

---

1. *F.C.F.*, p. 98.
2. *H.D.A.*, p. 236.
3. *Ibid.*, p. 342.

prendre conscience d'avertissements de première importance dont la conscience devrait tenir compte.

DOS (Le)

Beaucoup de névrosés se croient menacés de périls par des ennemis imaginaires venant de derrière eux et susceptibles de surgir à tout moment. Cela les rend inquiets, nerveux, mal assurés et les oblige, parfois, à se retourner, de temps à autre, brusquement, presque de manière obsessionnelle.

Ne voir un être que de dos suppose aussi de ne pas oser, ou ne pas pouvoir regarder les choses (ou ce qu'elles représentent symboliquement) de front.

Parfois, c'est l'indignité du sujet qui l'empêche de voir une figure d'une importance considérable. Ainsi, sur le Mont Sinaï, Moïse n'a le droit de contempler Yahvé que de dos[1].

● *Dans les rêves :*

Le dos, dans les songes, symbolise les régions invisibles de l'inconscient d'où peuvent surgir le meilleur mais aussi le pire, presque toujours de manière imprévisible.

DROITE ET LA GAUCHE DU CORPS (La)

Au XVIIe siècle, *droite* (lat. : « directus ») a remplacé « dextre » (lat. · « dexter » = « qui est à droite », « qui est droit ») et *gauche* (vieux fr. · « guenchir » = « faire dévier ») a remplacé « senestre » (lat. : « sinister » = « qui est à gauche »).

Mais, en latin, « dexter » prend également le sens de « favorable » et « propice », tandis que « sinister » prend celui de « fâcheux » et « sinistre », chez les Grecs mais, parfois, celui de « favorable » et « de bon augure » chez les Romains !

Il semble, cependant, qu'universellement la droite s'accompagne de sentiments favorables et la gauche de sentiments défavorables.

La droite est considérée comme virile, noble, consciente et a inspiré des expressions avantageuses telles que : « droiture », « adroit », « direct », « dextérité »... La gauche est considérée comme féminine, frustre, inconsciente et a inspiré des expressions péjoratives, confondant « senestre » et « sinistre », telles que : « être gauche », « gaucherie », « gauchir », « être sinistre », « sinistré », « sinistrose »...

On peut se demander pourquoi ce côté avantageux pour la droite et désavantageux pour la gauche ? Jung suggère que c'est la main droite que la conscience innerve principalement. Ainsi, pour le pianiste, c'est la main qui exécute généralement la partie chantée, alors que l'accompagnement est dévolu à la main gauche[2]

1. *Exo.*, XXXIII-20.
2. Cf. *H.D.A.*, p. 383.

Mais il faut aussi remarquer que l'homme, utilisant l'aiguille aimantée de la boussole, s'oriente par rapport au pôle Nord. Pour se situer en fonction des quatre points cardinaux, il se tourne vers l'étoile polaire, ayant ainsi l'ouest à sa gauche et l'est à sa droite. C'est ainsi également que vont se présenter les cartes de géographie : face au nord [1].

L'ouest est celui des points cardinaux où le soleil se couche. On l'appelle également le couchant, le ponant (lat. : « ponere » = « se coucher ») et l'occident (lat. : « occidus » = « qui tombe »). En plongeant derrière l'horizon, le soleil fait place à l'obscurité, universellement associée aux ténèbres de l'inconscience.

L'est est celui des points cardinaux où le soleil se lève. On l'appellera également le levant et l'orient (lat. : « oriens » = « qui se lève »). En apparaissant au-dessus de l'horizon, le soleil chasse les ténèbres et brille de toute sa gloire, réanimant la vie assoupie par la nuit. Il s'associe ainsi, spontanément, à l'éveil et à la clarté de la conscience.

De manière archétypique également, le masculin est associé à la droite et le féminin à la gauche. Dans les représentations des dieux hermaphrodites, leur droite est du sexe masculin et leur gauche du sexe féminin. La médecine romaine pensait que le testicule gauche donnait des femmes et le testicule droit des hommes.

La gauche-inconscient donne au féminin son caractère sombre, mystérieux, magique et menaçant qui s'est, de tout temps, associé aux activités irrationnelles et imprévisibles des Grandes-Déesses Mères. Aussi les Egyptiens portaient-ils en procession la main gauche d'Isis qui ne cesse de s'activer dans l'inconscient des êtres humains. Les Incas voyaient leur dieu suprême flanqué à sa droite du soleil (masculin) et à sa gauche de la lune (féminin). Chez les Dogons, le mort que l'on enterre est couché sur le côté droit si c'est un homme, et sur le côté gauche, si c'est une femme.

L'expression « mariage de la main gauche » s'appliquait, autrefois, au mariage d'un noble avec une roturière. Dans ce cas, le mari donnait à son épouse la main gauche au lieu de la main droite. Lors d'un tel mariage, l'aristocrate ne communiquait ni à sa femme, ni à ses enfants, son rang et ses prérogatives. De nos jours, la « main gauche » indique une union libre.

Dans les messes noires, le signe de croix se fait de la main gauche. Le superstitieux redoute de rencontrer sur son chemin un chat noir venant de la gauche.

Enfin, la gauche, étant le côté de l'inconscient, évoque ainsi les antécédents, la source originelle, le permanent, le Grand Tout maternel vers lequel nous retournons un jour par la mort. C'est pourquoi les Anciens consacraient la main gauche aux Mânes puisque toute activité cesse et, qu'en argot contemporain, nous disons pour mourir . « passer l'arme à gauche. »

---

1. Au moins dans l'hémisphère boréale.

● *Dans les rêves :*

Les allusions à la droite et à la gauche du corps sont fréquentes dans les songes. La droite apparaît généralement sous un aspect positif mais, parfois, peut prendre un aspect négatif. La gauche apparaît généralement sous un aspect négatif mais, parfois, peut prendre un aspect positif.

Le déroulement du rêve, les associations d'idées et les affects décideront de l'interprétation exacte.

La *droite du corps,* en positif, se révèle être le côté de la pleine conscience (la Connaissance des Hindous), de la force virile, de l'activité efficace et réalisatrice ainsi que du dynamisme créateur visant aux acquisitions nouvelles en raison d'une bonne adaptation à la vie intérieure aussi bien qu'à la vie extérieure. Elle se rapporte également à l'extraversion et aux rapports sociaux.

Elle s'ouvre sur la « lumière », de la conscience propice et favorable à l'évolution matérielle et spirituelle.

Les mouvements vers la droite indiquent une progression dans nos tentatives d'élargissement du champ de conscience.

(−) En négatif, l'orientation vers la droite peut souligner un refus du rêveur d'affronter l'inconscient (la gauche du corps).

La *gauche du corps,* en négatif, se révèle être le côté de l'inconscience psychique (l'Ignorance des Hindous), du redoutable mystère de l'inconscient-Mère, en nous, de l'occulte, ainsi que du pouvoir magique de l'inconscient puisque ses contenus (les complexes) disposent de nous.

Elle ouvre sur « l'obscurité » intérieure d'où partent des attaques, aussi soudaines qu'imprévisibles, qui nous rappellent à l'ordre mais qui peuvent nous paniquer au point de paralyser l'adaptation sociale et notre évolution aussi bien psychologique que matérielle.

(+) En positif, un mouvement vers la gauche peut indiquer la volonté courageuse de pénétrer dans l'inconscient, de s'enrichir en transformant les contenus néfastes que nous y rencontrons et atteindre la source « matricielle » qui assurera une possibilité de renaissance.

Et, comme toute solution vient de l'inconscient, nous « repartirons du pied gauche », c'est-à-dire opérerons un redressement qui permettra un nouveau départ dans la vie.

Voir aussi « Circumambulatio ».

E

ÉCORCHEMENT (L')

Écorcher, c'est dépouiller un animal de sa peau.

Le mot vient du bas latin « excorticare » (de « cortex » = « écorce ») signifiant « enlever l'écorce » et, par extension, la « peau ».

Marsyas, fameux Silène, réputé par son talent musical, osa, par orgueil, défier Apollon à un concours de flûte. Phoebus, proclamé vainqueur par les Muses, le pendit à un pin et l'écorcha vif.

On retrouve des thèmes d'écorchement humain chez les Scythes, les Phrygiens, les Athéniens, les Chinois, les Aztèques, les Patagons, chez les primitifs africains, etc. [1].

Le scalp (voir « Cheveux ») est un geste qui équivaut à l'écorchement.

● *Dans les rêves :*

L'écorchement est rare dans les songes et, principalement, négatif :

(−) Le rêveur, le plus souvent, voit un animal, lapin, chien, chat, cheval... écorché. Parfois, c'est un être humain ou lui-même auquel on a enlevé des morceaux de peau.

Dans le premier cas, les instincts ont été maltraités de manière extrêmement douloureuse.

Dans le deuxième cas, le rêveur souffre d'une sensibilité, d'une émotivité « d'écorché vif » qui lui rend l'existence difficilement tolérable : le moindre « attouchement » de la vie lui fait mal.

(+) L'aspect positif de l'écorchement (que nous n'avons jamais rencontré) relèverait « d'une métamorphose, d'un passage défectueux à un autre plus parfait, donc d'un renouvellement et d'une nouvelle naissance [2] ».

Familièrement, on pourrait dire dans ce cas que l'on « change de peau », c'est-à-dire, en l'occurrence, d'état de conscience.

Mais, à la limite, le thème relève de la mort symbolique en vue d'une renaissance, grâce à un renoncement sacrificiel extrêmement douloureux. Il y a suppression de la peau, limite de la vie intérieure et de la vie extérieure, du personnel et de l'impersonnel, du moi et du Soi.

Voir « Peau ».

ÉCROULEMENT (L')

S'écrouler, c'est tomber soudainement de toute sa masse. Le mot vient de « crouler », du latin populaire « corrotulare » = « faire rouler ».

● *Dans les rêves :*

L'écroulement est fréquent dans les songes.

Il indique que tout ce que le rêveur avait jusqu'ici construit en porte à faux, sa Persona, l'inflation ou la simple prédominance du moi, sa surconscience, ses illusions intellectuelles et sentimentales, ses désirs inconsidérés, etc. s'effondre en vue de reconstruire une personnalité objective tendant vers la totalité. Il doit « descendre de sa hauteur » [3] car on ne vit pas sur les sommets.

---

1. Cf. *M.A.S.*, p. 635 et *R.C.*, p. 152.
2. *Ibid.*, p. 152.
3. *Ibid.*, p. 243.

Le rêveur ne peut tomber plus bas mais, désormais, il lui est possible de prendre la direction qui convient. Parfois l'édifice sur lequel se trouve le rêveur s'effondre.

D'autres fois, le rêveur se trouve sur une haute falaise qui s'écroule et il se retrouve au fond de la vallée, image de la « Voie du milieu », ou au bord de la mer, image de l'inconscient collectif impersonnel.

Le thème de l'écroulement s'apparente à celui de la « Catastrophe Cosmique ».

EMBRASSADE (L')

Voir « Baiser ».

ENCEINTE (Être)

Du latin « incincta » = « qui ne porte pas de ceinture »

● *Dans les rêves :*

Le fait, dans les songes, d'attendre un enfant, est parfois, mais rarement, prémonitoire, c'est-à-dire qu'il peut signifier qu'une rêveuse, ou même un rêveur, attend un bébé.

Quelquefois, le rêve exprime seulement le vif désir d'avoir un enfant.

Mais, le plus souvent, l'interprétation est à faire sur le plan subjectif et c'est un des songes les plus importants.

L'enfant en gestation est alors symbolique et peut se rapporter aux éventualités suivantes. Si le rêve désigne le sexe de l'enfant, celui-ci pourra symboliser, selon le propre sexe du rêveur, l'anima ou l'animus en voie de formation. Si le rêveur est encore dans la première partie de sa vie, l'enfant du rêve est la promesse d'un *nouveau mode de vie* mieux adapté et plus fécond.

Si le rêveur se trouve dans la seconde moitié de son existence, il s'agit de la nouvelle personnalité « enfantée dans la douleur[1] », c'est-à-dire de cette deuxième naissance indiquée par le Christ à Nicodème[2]. Voir « Naissance et Renaissance ». Cet enfant est alors le « puer aeternus », né de la conciliation du principe masculin et du principe féminin, que l'on désigne sous le nom d' « Enfant Intérieur » ou « Enfant Spirituel », image typique du Soi. « L'enfant à naître, dit Jung, c'est de l'individuation encore inconsciente[3]. » « Il est, ajoute-t-il, avenir en puissance[4]. »

Attendre un enfant, c'est être fécond dans quelque domaine que ce soit, à tel point que certains rêves présentent même l'image d'un homme portant un bébé dans son sein et prêt à accoucher. Élaborer un enfant, « fruit de nos entrailles », est une des images les plus positives rencontrées dans les rêves.

Voir aussi : « Accouchement », « Bébé ».

1. *Gen*, III-16.
2. *Jean*, III-3.
3. *T.P.*, p. 430.
4. Jung et Kerenyi, *Introduction à l'Essence de la mythologie, oc*, p. 107.

ENFANTER

Voir « Accouchement ».

ENGLOUTISSEMENT (L')

Engloutir, c'est d'abord avaler gloutonnement, mais aussi faire disparaître en noyant ou en submergeant.

Le mot vient du bas-latin « ingluttire » = de « glutus » = « gosier ». Être englouti rappelle le fait d'être dévoré, les deux thèmes possédant un symbolisme identique. Voir « Dévoré (Être) ».

L'engloutissement est un motif archétypique « rattaché régulièrement aux mythes solaires [1] ». Les éléments qui engloutissent sont le monstre marin (Jonas), l'eau (déluges, baptême chrétien primitif, bains dans le Gange), des troncs d'arbres qui enferment (Osiris), la terre (initiations dans les grottes) et, dans certains rêves, des enlisements.

Toutes ces images d'engloutissement expriment la régression de la libido au sein de l'inconscient vécu comme étant la Mère Terrible, en vue de récupérer l'énergie qui s'y trouve investie afin de renaître libéré de l'opposition conscient-inconscient, c'est-à-dire féminin-masculin. Mais cet engloutissement est vécu comme terrifiant car il est assorti d'une impression de castration (voir ce mot), de perte de contrôle (folie), d'étouffement et de mort.

● *Dans les rêves :*

L'engloutissement, dans les songes, se présente de diverses façons mais principalement sous forme de plongées dans l'eau, d'inondations ou d'enlisements.

Son symbolisme relève de la mort de la souveraineté de l'ego par pénétration dans l'inconscient maternel en vue de renaître à une conscience élargie.

ENLACEMENT (L')

Enlacer, c'est entourer plusieurs fois en serrant.

« Le motif mythologique de l'enlacement, dit Jung, appartient au symbolisme de la Mère. Les arbres qui enlacent sont aussi des Mères qui enfantent [2]. »

Ainsi, Osiris est enlacé par une touffe de bruyère qui, par la suite, deviendra un arbre splendide ; Myrrha, métamorphosé en arbre, enfante Adonis ; Mithra naît d'un arbre ou d'un rocher ; le frêne cosmique germanique Iggdrasil cache un couple dont descendent toutes les races du monde, thème que l'on retrouve aussi chez les primitifs.

1. *M.A.S.*, p. 407.
2. *Ibid.*, p. 409.

● *Dans les rêves :*

Dans les songes, c'est généralement un serpent qui peut enlacer le
rêveur, mais aussi un arbre, un rocher, un œuf ou un être quelconque.

Le serpent peut être générateur d'une terrifiante angoisse ou, si le sujet
est très évolué, se montrer protecteur comme le Naga à sept têtes qui, sur
certaines représentations, abrite le Bouddha en méditation.

ENTERREMENT (L')

● *Dans les rêves :*

L'enterrement des songes possède le même symbolisme que celui du
cadavre. Voir « Mort » et « Cadavre ».

ENVELOPPEMENT (L')

Envelopper, c'est entourer d'une chose souple qui cerne de tout côté.
L'enveloppement existait dans les mystères antiques, particulièrement à
Eleusis.

Certains prêtres de l'Antiquité s'enveloppaient dans la peau d'un animal
sacrifié (Grèce) ou d'une femme décapitée (Mexique) dans certains rites
de résurrection. Les moines s'enveloppaient dans la cuculle, les nonnes
d'un voile et, dans le Tarot, la lame IX, «L'Ermite», présente un religieux
vêtu d'une robe de bure et capuchonné.

● *Dans les rêves :*

(+) L'enveloppement total est rare dans les songes et paraît se
rapporter à l'introversion volontaire, à une possibilité de concentration
méditative à l'abri des distractions extérieures, afin de mieux « œuvrer »
sur soi-même.

(−) Très rarement, il peut arriver que l'enveloppement traduise un repli
sur soi dans un refuge protecteur pour ceux qui refusent d'affronter la vie
en face.

ÉPAULE (L')

Le mot vient du latin « spathula », diminutif de « spatha » = « spa-
tule », « omoplate » et, par extension « épaule ». « Épaule » possède la
même étymologie que « épée » mais nous ignorons pourquoi.

L'épaule porte le fardeau et ce fardeau peut tout simplement être celui
de l'inconscient si lourd à porter pour le conscient.

Jésus porte sa croix ; Mithra, le taureau qu'il a sacrifié.

Dans la légende de Siegfried, celui-ci tue le monstre et boit son sang. Il a
ainsi incorporé une toute-puissance énergétique qui lui permettra de
dominer les forces secrètes de la nature. Dès lors, il comprend le langage
des oiseaux. Mais il ne reste humainement vulnérable qu'à l'endroit où le
sang ne le recouvre pas, c'est-à-dire à l'épaule, et c'est par là qu'il recevra
la mort (il a atteint sa totalité ou Soi en assimilant son inconscient, mais
doit mourir physiquement pour devenir immortel).

● *Dans les rêves :*

Les épaules, dans les songes, se rapportent généralement aux forces psychiques et physiques capables de supporter le fardeau des exigences de l'inconscient ou de la vie.

Elles évoquent la possibilité d'agir, de réaliser, de créer : on « donne un coup d'épaule », on a « les épaules larges », on « épaule quelqu'un ».

ÉPILEPSIE (L')

L'épilepsie est une maladie nerveuse principalement caractérisée par des convulsions et la perte de conscience.

Le mot épilepsie (gr. « epilêpsia » = « attaque », « saisissement ») fut créé au XVIe siècle, remplaçant ceux de « haut mal » du XIVe siècle et « mal caduc » (lat. « cadere » = « tomber ») du XVe siècle. On « tombe du haut mal ».

Mais le « haut mal » a été également appelé « mal comitial » car les comices romains se séparaient si quelqu'un avait une attaque, considérée comme un mauvais présage.

Enfin, nous notons que le « haut mal » fut aussi nommé « mal sacré » et « mal de St Jean » comme si l'épileptique se trouvait tout à coup envahi par tous les dieux et démons de l'univers qui le possédaient.

Certains psychanalystes pensent que les crises d'épilepsie ont une signification symbolique pour le sujet qui exprimerait ainsi le désir de se retirer du monde réel traumatisant. Jung indique que « l'épilepsie, comme la schizophrénie, correspondrait à une régression à la phase présexuelle du développement de l'individu [1] », ce qui équivaudrait à une pénible « nostalgie du paradis perdu ». Pour J. Hillman, les crises du « haut mal » seraient en rapport avec les débordements convulsifs du dieu Pan (divinité de l'épilepsie) « s'opposant à " l'aïdos " grec, c'est-à-dire aux sentiments de modestie, de pudeur et de bonté [2] ». Les deux explications ne sont pas contradictoires et l'épilepsie semble bien découler avant tout d'une opposition farouche entre la violence des pulsions primitives, imprévisibles et incontrôlées, symbolisées par le grand dieu Pan (voir « Sexuels (Les Organes) ») et la peur panique que celles-ci nous débordent, nous submergent et nous fassent perdre tout contrôle, au point de contrecarrer les pulsions, tout aussi puissantes, de l'esprit qui nous entraîne à nous civiliser aussi bien qu'à évoluer vers l'individuation. De ce combat à forces égales, momentanément insoluble, résulterait un maximum de crispation spasmodique et convulsive. Cet état « épileptique » serait comparable à une voiture dont le conducteur appuierait à fond aussi bien sur le frein que sur l'accélérateur.

---

1. *Ibid.*, p. 255.
2. J. Hillman, *Pan et le Cauchemar,* Éd. Imago, 1979, p. 93.

• *Dans les rêves :*

Les songes où apparaît l'épilepsie sont très rares.

Voici le seul cas que nous ayons rencontré, fait par une jeune femme de trente ans qui, à vingt et un ans, avait fait une tentative de suicide.

A sa cinquantième séance d'analyse, elle rêva qu'elle se trouvait en séance chez son analyste qui lui apparaît confondu avec une image féminine. L'analyste androgyne, raconte-t-elle, « a une crise : il se lève brusquement complètement contracté, raidi. Je " panique ", je ne sais que faire. Mais une autre femme et un homme qui arrivent rapidement savent quoi faire : *il faut opposer une force qui pousse ou qui tire* et, pour cela, ils dressent un genre de grande pendule ancienne devant l'analyste et poussent... Il s'agit *d'épilepsie* ».

Le même rêve se répète huit mois après. Cette fois, la scène se passe dans l'Himalaya où l'analyste est perçu comme initiant la rêveuse mais, au cours de son enseignement, tombe en *état de transe*. Enfin, deux mois après, l'analyste se trouve chez la rêveuse : « Il va mal, il est très âgé. A un moment, il se lève soudainement, sans raison apparente, et tombe aussitôt par terre après avoir fait deux ou trois pas vers la porte. Comme s'il avait *une crise, une attaque.* Je pense qu'il va mourir ou qu'il est peut-être déjà mort. Je m'approche et je finis par appeler mon frère au secours tout en pensant que c'est chez moi qu'il est venu mourir. L'analyste reprend connaissance et me dit que ce n'est rien. Il est alors tel que je le connais. La séance reprend. Arrive plein de monde dans la maison : cela évoque le retour d'un enterrement ou les préparatifs d'un mariage. C'est une fête de ré-union. »

Très sommairement, on peut voir dans ce rêve que l'épilepsie semble bien avoir pour origine l'opposition de deux puissants antagonismes de forces égales puisque, pour en sortir, il faut « *pousser ou tirer* » afin de remettre en mouvement le jeu des contraires bloqué par un spasme terrible[1].

L'horloge indique, non seulement qu'une heure importante est arrivée pour l'évolution de la rêveuse, mais aussi que les oscillations pendulaires de la voie initiatique (la « voie du serpent »), momentanément arrêtées, vont se remettre en marche.

L'analyste androgyne correspond, symboliquement, à la dynamique analytique agissant au sein de la psyché de la rêveuse (interprétation sur le plan du sujet) et les péripéties oniriques baignent dans l'idée d'une mort (l'enterrement) en vue d'une renaissance (voir « Naissance et Renaissance ») conduisant à la *conjunctio oppositorum* (les préparatifs du mariage qualifiés de « fête de ré-union »).

---

1. Cf. à ce sujet ce qui a trait aux syncopes qualifiées « d'épileptiques » de Jung adolescent in *M.V.*, p. 50-51.

ESTOMAC (L')

L'estomac rappelle le « Chaudron Celte » où s'élabore l'individuation par brassage et absorption des contenus inconscients par le conscient.

C'est pourquoi les alchimistes utilisaient l'estomac comme symbole de l'alambic ou cucurbite qui, placé sur le fourneau « athanor », était l'image de l'utérus en lequel s'effectuait « l'opus alchymicum », la métamorphose, c'est-à-dire le processus d'individuation [1].

● *Dans les rêves :*

La plupart du temps, l'estomac, dans les songes, est en rapport avec le sentiment que quelque chose « ne passe pas » dans sa vie intérieure ou extérieure. Le contexte du rêve et les affects indiqueront ce « qu'on ne peut avaler »...

Parfois, cependant, l'estomac, en tant qu'appareil de digestion, évoque l'assimilation des contenus de l'inconscient. Plus rarement, l'avidité, l'ambition passionnées sont attachées, symboliquement, à l'estomac. On est « affamé de... » et l'estomac n'est-il pas le « siège de tous les appétits... » ?

ESTROPIÉ (L')

Le mot vient de l'italien « stroppiare », venant peut-être du latin « turpis » = « laid ».

Voir « Difformité ».

ÉTERNUEMENT (L')

Du temps des Grecs, l'éternuement était considéré comme un heureux présage. Dans l'*Anabase*, après un discours de Xénophon, un soldat se mit à éternuer. « A ce bruit, toute l'armée, dans un élan unanime, adora la divinité [2]. »

Dans l'*Odyssée*, Pénélope tire argument favorable de ce que Télémaque, en annonçant l'arrivée d'un étranger, a éternué de manière à faire retentir tout le palais [3].

Les prêtres romains disaient des jolies femmes que les amours avaient éternué à leur naissance.

Parlant de Léviathan à Job, Yahvé dit : « Son éternuement jette de la lumière, ses yeux ressemblent aux paupières de l'aurore [4]. »

Chez certains primitifs, « lorsque le roi éternue, tous les courtisans se prosternent durant cinq minutes au moins ; le roi, selon leur conviction, vient de renaître, une âme nouvelle ayant pénétré en lui [5] ». Chez d'autres

1. Cf. *M.A.S.*, p. 288.
2. III-2.
3. XVII-541.
4. *Job* XLI-10.
5. *H.D.A.*, p. 123.

primitifs, l'éternuement du roi, transmis par des signaux, agite toute la tribu et donne lieu à des vœux solennels pour sa santé.

Au Siam et au Laos, si quelqu'un éternue, on est persuadé qu'à ce moment-là, la divinité examine et juge sa vie et on s'empresse de lui dire : « Que le jugement te soit favorable. » En Laponie, on estime qu'un violent éternuement risque de donner la mort.

L'éternuement est à ce point lié au souffle de vie, qu'en argot crapuleux « éternuer dans le son » signifie « rendre le dernier soupir », « rendre l'âme » en étant guillotiné.

En éternuant, la vie, venant de l'esprit de Dieu insufflé dans les narines d'Adam, se manifeste en nous.

Est liée à l'éternuement l'idée de bénédiction du ciel, de bonne santé et de bons vœux exaucés : « A vos souhaits... », « que Dieu vous bénisse !... »

● *Dans les rêves :*

L'éternuement est rare dans les songes et semble souligner la présence du « souffle de vie », de l'esprit au sein de notre corps physique.

ÉTOUFFEMENT (L')

Au figuré, étouffer s'oppose à éclater : « Étouffer un sanglot », « étouffer un scandale », « étouffer une révolte ».

Le mot vient du latin populaire « stuffare » = « garnir d'étoupe », « boucher ».

● *Dans les rêves :*

Toute sensation d'étouffement, de suffocation, d'oppression etc., dans les songes, traduit une extrême angoisse car nous savons que le mot « angoisse » vient du latin « angustia » = « resserrement », « lieu resserré », dérivant lui-même de « angere » = « étouffer », « suffoquer ».

Si c'est le rêveur qui suffoque, l'intense angoisse qu'il éprouve doit être recherchée soit dans sa vie intérieure (le moi « étouffe » sous la poussée des complexes et émotions refoulés dans l'inconscient et qui ne parviennent pas à s'exprimer), soit dans sa vie extérieure, si ses conditions de vie sont ressenties par lui comme créant une atmosphère « irrespirable ».

Si un être vivant étouffe dans le rêve, il faut déterminer quel complexe ou quel élément représente cet être vivant, réprimé par le conscient au point de « suffoquer », de ne pouvoir s'exprimer librement.

En tout cas, certains asthmes sont guéris par la psychothérapie.

ÉTRANGLEMENT (L')

● *Dans les rêves :*

Nous retrouvons ici, dans les songes, le symbole de l' « étouffement » (voir ce mot).

Mais il y a lieu de rechercher, à l'aide des associations d'idées du rêveur et l'interprétation des symboles, si le rêveur ou un être vivant est étranglé, quel élément accomplit ce geste destructeur.

Si le rêveur étrangle un être vivant, il convient alors de considérer quel élément il ne veut à aucun prix laisser s'exprimer en lui et pour quelle raison.

Les rêves d'étranglement sont particulièrement cauchemardesques car ils allient l'angoisse à la volonté (inconsciente) de destruction. Voir « Gorge ».

ÉVANOUIR (S')

Le mot vient du latin populaire « evanescere » = « s'effacer », « disparaître ».

● *Dans les rêves :*

S'évanouir, dans les songes, est rare.

Si le rêveur lui-même s'évanouit, l'évanouissement semble se rapporter à un abaissement des prérogatives du moi sur l'ensemble psychique. Ce moi plonge plus avant dans l'inconscience dans le sens où « s'évanouir » c'est « perdre conscience ». Ce cas s'accompagne d'angoisse en raison de l'impression de perdre tout contrôle, et peut se rapporter à un « abaissement du niveau mental »[1] ».

Si une personne du rêve s'évanouit, il s'agit d'un complexe négatif dont la puissance a commencé à perdre de son intensité et va disparaître, le « complexe-Mère », par exemple.

Parfois, l'évanouissement du songe peut correspondre à un état de faiblesse physique ou psychique, dont les causes sont à déterminer, qui s'accompagne d'un sentiment d'atonie et d'angoisse.

EXCRÉMENTS (Les)

Les excréments concernent toute matière solide (matières fécales) ou fluide (mucus nasal, sueur, urine) évacuée par le corps. Mais nous ne nous occuperons, ici, que des matières fécales.

Le mot vient du latin « excretus », issu lui-même de « excernere » = « cribler », « évacuer ».

La défécation s'associe, tout d'abord, à l'idée de puissance créatrice et d'enfantement par l'anus (voir ce mot). Ainsi, dans de nombreux mythes, les hommes furent créés à partir d'argile ou de limon, matières viles assimilables à des excréments. Mais la défécation (latin « defaecare » = « débarrasser de la lie » de « faex » = « lie ») symbolise surtout l'expul-

---

1. « *L'abaissement du niveau mental* » est une expression créée par P. Janet pour désigner un abaissement de l'attention consciente, de son éveil, qui permet aux contenus et processus inconscients de se manifester à la conscience. A la limite, elle peut aboutir à la schizophrénie mais, mesurée, elle permet la prise de conscience de soi.

sion des toxines psychiques par analogie avec l'excrétion physiologique qui nous « soulage » dans les « lieux d'aisance ».

Dans la mythologie comme dans le folklore, l'or est partout associé aux excréments. Chez les Égyptiens, le dieu Khepri, divinité du Soleil levant, était assimilé à un scarabée qui renouvelle l'existence en pondant ses œufs dans une bouse de mammifère. De la nuit surgit l'aurore, le phénix renaît de ses cendres, de l'humus surgit la vie nouvelle et c'est du fumier que naîtra la récolte nouvelle.

Dans les contes folkloriques[1], on retrouve constamment le thème de l'extrêmement précieux issu de l'extrêmement vil.

Chez les alchimistes, l'or spirituel (le « Filius Philosophorum ») était recherché dans la « Prima Materia » constituée par la « Putrefactio ».

C'est là un thème de renaissance spirituelle car, pour se régénérer, il est nécessaire de réduire à de simples déchets l'ardeur des passions et d'avoir épuisé la coupe de toutes les déceptions. Il faut donc commencer par tout détruire pour recréer. Ainsi, éternellement, la vie implique la mort à laquelle succède la vie qui, à nouveau, s'achemine vers la mort.

Tout près de l'évacuation des excréments, matière morte, jaillit le sperme, source de vie, récolté par l'utérus.

C'est pourquoi, presque partout, marcher dans les excréments porte bonheur.

● *Dans les rêves :*
Les excréments des songes font quelquefois allusion à un thème de naissance. Mais il sont surtout associés à l'évacuation des toxines psychiques.
Voir « Excrétions physiologiques ».

Les souillures par des excréments peuvent évoquer des sentiments d'indignité plus ou moins attachés aux sentiments d'infériorité, de culpabilité et même de masochisme : « Je suis trop souillé pour mériter de... » Elles peuvent aussi évoquer une régression infantile au temps où le petit enfant ne contrôlait pas encore ses sphincters.
A déterminer d'après le contexte du rêve, les associations et les affects.

Manger ses excréments (ou ses entrailles ou des cendres après crémation) :
Ce geste du rêve rappelle l'Ouroboros qui se suffit à lui-même en se nourrissant de sa propre substance. La vie se renouvelle toujours, se nourrissant constamment d'elle-même. Le rêveur commence à reconnaître et assimiler ce qu'il y avait de vil en lui et qu'il avait relégué au plus profond de son inconscient par orgueil du moi. Une masse d'énergie importante peut ainsi être récupérée. Il parviendra, de ce fait, à ne

---

1. « Peau d'Âne », par exemple.

compter que sur lui-même, puisant ses ressources dans son propre monde intérieur qu'il avait dédaigné au point de l'avoir assimilé à des excréments. L'image évoque aussi le thème de la loi de conservation de l'énergie.

Un superbe nouveau-né évacue une magnifique selle :

L'élément nouveau, naissant dans la psyché (le bébé), souligne par cette image son aspect sain et vigoureux, la selle étant le baromètre de la bonne ou de la mauvaise santé des nourrissons.

EXCRÉTIONS PHYSIOLOGIQUES (Les)

Les excrétions (bas-latin « excretio » = « action de séparer ») physiologiques concernent la défécation et la miction.

Or, les excréments et les urines contiennent des déchets intoxiquants qui, si leur expulsion fonctionne mal ou pas du tout, risquent de provoquer des troubles graves.

Voir : « Anus », « Excréments » et « Urine ».

● *Dans les rêves :*

Par analogie, les excrétions des rêves concernent l'évacuation des toxines psychiques : inhibitions, conflits, complexes négatifs, sentiments d'infériorité et de culpabilité, refoulements et erreurs de toutes sortes qui « empoisonnent » une existence. Il y a élimination de tout ce qui est inutile et nuisible.

Dans le meilleur cas, l'excrétion donne une impression de libération psychique analogue au soulagement ressenti lors des évacuations physiologiques. Mais ces excrétions se font parfois — surtout au début de l'analyse — dans des conditions difficiles ou fort répugnantes.

F

FAIM (Avoir)

Au figuré, « avoir faim » est un désir ardent : « avoir faim de tendresse... », « de gloire »...

● *Dans les rêves :*

En toute généralité, la faim, dans les songes, indique le besoin de satisfaire une aspiration d'ordre psychique, l'activité d'un complexe, une pulsion instinctive, le libre jeu d'une attitude ou d'une fonction que le rêveur ne parvient pas à « vivre » normalement. Il en est fâcheusement privé, que ce besoin soit légitime ou non. Le contexte du rêve, les affects, les associations d'idées et l'interprétation des symboles permettront de savoir de ce dont il s'agit.

Ce désir d'assouvissement sera négatif ou positif.

(−) *La faim sera négative* si elle traduit une avidité dévorante et outrancière de désir de puissance ou de jouissance, telle celle du Minotaure que Thésée devra vaincre pour délivrer Ariane qui, en retour, lui permet de connaître l'amour et deviendra son guide à travers le labyrinthe de son inconscient[1]. Cette faim peut également relever de la boulimie (voir ce mot), c'est-à-dire d'un complexe de frustration.

La faim sera aussi négative si la nourriture à laquelle aspire le rêveur est celle prodiguée par la Mère dont il ne parvient pas à se dégager. Il garde une « faim » inassouvie de l'amour, de la tendresse et de la protection maternels et, par nostalgie du « paradis perdu », il régresse à l'état de « nourrisson » qui attend tout de la Mère et, par extension, de la société comme de la vie qui *doivent* le « nourrir » physiquement et psychiquement.

(+) *La faim sera positive* si elle exprime une aspiration, non passive, inerte et inconsciente, mais active et en toute connaissance de cause, à se « nourrir » des forces énergétiques dispensées par l'inconscient-Maternel.

Ainsi, dans un verset du *Tao* de Lao-Tseu, le Sage, parlant de lui-même, se voit ainsi :

> « Chacun amasse et thésaurise,
> Moi seul, je parais démuni.
> Quel innocent je fais !
> Quel idiot je suis !
> Chacun paraît malin, malin,
> Moi seul me tais, me tais,
> Fluctuant comme la mer,
> Je vais et viens sans cesse.
> A chacun quelqu'affaire,
> Moi seul je m'en abstiens,
> Incivil et têtu.
> Pourquoi si singulier ?
> *Je sais téter ma Mère*[2]. »

Le Sage, comme l'Ouroboros, se nourrit de ses propres ressources intérieures puisées au « sein » de l'inconscient-Mère. Sur le plan psychologique, il ne dépend plus du monde extérieur comme le petit enfant de la mère qui l'a mis au monde. Il est parvenu à l'état « adulte », c'est-à-dire autonome, car il se suffit à lui-même.

---

1. Les Athéniens étaient obligés de nourrir le Minotaure en lui envoyant, en Crète, sept jeunes gens et sept jeunes filles tous les sept ans.
2. *La Voie et sa Vertu*, présentation par P. Leyris, Seuil, 1949, Vt 20.

Si un personnage, un enfant, un animal, etc., paraît affamé, c'est qu'un élément, symbolisé par ces images, a été négligé par le conscient et ne peut vivre et s'épanouir normalement. Cet élément a « faim » de recevoir sa part de la répartition générale de l'énergie psychique.

Au cas où le rêveur désire ardemment certaines nourritures telles que la viande (la chair = la sexualité), des aliments sucrés (l'amour, la tendresse), du poisson (les forces vives de l'inconscient), etc. et ne peut les déglutir en raison d'une sorte d'écœurement, c'est que de fortes inhibitions ou interdictions morales refoulent ces légitimes pulsions dans l'inconscient. Il les désire mais ne peut encore les assimiler. Ces rêves sont généralement chargés d'angoisse car ils témoignent d'une intense dissociation intérieure. Voir « Manger ».

FAUSSE COUCHE (La)

Voir « Accouchement ».

FESSES (Les)

Le mot vient du latin populaire « fissa » = « fente ». Ce sont les muscles fessiers qui activent le coït.

● *Dans les rêves :*

Dans les songes, les fesses évoquent l'acte sexuel sous son aspect purement charnel, actif et excitant (Aphrodite Callipyge « aux belles fesses »), pour la femme, la fécondité de la maternité (statues rupestres des Grandes Déesses Mères au large bassin).

FIÈVRE (La)

La fièvre brûle les déchets organiques, purifie et, de ce fait, permet de se maintenir en vie. « Elle est un feu purificateur comme la maladie », disait Paracelse [1].

● *Dans les rêves :*

Les allusions à la fièvre, dans les songes, indiquent que le rêveur s'est, sans s'en rendre compte, « laissé entraîner par la chaleur de la passion » : on discutera « avec fièvre », on sera soumis à « la fièvre des sens »... Comme la fièvre physiologique constitue un symptôme de maladie, la fièvre des rêves avertit d'un dérèglement psychique.

FOIE (Le)

En Chine, dans l'Antiquité comme dans diverses civilisations, ce n'est pas le cœur qui était considéré comme siège de la vie, mais le foie [2].

Dans le mythe de Prométhée, c'est son foie, en tant qu'organe principal

---

1. *A. et V.*, p. 363.
2. *M.V.*, p. 231.

qui, toujours renaissant, est dévoré par un vautour. Et si, en Occident, le cœur est le siège de l'amour (voir « Cœur »), dans la doctrine secrète des enseignements orientaux, c'est du foie que rayonne le Kama, c'est-à-dire le désir d'union amoureuse.

Toute l'Antiquité a pratiqué l'hépatoscopie ou art de deviner l'avenir par l'inspection du foie des animaux immolés dans ces religions : les Étrusques, les Assyro-Babyloniens, les Hittites, les Grecs, les Romains, etc.

Le foie possède manifestement la propriété de se trouver directement en rapport avec l'équilibre psychique et l'activité du mental. C'est ainsi que, d'après le Professeur Henri Baruk, « les rapports des troubles hépatiques et des troubles mentaux remontent à la plus grande Antiquité dans l'histoire de la médecine. [...] Des ictères peuvent engendrer des psychoses. [...] Par exemple, la bile des schizophrènes est toxique [1] ».

En bref, une crise de foie peut créer l'hypocondrie, l'engourdissement, le sommeil et des perturbations neuro-végétatives, tandis qu'un état mental soucieux et perturbé conduit à se « faire de la bile ».

Platon [2] parle de cette interaction du foie et du mental, mais au lieu d'utiliser les termes modernes comme « mental » et « bile », il parle « d'intelligence » et « d'amertume » ; or, nous savons que l'angoisse engendrée par les troubles hépatiques trouble l'esprit et que la bile est particulièrement amère.

● *Dans les rêves :*

Le foie ou les allusions au foie ne paraissent que très rarement dans les songes et semblent se rapporter à un centre vital inconscient, particulièrement actif, préservateur des toxines psychiques et régulateur de l'équilibre général : le Soi.

FROID (Sensation de)

Voir « Chaleur et Froid (Sensation de) ».

FRONT (Le)

● *Dans les rêves :*

Le front, dans les songes, évoque le siège de la conscience, de la pensée intellectuelle abstraite, du mental, du cérébral et, éventuellement, de l'Esprit, du Logos.

FUIR — LA FUITE

Au figuré, la fuite prend un sens de « moyen dilatoire » (« user de fuites ») tendant à se dérober, à retarder un dénouement. La prise de conscience de soi implique la nécessité absolue de faire face aux problèmes

1. H. Baruk, *Traité de psychiatrie*, Masson, 1959.
2. *Timée*, 71.

se rapportant à la vie extérieure comme à ceux de la vie intérieure. En refusant d'affronter les obligations et nécessités de l'existence, nous demeurons infantiles. Et, en refusant d'affronter nos problèmes psychiques (avertis que nous sommes par nos rêves), nous bloquons toute possibilité d'évolution.

Dans les deux cas, la fuite aveugle contrarie notre développement car, si nous n'avançons pas, nous reculons du fait que la vie, elle, est en constante progression.

Nous pouvons fuir de nombreuses façons. Ainsi un grand extraverti peut fuir les exigences de son monde intérieur en se dispersant dans le monde extérieur. Un grand introverti peut fuir les exigences du monde extérieur en se dissolvant morbidement dans son monde intérieur. Nous pouvons aussi nous livrer à une sorte de « fuite en avant » en nous réfugiant exagérément dans notre profession ou dans des idéologies politiques, philosophiques et spirituelles (avec toutes les justifications d'usage !). Enfin, nous pouvons tourner le dos à la vie en « mourant au monde » pour épouser, par exemple, la vie monastique.

Dans chacun de ces cas, un nécessaire équilibre est rompu, pouvant donner naissance à de sérieux troubles psychiques. C'est pourquoi les héros légendaires attaquent les monstres et les dragons au lieu de les éviter et que le Christ indique que, si nous chassons (c'est-à-dire refoulons) « l'esprit immonde », il reviendra avec sept autres esprits encore plus méchants que lui [1].

De même, la fuite devant les puissantes activités de l'inconscient ne les supprime pas mais ne fait que provoquer ou accentuer une névrose et amener les contenus de l'inconscient, fortement refoulés, à être projetés sur les êtres et les choses sous forme de haines et de phobies, comme ce fut le cas de la « Sainte » Inquisition.

Pour Jung, « la fuite devant l'inconscient rend illusoire le but de toute opération [2] » et il considère qu'un « complexe n'est surmonté de façon effective que lorsqu'on l'a épuisé en le vivant jusqu'à sa profondeur dernière. Ce que nous avons tenu éloigné de nous, ajoute-t-il, à cause de nos complexes, il nous faut finalement le *boire jusqu'à la lie,* si nous voulons avoir une chance d'en sortir [3] ».

● *Dans les rêves :*

Les rêves de fuite sont très fréquents, que ce soit pour nous soustraire à l'attaque d'un personnage, d'un animal ou pour tout autre motif (à déterminer). Ces fuites peuvent concerner le monde extérieur ou le monde intérieur.

Lorsqu'un être humain ou un animal nous attaque, cela signifie que le complexe symbolisé par cet être humain ou cet animal (à déterminer) veut

1. *Matth.,* XII-45.
2. *P. et Al.,* p. 192.
3. *R.C.,* p. 118.

être reconnu et tenir sa place au sein de la psyché. C'est un peu comme s'il disait : « Eh bien ! et moi ?... » Pour nous défendre de son attaque, nous sommes bien obligés de reconnaître sa valeur et d'en tenir compte pour retrouver la paix intérieure.

On peut dire, en somme, que toute fuite apparaissant dans les rêves équivaut à un intense refoulement de l'élément que nous fuyons. Voir « Attaque et être attaqué ».

G

GAUCHE (La)

Voir « Droite et la Gauche du Corps ».

GÉANTS ET LES GÉANTES (Les)

Il ne faut pas confondre les Titans qui symbolisent l'inflation du moi par rapport aux valeurs inconscientes archétypiques et les Géants. Ces derniers étaient dans la mythologie grecque des monstres de taille énorme, d'aspect effroyable au corps terminé par une queue de serpent, et doués d'une force surhumaine. Ils se révoltèrent également contre les dieux olympiens mais ils furent vaincus. Il semble bien qu'ils symbolisent l'opposition à l'esprit, des énergies instinctives primitives, grossières et brutales.

Dans l'épopée de Gilgamesh, le héros assyro-babylonien légendaire, le géant Chumbaba est gardien de la jeune Ishtar, future Déesse-Mère. Ce monstre est vaincu par Gilgamesh qui peut alors s'unir à Ishtar.

Dans la Bible, le géant Philistin Goliath est tué par le jeune enfant d'Israël, David, d'une seule pierre au front[1].

Pour M.-L. von Franz, les géants « représentent des facteurs émotionnels, des énergies brutes qui n'ont pas encore complètement émergé au niveau de la conscience humaine. Ils possèdent une force énorme et sont connus pour leur stupidité. Aisés à tromper, ils sont la proie de leurs propres affects, donc incapables de mener à bien leurs projets[2] ». Mais sous un aspect plus positif, ce flot émotionnel indomesticable, presque inconscient, peut pousser à accomplir de grandes tâches.

● *Dans les rêves :*

Les géants, dans les songes, peuvent exprimer les forces primitives et brutales de la nature encore inconscientes, fortement chargées de flot émotionnel incontrôlé.

1. *1er Samuel* XVII.
2. *I.C.F.*, p. 148-149 et 177.

Ils peuvent aussi représenter un aspect archétypique du complexe père.

Le « Père » est image d'autorité et de gardien de la morale ; si, dans le mythe, le héros doit vaincre un géant gardien d'un trésor ou d'une jeune fille, ce géant personnifie les angoisses névrotiques du fils vis-à-vis de l'imago paternelle qu'il porte en lui-même. Car le « père est le représentant de l'esprit qui barre la route à la puissance instinctuelle [1] ». Il peut ainsi vaincre la « Mère » et se réengendrer, au lieu d'agir comme Œdipe qui s'unit à elle, donc demeure inconscient.

Ils peuvent enfin représenter la puissance démesurée d'un complexe ou d'un problème (intérieur ou extérieur) à surmonter (à déterminer), car le géant donne à l'image, la plupart du temps — subjectivement — un caractère surhumain.

Ils peuvent aussi représenter un aspect archétypique du complexe père.

Le « Père » est image d'autorité et de gardien de la morale ; si, dans le mythe, le héros doit vaincre un géant gardien d'un trésor ou d'une jeune fille, ce géant personnifie les angoisses névrotiques du fils vis-à-vis de l'imago paternelle qu'il porte en lui-même. Car le « père est le représentant de l'esprit qui barre la route à la puissance instinctuelle [1] ». Il peut ainsi vaincre la « Mère » et se réengendrer, au lieu d'agir comme Œdipe qui s'unit à elle, donc demeure inconscient.

Ils peuvent enfin représenter la puissance démesurée d'un complexe ou d'un problème (intérieur ou extérieur) à surmonter (à déterminer), car le géant donne à l'image, la plupart du temps — subjectivement — un caractère surhumain.

GENOUX (Les)

Le mot dérive du latin « genuculum », diminutif de « genu ».

L'intersection du genou forme un angle (gr. « gônia ») analogue à celui que forment les jambes renfermant le sexe de la femme (gr. « gûnè »), par lequel elle donne naissance (gr. « genos »). À l'analogie de consonance de ces termes, s'ajoute celui de « yoni » par lequel les Hindous désignent le sexe féminin. Cette observation a conduit à considérer le genou comme possédant un symbolisme féminin, ce que, à ce jour, nous n'avons jamais été à même de vérifier expérimentalement.

Par contre, il paraît certain que la valeur symbolique du genou découle de la « génuflexion » ou action de fléchir le genou en signe de soumission, de respect, d'adoration.

Rituellement, s'agenouiller à l'église correspond, avant tout, à un geste par lequel le moi renonce à son hégémonie et abdique devant le Soi ou devant Dieu. Telle est la signification du catholique qui s'agenouille devant le Tabernacle, à la table de communion, en prière, au confessionnal et dans bien d'autres circonstances rituelles de sa pratique religieuse.

1. *M.A.S.*, p. 437.

Au cours de certains rites maçonniques, le futur apprenti devait découvrir son genou au moment de son admission.

Dans l'ordre de la Chevalerie, corps militaire et religieux institué au Moyen Âge pour combattre les infidèles, l'adoubement ou armement du jeune écuyer se recevait genou fléchi.

Certains souverains ne recevaient l'hommage d'un sujet qu'après qu'il leur eut baisé la main, ou le bord de son vêtement, à genoux.

Le genou découvert, souvent blessé, ou un simple trou dans la robe à hauteur du genou, se retrouve fréquemment dans l'iconographie chrétienne : il indique toujours que le personnage est un saint car il s'est « agenouillé » devant la volonté de Dieu, quel que soit le sacrifice (la plaie) exigé par son renoncement et son humilité.

● *Dans les rêves :*

Les références au genou, dans les songes, symbolise l'humilité de l'ego, réalisée ou à réaliser, requise pour poursuivre le processus d'individuation.

GORGE (La)

Le mot vient du latin « gurges » = « gouffre ». La gorge est un lieu de passage essentiel (air, nourriture, voix, goût, odorat, ouïe, etc.), qui contient, tout proche d'elle, une série de glandes indispensables à l'existence (thyroïde, thymus, etc.) et où se situe le « nœud vital [1] ».

La gorge peut être fort désagréablement soumise à l'angoisse.

On a la « gorge serrée » ou la « boule dans la gorge », on se sent « pris à la gorge » surtout si on vous « met le couteau sous la gorge » et, dans les cauchemars, les personnages extrêmement négatifs cherchent parfois à étrangler le rêveur si un complexe trop refoulé ou une situation trop suffocante l'oppressent.

Voir « Étranglement ».

Et, dit Jung, « l'étranglement dans la gorge, ce que l'on appelle le " globus hystericus " (la " boule hystérique ") se produit lorsqu'on retient ses larmes [2] ».

● *Dans les rêves :*

La gorge, dans les songes, évoque généralement l'angoisse.

Cependant, si une bouche grande ouverte laisse apercevoir le fond de la gorge, il y a là invitation à pénétrer dans le gouffre du monde intérieur en affrontant toute l'angoisse que cela suppose.

Voir « Bouche ».

GROSSESSE (La)

Voir « Enceinte (Être) ».

---

1. Point du bulbe rachidien, siège du centre respiratoire et qu'il suffit de piquer pour provoquer la mort immédiate du sujet.
2. *P.A.M.*, p. 20.

H

HOMOSEXUALITÉ (L')

L'homosexualité, terme créé en Allemagne en 1869, englobe les tendances et les conduites des homosexuels.

L'homosexuel éprouve une appétence sexuelle plus ou moins exclusive pour les individus de son propre sexe. On le qualifie également « d'inverti » (du lat. « invetere » = « retourner »). Quant à la pédérastie (gr. « eran » = « aimer » et « paidos » = « enfant »), elle concerne l'homme qui a un commerce charnel avec un jeune garçon.

Nous ne nous attarderons pas sur les origines biologiques et psychologiques de l'homosexualité car ce n'est pas notre propos. Nous indiquerons seulement le symbolisme de l'homosexualité dans les rêves.

Voir également « Sexuels et la Sexualité (Les Organes) ».

● *Dans les rêves :*

L'homosexualité dans les songes, le plus souvent, n'indique pas forcément que le rêveur ait des tendances homosexuelles latentes ignorées de lui. La plupart du temps, cette homosexualité onirique indique que le masculin ou le féminin se « court-circuitent » eux-mêmes au sein de la psyché, au lieu de s'unir harmonieusement et, de ce fait, demeurent inféconds.

Voir aussi « Masturbation » qui possède un symbolisme onirique identique.

Mais l'homosexualité, selon le contexte du rêve et les associations d'idées, peut également souligner la peur du contact ou de l'engagement avec une personne du sexe opposé.

Très rarement, le rapport sexuel avec une personne de même sexe indique un rapprochement qui peut être positif avec l'élément symbolisé par le personnage (à déterminer).

I

IMMORTALITÉ (L')

Pour Jung, « notre Soi, en tant que quintessence de tout notre système vivant, non seulement renferme la sédimentation et la somme de toute la vie vécue, mais il est aussi la matière et la semence, et la source, et l'humus créateur de toute vie future, dont la prescience enrichit le sentiment tout autant que la connaissance du passé historique. C'est de ces données psychologiques de base, de ces fondements tournés, à la fois, vers le passé et vers l'avenir, que se dégage avec légitimité l'idée d'immortalité[1] ».

Dans les mythes et religions, les Jumeaux présentent la particularité que l'un est mortel et l'autre immortel ou encore que l'un représente le jour et l'autre la nuit. Ils sont l'image de la double nature de l'homme, analogue à la lumière solaire et aux ténèbres nocturnes, consciente et inconsciente, divine et charnelle, mortelle et immortelle, dont l'interaction est à l'origine de la vie et permet, par ses activités, la prise de conscience du Soi. Ils figurent le moi et le Soi. « Chaque chose, pour exister, a besoin du Soi et inversement[2]. » Le Soi a besoin du moi pour se réaliser, le moi a besoin du Soi pour y puiser ses directives. Le moi paraît mortel, le Soi immortel, et leur interaction est l'image cyclothymique de la Vie.

Toujours dans les mythes et religions, on trouve de nombreux aliments et breuvages d'immortalité : l'Ambroisie (gr. « Ambrotos » = « Immortel ») des Gréco-Romains, le Soma et l'Amrita hindous, le Haoma mazdéen, etc.

Nous voyons aussi des héros, tels que Glaucos, Gilgamesh, Balder, Jason, etc., compter parmi leurs péripéties la recherche de la plante d'immortalité. Une autre forme mythologique de rendre immortel est de placer, à sa mort, le héros parmi les constellations après une longue quête épique et parfois, de dures souffrances : Héraclès, Casiopée, les Gémeaux, Pégase, etc.

Il semble bien que l'homme ait l'impression d'acquérir l'immortalité pour l'assimilation de l'inconscient symbolisé, nous l'avons vu, par le Jumeau immortel. Ce faisant, il descend dans ses profondeurs mystérieuses jusqu'à sa source, son origine, son passé. Lui-même se sent vivre le présent à tout instant et son désir de procéder à une évolution, qui donne un sens à sa vie, lui fait entrevoir l'avenir. Il lui semble ainsi échapper aux limites du temps et se transcender.

Si nous acceptons l'immortalité au sens initiatique du terme, nous nous en remettons à une instance supérieure qui, au sein de nous-mêmes, décide et agit pour nous, ce qui nous fait accepter que la vie se renouvelle toujours par la mort et la mort par la vie. Le moi mortel se transcende, ce qui contribue à atténuer l'inévitable angoisse inséparable de la condition humaine.

Les principaux symboles évoquant l'immortalité sont : l'arbre qui se renouvelle annuellement durant des siècles ; le soleil et la lune qui se renouvellent chaque nuit et à chaque saison ; le cerf qui se renouvelle en perdant annuellement ses bois ; le serpent qui se renouvelle à chaque printemps par ses mues ; le Tai-Ki-Tou qui alterne le Yin et le Yang en un jeu perpétuel etc., et tous les symboles du Soi qui ne s'altère jamais.

Voir « Mort ».

1. *D.M.I.*, p. 174.
2. *A et V.*, p. 374.

● *Dans les rêves :*

Les allusions à l'immortalité semblent renvoyer, dans les songes, au processus d'individuation.

INFIRMITÉ (L')

Voir « Difformité ».

INTESTINS (Les)

Le terme vient du latin « intestinus » = « intérieur » (les « luttes intestines ») qui a donné « intestinum » = « viscère ».

C'est dans l'intestin que se fait l'absorption active de la nourriture par les villosités de la muqueuse intestinale. Il est innervé par le système neuro-végétatif et, de ce fait, non soumis à la volonté du conscient.

Les intestins opèrent, au sein de l'organisme, un véritable tri des aliments permettant d'assimiler ceux qui conviennent à la nutrition et de rejeter les déchets inutiles susceptibles d'intoxiquer l'organisme s'ils n'étaient pas évacués.

● *Dans les rêves :*

Le symbolisme des intestins, dans les songes, relève de celui du ventre par sa sensibilité émotionnelle (« faire dans sa culotte ») et, par son fonctionnement, de celui du triage et du nettoyage.

Voir « Ventre » ; « Trier » et « Nettoyer ».

ISOLEMENT (L')

Voir « Solitude ».

J

JAMBES (Les)

C'est avec nos jambes que nous nous tenons en équilibre et que nous marchons, courons, dansons, travaillons parfois, etc.

Elles sont nécessaires à notre aplomb, nos déplacements, notre progression. Voir aussi « Cuisse ».

● *Dans les rêves :*

Les jambes, dans les songes, évoquent l'équilibre psychique et la progression de l'évolution du rêveur aussi bien dans la vie intérieure que dans la vie extérieure.

Les accidents, morsures, blessures, mutilations et paralysies atteignant les jambes se rapportent à l'instabilité générale, qui inhibent ou stoppent le mouvement en avant tant dans la vie extérieure en marche que dans la progression évolutive de la vie intérieure.

Voir « Lévitation ».

JETER DERRIÈRE SOI

Dans la mythologie grecque, Deucalion et Pyrrha, seuls survivants du Déluge fabuleux, jettent derrière eux soit des pierres, soit des ossements de la Grande-Déesse Mère, suivant les légendes, pour créer les hommes.

Également suivant une légende, les Dactyles naquirent de la poussière que la nymphe Anchiale jetait derrière elle.

Ce motif se rapproche de la création par l'anus (voir ce mot), par-derrière.

L'excrément, produit par l'anus, laisse, dans la légende, un monument ou un souvenir derrière soi, comme une naissance assure la continuité ou, le monument perpétue le souvenir qu'on a existé.

● *Dans les rêves :*

Le jet derrière soi paraît rarement dans les songes.

Il semble qu'il traduise un geste créateur.

JEÛNE (Le)

Toutes les religions, depuis les plus primitives jusqu'aux plus évoluées, comprennent des périodes de jeûnes.

Les Normands jeûnaient avant le combat afin de mourir sains de corps et d'esprit. Le futur chevalier jeûnait avant l'adoubement.

En Égypte, les candidats aux Mystères d'Isis et d'Osiris devaient jeûner sept jours au minimum. À Éleusis, les aspirants aux mystères de Déméter, Coré et Iachos devaient jeûner sept à neuf jours avant d'être admis aux cérémonies.

Les Spartiates et les Perses entraînaient leurs enfants à des jeûnes progressivement prolongés pour les habituer aux privations et les rendre plus résistants. À Delphes, la Pythie, prêtresse d'Apollon, ne pouvait consulter l'oracle qu'après un jeûne de vingt-quatre heures.

Les prêtres aztèques menaient une vie très austère où figuraient de longs jeûnes. Les Bouddhistes, yogis et fakirs s'astreignaient à de longs jeûnes dans un but de purification.

Tout au long de la Bible, le jeûne apparaît comme purificateur, implorant et méritoire : il est pratiqué en signe de deuil et il permet d'obtenir une grâce.

Le Christ, ayant été conduit par l'Esprit au désert pour être tenté par le Diable, y jeûna quarante jours et quarante nuits et par trois fois repoussa les tentations de Satan[1].

L'Islam jeûne pendant le mois du Ramadan ou neuvième mois de

1. *Matth.*, IV-1 et s.

l'année de l'Hégire[1], s'abstenant de toute nourriture solide ou liquide du lever au coucher du soleil. Le pèlerin de La Mecque doit jeûner trois jours à l'aller et sept jours au retour du voyage et les Soufis arrivent à jeûner, encore à l'heure actuelle, pendant quarante jours. Mahomet disait : « Le vrai croyant ne mange que pour un intestin, le mécréant pour sept intestins, la sagesse et la raison ne sauraient être compatibles avec un estomac chargé de nourriture. »

Les catholiques observent quarante jours de jeûne pendant le Carême, sauf les dimanches, ainsi que pendant les Quatre Temps et lors des vigiles de certaines fêtes. Ils appliquaient le « jeûne eucharistique » avant la Sainte Communion ainsi qu'un jeûne partiel le vendredi, jour de Vénus, car il y a un rapport intime entre l'estomac et les organes génitaux.

Enfin, les animaux évolués jeûnent en cas de maladie ou de membre brisé afin que l'énergie tout entière se mobilise pour la guérison.

Pour Jung, le jeûne mène à sacrifier l'hégémonie du moi et se trouve donc assimilable à une mort en vue d'une régénération. Il « contraint la libido à dévier vers un symbole ou un équivalent symbolique de l'Alma Mater, à savoir vers l'inconscient collectif. Solitude et jeûne sont donc, depuis les temps les plus anciens, les moyens communs pour soutenir la méditation qui doit donner accès à l'inconscient[2] ». Voir « Solitude ».

● *Dans les rêves :*

L'allusion au jeûne est rare dans les songes. Si c'est le cas, il convient d'orienter les recherches d'interprétation dans les directions suivantes :

(−) Un avertissement de l'inconscient qu'un état pléthorique intoxique soit le corps tout entier, soit un organe déterminé (à rechercher).

(+) Une invitation à atténuer la souveraineté de l'ego sur l'ensemble psychique pour que le Soi se substitue au moi.

JOUER — LE JEU — LES JOUETS

Du lat. « jocus » = « badinage », « plaisanterie ».

D'après Roger Caillois[3], les jeux des adultes procèdent du besoin de s'affirmer, du goût du défi, du plaisir du secret et de la feinte, du plaisir d'avoir peur ou de faire peur. Ils procèdent aussi des satisfactions procurées par tout art combinatoire, de la mise au point de règles et de jurisprudence, et enfin de la griserie, de l'ivresse, de la nostalgie de l'extase et du désir de panique voluptueuse.

Pour Jung, le jeu produit une détente, libère des contraintes. Il remplace momentanément le sérieux, le rationnel, la concentration, la rigueur et l'oppression du raisonnable, par la fantaisie créatrice[4]. Le jeu est « le

1. *Coran : Sourate*, II-179 et s.
2. *M.A.S.*, p. 54.
3. *Le Jeu et les Hommes*, N.R.F., 1966.
4. *P.I.*, p. 73.

principe dynamique de la fantaisie incompatible avec le principe du travail sérieux. Sans ce jeu de la fantaisie, jamais aucune œuvre féconde ne vît le jour[1] ». Cette fantaisie créatrice est à la source du symbole et, par conséquent, alimente le processus de la fonction transcendante qui concilie les antinomies.

Dans notre civilisation, le jeu abréagit également nos émotions si souvent mal assumées. Ils découlent d'un besoin de « vivre » en toute innocence nos émotions, nos fantasmes, notre agressivité (voire notre violence), nos lubies inattendues, nos pulsions dionysiaques, latentes dans l'inconscient et qui brûlent d'autant plus de s'exprimer qu'elles auront été plus étouffées par la raison consciente, par une éthique sévère ou encore, par la monotonie d'une existence rigide et surordonnée. Aussi dira-t-on « jeu d'un artiste » en parlant d'un acteur s'efforçant de traduire le « jeu » des émotions ressenties par un personnage.

On retrouve ce mécanisme instinctif « chez les tribus primitives où le jeu est pris très au sérieux, dit Gh. Adler. Ou bien il constitue un " rite d'entrée " qui va de l'intention émotionnelle au fait concret, et des jeux guerriers, par exemple, pouvant dégénérer en carnage ou des jeux érotiques en débordements lubriques : ou bien, ils constituent des " rites de sortie " par lesquels s'effectue la réadaptation à la routine quotidienne et, par exemple, une grande chasse sera immédiatement suivie d'une scène de chasse[2] ».

Dans le « rite d'entrée », l'excitation intensifie l'émotion jusqu'à l'engager dans la réalité ; dans le « rite de sortie », l'excitation exceptionnelle de l'émotion s'apaise jusqu'au retour à l'état normal.

Pour les enfants qui vivent la plus grande part dans un univers de fantaisie — le sérieux organisé ne viendra que plus tard —, les jeux permettent de donner un caractère de réalité aux instincts, aux émotions et à l'imaginaire. Sur ce plan, ils baignent dans un univers quelque peu magique parce que ce n'est pas par intention qu'ils jouent, ils y sont en quelque sorte astreints car le jeu constitue une « préparation instinctive et inconsciente aux futures activités sérieuses »[3]. Les instincts et les émotions qu'ils ne peuvent encore vivre et assumer, ils les jouent.

Les animaux eux-mêmes n'échappent pas au besoin de jouer. Nous savons tous que les petits chiens, chats, loutres ou chevreaux, etc., jouent de tout leur cœur.

Il résulte de tout ceci que le jeu excite et détend ; il permet une catharsis du flot émotionnel jaillissant de la « fantaisie créatrice » que chacun

1. *T.P.*, p. 66-67.
2. Gh. Adler, *Études de psychologie jungienne, oc*, p. 103.
3. Nous avons observé, nombre de fois, de sérieuses névroses ayant en majeure partie pour origine le fait que le sujet, pour des circonstances matérielles, n'avait pu jouer dans son enfance et avait été contraint de se conduire prématurément en adulte (remplacement d'un parent décédé, par exemple).

possède en lui-même. Il décharge un trop-plein d'états affectifs intenses, insuffisamment vécus ou exprimés. Il « joue » le rôle d'exutoire.

Ce soulagement obtenu par la libre manifestation du « jeu » des fantasmes se retrouve dans une expression telle que « faire quelque chose en se jouant », c'est-à-dire sans contrainte, sans effort, presque spontanément.

De manière comparative, « donner du jeu à une pièce mécanique » indique qu'en desserrant celle-ci, elle pourra se mouvoir avec plus d'aisance.

Enfin, le besoin de laisser s'exprimer à leur gré les fantaisies du sort, de subir ou de défier la fatalité, se rencontre dans le penchant, parfois passionné, pour les jeux de hasard.

En somme, « jouer, c'est jeter un pont entre la fantaisie et la réalité par l'efficacité magique de sa propre libido ; jouer est ainsi un " rite d'entrée " qui prépare le chemin vers l'adaptation à l'objet réel mais peut également agir en sens contraire, comme un " rite de sortie ", par lequel s'effectue la réadaptation à la vie quotidienne [1] ».

Notons aussi, à un autre niveau, que dans les Mystères d'Éleusis, on invitait le futur initié à toucher les jouets contenus dans le panier de Dionysos enfant. On y trouvait une balle, une toupie, un miroir et des dés. La balle était l'image du globe terrestre et des lois de la Création ; la toupie évoquait la « circumambulatio » (voir ce mot) tourbillonnant sous l'effet du dynamisme de vie ; le miroir permettait l'aperception par la conscience intellectuelle des plans cachés de l'initiation et les dés rappelaient le jeu du destin et ses imprévisibles caprices.

Pour les Hindous, le divin se manifeste par la Lîlâ, le jeu de Dieu dans la Création, qui s'en amuse et y entraîne l'homme dont il fait son partenaire. La Lîlâ est donc l'univers considéré comme « jeu de Dieu » qui égare l'homme dans la Mayâ — l'illusion — qui est aussi la puissance de la manifestation de Dieu. Mais cette Lîlâ, par son dynamisme même, permet le salut par le retour au divin.

La Lîlâ (sanscrit « lelây » = « flamboyer », « sautiller », « briller »), comme le jeu des flammes qui brillent, dansent et flamboient, est le jeu des forces cosmiques de la Mère Divine aussi bien exprimé par la danse que par le calme.

« Tout est la volonté de Dieu, tout est son jeu » dit Ramakrishna [2].

Çiva danse la Vie et, par ce geste, exprime sa sagesse qui s'intègre harmonieusement au grand jeu (la Lîlâ) de l'existence du monde.

La fantaisie de ce jeu de Dieu se retrouve partout : dans les variétés innombrables au sein de la Création, dans les hasards des coups de dés, dans l'aléa des événements, dans l'incohérence des humeurs, dans la diversité des fantaisies. Et Aurobindo s'interroge pour répondre : « Après

1. *Ibid.,* p. 103.
2. Ramakrishna, *Enseignement,* n° 1339, Albin Michel, 1949.

tout, qu'est-ce que Dieu ? Un enfant éternel jouant un jeu éternel dans un éternel jardin. »

● *Dans les rêves :*

Les rêves de jeu et de fantaisie sont nombreux dans les songes. Ils sont surtout l'expression des imprévisibles réactions vitales de l'inconscient, totalement irrationnelles et inattendues pour le conscient.

Le jeu des rêves permet de vivre dans leur ensemble les variations infinies de l'intensité émotionnelle.

Rêves de jeux récréatifs :

Cette image vient, généralement, compenser une attitude consciente trop rationnelle, trop formelle, trop sérieuse (manque d'humour et de fantaisie), trop « morale », trop rigide, trop stéréotypée, trop axée sur la seule spiritualité [1].

Rêves d'images oniriques paraissant puériles :

Même interprétation : tel le rêve de cet homme, d'éducation protestante austère, directeur d'une grande société, et débordé de travail : « Au détour d'un sentier, j'aperçois, venant de la droite, un petit train ressemblant à un dessin animé plein de fantaisie : locomotive à grande cheminée avançant en se tortillant et en se dandinant. Les wagons suivent dans le même style. Ce train disparaît derrière les arbres. Peu après, je me trouve suspendu au-dessus du vide, sans angoisse aucune, et vois des gens sur une place en dessous de moi. Un loup vient me mordre gentiment le bras sans me faire de mal. »

Le rêveur, commençant à « vivre » sa fantaisie intérieure, « descend de sa hauteur », sévèrement intellectuelle et sérieuse, tandis que le contact s'établit avec le monde des instincts (le loup) qui n'est plus ressenti comme dangereux pour le rationalisme de sa pensée.

Rêves d'enfants jouant gaiement :

Cette image traduit la spontanéité des fantaisies créatrices qui commencent à « jouer » au sein de la psyché.

Rêves de jeu entre deux adversaires :

Cette image présentant, le plus souvent, des échanges au tennis, au ping-pong ou au fleuret, traduit le jeu, plus ou moins aisé, des polarités. De même que, dans ces sports, chaque coup est imprévisible, de même un courant et un contre-courant énergétiques s'établissent d'une opposition à l'autre mais toujours de manière inattendue.

Tel ce sujet apercevant en rêve un match de tennis entre Don Quichotte et Sancho Pança !...

---

1. Tels les jeux de balle pratiqués dans les églises par les chanoines au Moyen Âge. Cf. *R.C.*, p. 302.

Rêves de jeu à quatre personnages :

Cette image traduit, généralement, un effort d'équilibre entre les quatre fonctions psychologiques, mais peut concerner d'autres données psychiques à déterminer.

Rêves de jeu d'équipe :

Cette image se rapporte à l'ensemble, plus ou moins harmonieux, des activités psychiques par opposition à l'isolement égocentriste. Un jeu trop personnel d'un élément psychique nuit à l'ensemble de l'équilibre psychologique comme, dans un match réel, le jeu trop personnel d'un joueur nuirait à l'équipe sportive.

Telle la définition anglaise du « Fair Play » : Ne jamais triompher quand on a gagné, ne jamais gémir quand on a perdu, toujours passer le ballon si c'est l'intérêt de l'équipe.

Rêves de jouets :

Cette image peut se révéler négative ou positive :

(−) Les jouets peuvent faire allusion à l'infantilisme du rêveur qui ne fait que « jouer » superficiellement avec les obligations de l'existence au lieu de les affronter en adulte responsable et efficace.

Cet infantilisme peut également s'appliquer aux réactions instinctives et affectives : le rêveur se conduit de manière infantile avec le sexe opposé. La sexualité et l'engagement amoureux ne sont pour lui qu'un jeu, en fin de compte, stérile.

(+) Parfois, le rêveur ne peut encore aborder ses problèmes de face car le contact direct avec eux serait trop angoissant pour lui. Le rêve lui présente alors les éléments des conflits et complexes à réduire sous forme de jouets. Ce jeu du symbolisme permet, comme sans y prendre garde, presque en dehors des intentions conscientes, de surmonter peu à peu ses craintes et de parvenir jusqu'aux couches de l'inconscient jusqu'ici inaccessibles [1].

L

LAIDEUR D'UN CORPS (La)

Voir « Beauté et Laideur d'un Corps ».

LAIT (Le)

Le lait a surtout frappé l'imagination par sa blancheur et par le fait qu'il est un aliment complet s'écoulant du sein maternel.

1. Cf. Gh. Adler, *Études de psychologie jungienne, oc,* p. 112-113.

Matériellement, le lait constitue la nourriture parfaite de la vie physique dispensée par la mère à l'enfant et, symboliquement, celui de la Grande-Déesse Mère aux créatures vivantes : l'Alma Mater, c'est-à-dire la Mère Nourricière. Cette nourriture lactée est, à la source, entre autres, de la vénération des vaches sacrées : Hathor en Égypte, Audumla en Scandinavie, les vaches sacrées aux Indes, etc.

Sous une autre forme, cette abondance nourricière de la création maternelle apparaît dans les quinze mamelles de la Diane d'Éphèse ou dans les poitrines opulentes des Déesses-Mères rupestres.

Selon le mythe, la Voie lactée fut produite par les gouttes de lait tombées du sein de Héra (Principe Féminin universel) alors qu'elle allaitait Héraclès, dont le nom signifie « Gloire de Héra ».

Certaines Magna Mater allaitent un serpent, ce qui indique que la fonction transcendante (le serpent) se nourrit au sein de l'inconscient-Mère, unissant ainsi le Logos et l'Éros.

Dans les mystères antiques, le lait jouait un rôle important de nourriture des initiés nouveau-nés. Ce fut aussi, dans le christianisme ancien, la nourriture des nouveaux baptisés... Saint Pierre, lui, compare les nouveaux chrétiens à des enfants qui boivent le lait de la nouvelle doctrine[1]. Symboliquement, « le lait figure le début de la renaissance divine en l'homme[2] ».

Dans la mythologie hindoue, l'Amrita, boisson d'immortalité des dieux, était obtenue sur le Mont Mérou (voir « Cuisse ») par le barattage de la Mer de Lait à l'aide du Mont Mandara comme moulinet et du serpent Vâsouki comme corde. Les dieux tiraient la queue et les démons tiraient la tête (où se trouve le venin). Ce mythologème[3] indique que la vie découle du jeu des polarités matérielles et spirituelles.

● *Dans les rêves :*

En toute généralité, le lait des songes symbolise la nourriture dispensée par la Mère à ses enfants que ceux-ci soient charnels ou psychiques.

Si le lait apparaît en tant que nourriture de l'enfant charnel, il évoquera un infantilisme qui peut aussi bien s'appliquer au développement de la vie extérieure qu'au développement de la vie intérieure car l'âge mental est demeuré au niveau du petit enfant non encore sevré.

Si, par sa blancheur lumineuse, le lait fait allusion à la nourriture spirituelle, il se situe au niveau de la renaissance qui conduit à la lumière.

LANCER

Lancer (bas lat. « lanceare » = « manier la lance »).

---

1. 1er *Pierre*, II-2 et 3.
2. *I.C.F.*, p. 191. Cf. également *O.C.F.*, p. 399.
3. Néologisme créé par Ch. Kerenyi, qui signifie « thème mythologique ». Ces « motifs mythologiques » rencontrés dans les rêves furent, par la suite, appelés « archétypes » par Jung.

● *Dans les rêves :*

En dehors de son sens propre, lancer, dans les songes, peut être une allusion aux projections que nous « lançons » autour de nous ou à la mission du symbole qui joue en nous le rôle de médiateur entre l'inconscient et le conscient ainsi que de transformateur de l'énergie, ce qui fait dire à Jung que le symbole « est l'image d'un contenu qui, en grande partie, transcende la conscience ».

N. B. : Étymologiquement, le mot « symbole » vient du grec « sumbolon » = « signe de reconnaissance », dérivant lui-même de « sun » = « avec » et « ballein » = « lancer », « frapper », « atteindre au loin ». Le symbole « jette un pont avec »...

LANGAGE (Le)

Le langage constitue un exemple typique de l'interaction du corps et de l'esprit puisque la langue traduit la pensée créatrice de l'esprit.

Il est un instrument de culture mais il est susceptible de dégénérer en ferments d'orgueil, d'antagonisme et de haine. A ce stade, on parlera de confusion au sens donné par le thème de la Tour de Babel où le langage, par l'inflation de chaque moi, devient une source de confusion et de division, provoquant la colère de Dieu.

Il est certain que le langage peut gonfler la suffisance du moi, opposant, de ce fait, l'homme à lui-même, aux autres hommes et aux dieux (projection des forces archétypiques de l'inconscient).

« Évite les discours vains et profanes et les contradictions de la fausse science », dit saint Paul à Timothée[1] ; « Celui qui sait ne parle pas, celui qui parle ne sait pas », dit Lao-Tseu[2].

Dans l'Ancien Testament, Yahvé nous met en garde : « Qui est celui qui embrouille Mon plan par ses bavardages imbéciles?[3] » et, dans le Nouveau Testament, le Christ est encore plus net : « Or, je vous le dis, de toutes les paroles sans fondement que les hommes auront proférées, ils rendront compte au jour du Jugement. Car c'est d'après tes paroles que tu seras justifié et c'est d'après tes paroles que tu seras condamné[4]. » Car le langage est à double tranchant. Voir « Langue ».

Le verbiage destructeur tue le Verbe Créateur.

On peut noter, en tout cas, qu'au cours des séances de psychothérapie, il arrive qu'un analysant fuit, par le bavardage, l'affrontement d'un flot émotionnel déclenché par l'analyse et qu'il n'est pas encore en mesure d'assumer[5].

Enfin, le bavardage peut être purement intérieur en se situant au niveau

---

1. *Ier Tim.*, VI-20.
2. *Tao*, Vt 56.
3. *Job*, XXXVIII-1.
4. *Matth.*, XII-36.
5. Cf. *I.C.F.*, p. 129.

de la « rumination mentale » qu'il ne faut pas confondre avec la pensée intellectuelle.

Nous pouvons diriger notre fonction pensée suivant que nous portons ou non attention et concentration sur tel ou tel objet de notre choix ; la rumination mentale, au contraire, envahit notre esprit contre notre gré et peut nous poursuivre indéfiniment de manière obsédante. Ce caquetage du mental consiste en répétitions d'idées impossibles à chasser du champ de conscience et qui veulent « constamment aider, corriger, supprimer[1] ».

Mais ruminer est stérile car les idées ne font que graviter autour d'elles-mêmes sans pouvoir aboutir à des résultats concrets et finissent par se cantonner dans d'interminables rêveries, dont Jung dit qu'elles « engendrent l'angoisse de la mort, la sentimentale nostalgie du passé et la rage d'être impuissant à empêcher l'implacable tic-tac de l'horloge[2] ».

Archétypiquement, le Diable apparaît comme agité, frémissant et prolixe alors que le sage dégage une impression de calme, de sérénité et de mesure dans la parole.

Voir « Silence ».

● *Dans les rêves :*

Le langage, dans les songes, apparaît surtout comme moyen de communication entre l'ego-conscient et les contenus personnifiés de l'inconscient.

Si l'interlocuteur parle un langage étranger mal compris du rêveur, l'échange est encore difficilement compréhensible à l'entendement conscient actuel.

L'incompréhension momentanée est encore accentuée si la langue étrangère est inconnue du rêveur.

LANGUE-APPENDICE (La)

Sans la langue, la parole est impossible, aussi était-elle pour Œsope la meilleure et la pire des choses.

Dans la Bible, les Proverbes abondent dans le même sens : « La langue apaisante est un arbre de vie, la langue fourchue brise le cœur[3] », ou encore, « mort et vie sont au pouvoir de la langue ! Ceux qui la chérissent mangeront son fruit[4] ».

Saint Jacques aussi nous prévient : ... « La langue est un membre minuscule et elle peut se glorifier de grandes choses ! Voyez quel petit feu embrase l'immense forêt : la langue aussi est un feu. C'est le monde du mal, cette langue placée parmi nos membres : elle souille tout le corps ; elle enflamme le cycle de la Création, enflammée qu'elle est par la

1. *A. et V.*, p. 388.
2. *Ibid.*, p. 425.
3. *Prov.*, XV-4.
4. *Ibid.*, XVIII-21.

géhenne. Bêtes sauvages et oiseaux, reptiles et animaux marins de tout genre sont domptés par l'homme. La langue, au contraire, personne ne peut la dompter : c'est un fléau sans repos. Elle est pleine d'un venin mortel. Par elle nous bénissons le Seigneur et Père, et par elle nous maudissons les hommes faits à l'image de Dieu. De la même bouche sortent la bénédiction et la malédiction. Il ne faut pas, mes frères, qu'il en soit ainsi. La source fait-elle jaillir par la même ouverture le doux et l'amer[1] ? »

Aussi, la langue est-elle associée, dans l'Apocalypse, par exemple, à une épée à double tranchant qui sort de la bouche de Dieu[2].

Sous son aspect négatif, la langue peut donc évoquer le verbiage, l'agitation du mental, du cérébral, de la pensée, bref, du langage inutile et désordonné dont elle est l'instrument.

Cependant, pour les sages, dit un papyrus égyptien, « le cœur et la langue sont les agents de tout ce qui existe : si les yeux voient, si les oreilles entendent, si le nez respire l'air, ils conduisent au cœur ce qu'ils ont recueilli et celui-ci prend ses décisions. La langue alors les énonce... La langue a tout créé par le moyen de la parole, toutes les forces vitales et tous les aliments, tout ce qu'on aime et tout ce qu'on hait. Elle a également donné les lois, car elle a donné la vie au pacifique et la mort au criminel. Tous les arts sont aussi nés grâce à elle, chaque œuvre et tout art que les mains produisent. Les pieds ont marché et tous les membres se sont mis en mouvement, lorsqu'elle l'a ordonné[3] ».

Sous son aspect positif, la langue va donc symboliser les possibilités créatrices du langage, le « Verbe qui se fait chair » de saint Jean[4], le « Logos Spermatikos » des Grecs, tous les deux, fruits de l'Esprit s'activant dans la même matière.

C'est ainsi, qu'à la Pentecôte, les Apôtres virent apparaître « des langues qu'on eût dites de feu, elles se divisaient et il s'en posa une sur chacun d'eux[5] ».

● *Dans les rêves :*

Les images précises de langue sont rares dans les songes. Si c'est le cas, elles font allusion au langage (voir ce mot), moyen d'expression de la pensée créatrice qui sème le meilleur et le pire, l'idée devenant réalité.

Une grande langue pendante, attribut de certaines sorcières, est phallique.

La langue coupée ou absente est un symbole de castration, le Verbe ne pouvant plus créer.

---

1. *Ép. saint Jacques*, III-5 et s.
2. Voir *Hébreux* IV-2 ; *Apoc.* I-16, XIX-15.
3. A. Erman, *La Religion des Égyptiens, oc*, p. 118.
4. *Jean*, I-14.
5. *Actes*, II-3.

LARMES (Les)

Voir « Pleurer » et « Gorge ».

LÉVITATION (La)

La lévitation est l'élévation du corps d'une personne au-dessus du sol sans appui ni aide matérielle. Le mot vient du latin : « levitas » = « léger ».

La lévitation est opposée à la gravitation (lat. « gravitas » = « grave » puis « lourd », « pesant »).

La lévitation peut se produire au cours d'extases mystiques, tels saint Ambroise, saint Philippe de Meri, saint Thomas d'Aquin, sainte Thérèse d'Avila, sainte Catherine de Sienne, Madame Acarie... ou elle peut être mythique comme la montée au ciel d'Élie[1], le transport d'Ézéchiel[2] et de Mahomet à Jérusalem[3] ou encore, elle peut être légendaire comme l'ascension jusqu'au septième ciel du Prophète de l'Islam sur la jument blanche Boraq.

« Tous les objets de notre expérience, dit Jung, sont soumis à la gravitation, à une expérience près, celle de la psyché... l'absence de pesanteur caractérise la psyché... Elle représente le seul contraire connu à la gravitation. Elle est une sorte d'antigravitation au sens étroit du terme[4]. »

La gravitation est d'ordre physique et non psychique et, lorsque la lévitation se produit, elle donne l'impression de dégager le corps de cette loi applicable à la matière. Il semble donc, que, lors de la lévitation, l'imprégnation de la matière par l'esprit est telle qu'il la libère des effets de la pesanteur par un acte de transcendance.

● *Dans les rêves :*

La lévitation se présente dans les songes, mais assez rarement.

(−) En négatif, elle symbolise la fuite devant les réalités matérielles. On n'a pas les pieds sur terre, on flotte dans l'instable, on plane dans le vague, soit matériellement soit psychiquement.

(+) En positif, elle symbolise le pouvoir de l'esprit sur la matière et l'inconscient qui permet l'élévation miraculeuse dégageant le rêveur de la violence de l'instinct à l'état brut, des illusions et de toutes les erreurs dues à l'aveuglement du moi.

Une puissante transcendance s'effectue dans l'ensemble psychique.

Par l'abolition de la pesanteur, la condition humaine peut être dépassée. Le rêve est vraisemblablement anticipateur d'une évolution qui peut être

---

1. *2ᵉ Roi*, II-1.
2. *Ezech*, VIII-3.
3. *Coran, Sourate*, XVII-1.
4. *M.M.*, p. 115.

poussée au-delà d'une simple psychothérapie et s'orienter vers un degré supérieur de prise de conscience [1].

Voir « Voler dans les airs ».

LÈVRES (Les)

● *Dans les rêves* ·

Les lèvres des songes peuvent se rapporter à la parole (« parler du bout des lèvres ») et à la sensualité (« des lèvres gourmandes »).

Une grande lèvre pendante que l'on voit, par exemple, sur certaines représentations de sorcières est un attribut phallique.

M

MAINS (Les)

La main prend contact, capte, retient, immobilise, crée, exécute, guide, protège, répand, désigne, invoque, maudit, bénit, guérit et permet de se nourrir. Elle agresse, défend ou caresse. On serre la main par cordialité, et certains gestes de la main constituent un signe de reconnaissance pour tel ou tel parti politique.

Dès sa naissance, le petit bébé cherche à percevoir le monde en touchant les objets de sa main et, plus tard, cette main, principal instrument du toucher, palpe, tâte, pour appréhender, vérifier, apprécier.

Bref, sans la main, l'homme ne peut agir, il est désarmé, impuissant.

Sur le plan supra-sensible, la main est l'organe de transmission de certains fluides. Elle confère les pouvoirs sacerdotaux, transmet les bénédictions rituelles et assure, avec la parole, la Transsubstantiation, lors de la messe, du pain et du vin en corps et en sang de Jésus-Christ.

La main est, en outre, guérisseuse. Dans la pensée primitive, le sorcier ou le « medicine-man » ne peut traiter médicalement qu'en imposant les mains, en « travaillant » la partie malade avec les mains.

Chez les bouddhistes, les exercices yogiques se font avec les « mudras », c'est-à-dire des gestes et positions des mains significatifs : expressions de la méditation, argumentation, écart de toute crainte, charité, prédication, illumination, adoration et union mystique de la matière et de l'esprit. Le Bouddha lui-même est, la plupart du temps, représenté la main droite touchant la Terre afin d'en capter les effluves et demeurer ainsi en contact avec elle.

Tout au long des Évangiles, le Christ guérit avec les mains et spécifie que

1. Cf. *P.I.*, p. 221 et s.

ceux qui croiront et seront baptisés « imposeront les mains aux malades et ceux-ci seront guéris[1] ».

Les rois de France et d'Angleterre, intermédiaires de droit divin entre Dieu et le peuple, à certaines fêtes, « touchaient » de la main les incurables pour les guérir au moyen du pouvoir sacré qu'ils tenaient de la Divinité. La main est donc bien ressentie comme un instrument de la puissance opérante et elle en est le symbole.

Durant un événement heureux ou malheureux, nous voyons, comme dans la Bible, la « Main de Dieu » qui accorde, protège ou punit et, d'après la tradition chrétienne, Dieu châtie de la main gauche et pardonne de la main droite.

Chez les Égyptiens, les chamans et dans diverses autres religions, le soleil était couramment représenté muni de mains au bout de ses rayons, pour traduire sa puissance créatrice phallique : de ses mains, le soleil confère et entretient la vie.

Le sceptre, en tant qu'attribut de la puissance des rois de France, était formé, à partir du XVᵉ siècle, par un bâton court terminé par une main bénissante.

À Carthage, la « Main de Tanit » et chez les musulmans, la « Main de Fatma » assurait la protection divine. Aussi, voit-on, dans tous les pays arabes, cette main protectrice aux poignets ou à la cheville des femmes, ainsi qu'au front des ânes et des chevaux.

Par ailleurs, dans de nombreuses civilisations, la main figure dans les pentacles et les amulettes. Certaines de ces mains, en particulier à Byzance, possédaient six doigts : cinq doigts représentant les cinq sens corporels, le sixième, le sens mystique. On a même interprété, parfois, les doigts comme étant les rayons solaires de la main.

Toute œuvre « manuelle » de l'homme est le fruit du travail de ses mains : ses mains ont construit les cathédrales, ses mains pilotent un avion, ses mains cultivent la terre, ses mains lui permettent de porter la nourriture à sa bouche. Sans ses mains, il ne peut rien, il ne peut être que « désœuvré » et mourrait de faim si quelqu'un ne l'assistait pas.

Par analogie, cette constatation s'applique symboliquement à « l'œuvre spirituelle ». C'est pourquoi, chez les Grecs, le centaure Chiron — dont le nom vient de « cheir » = « main » — fut l'éducateur de nombreux dieux ou héros : Esculape, Hercule, Énée, Patrocle, Achille, Jason, Castor et Pollux, etc. Sa sagesse venait de l'équilibre qui existait entre l'être pensant (le torse humain) et les instincts (la croupe du cheval) vivant en parfaite harmonie, entre l'Esprit et la Vie. On le considérait comme Maître-Thérapeute possédant connaissance et clairvoyance, instructeur de Sagesse et guérissant aussi bien l'âme que le corps par la vertu des simples.

Son pouvoir, résultat de son savoir, venait de l'efficacité de ses

1. *Matth*, XVI-17.

incantations, du pouvoir magnétique de ses mains et de son habileté à la chirurgie (gr. « cheir » = « main » et « ergon » = « travail »).

La main est à tel point liée à l'esprit, active et parlante, qu'il existe un véritable langage des mains. Elles se ferment dans un mouvement de colère ; elles prient en se joignant ; elles s'ouvrent dans un geste d'accueil. Elles se prêtent du bout des doigts dans l'indifférence ; elles se donnent à pleine paume dans la chaude cordialité ; elles se crispent dans la tension, l'insécurité, le manque de confiance en soi ; elles sont relaxées dans le calme, la détente, la tranquillité. Enfin, elles s'abandonnent dans l'amour, la tendresse, l'étreinte.

Des gestes symboliques analogues s'expriment dans les mêmes sens, au moyen des mains, dans les rites et les danses sacrées du sud de l'Asie.

● *Dans les rêves :*

Les mains des songes évoquent, avant tout, l'activité créatrice, la « manufacture » (lat. « manu factura » = « travail manuel »), la « manœuvre » (« manu » et « opera » = « travail avec la main »), la « manipulation ».

Avec la main, on « manie » (de « main ») de telle ou telle « manière » (de la « main ») car elle permet à l'homme de communiquer avec sympathie ou antipathie et de s'exprimer sur tous les plans. À la limite, on « parle avec les mains » !...

Mains attachées, blessées, coupées :

Symbole de castration allant de l'inhibition à l'impuissance, de la passivité à l'incapacité, de l'entrave à la paralysie.

Avoir les mains sales :

Symbole d'activité répréhensible, dans le présent ou dans le passé, dont on porte encore la tache.

Ponce Pilate se « lave les mains » de l'injustice faite au Christ, Lady Macbeth ne peut faire disparaître de ses mains les souillures de son crime et toutes les religions connaissent les ablutions rituelles, tel le « lavabo » de la Messe.

Mains mordues par un animal :

La mauvaise acceptation de la vie instinctive et de ses lois gêne et paralyse, par refoulement, les activités créatrices tant sur le plan intérieur que sur le plan extérieur.

Celles-ci, sous la forme d'un animal, attaquent en mordant pour se faire reconnaître car nous n'avons pas à refuser les lois de l'existence sous peine de, parfois, le payer chèrement.

Voir « Attaquer et Être attaqué ».

MALADIES ET ACCIDENTS (Les)

Maladie (lat. « male habitus » = « qui se trouve en mauvais état ») ; accident (lat. « accedere » = « survenir »).

Le corps médical, de nos jours, se réfère de plus en plus à l'origine psychique des maladies : c'est la médecine psychosomatique[1].

« On sait de longue date, écrit Jung, que ce sont les manifestations affectives qui influencent principalement le système nerveux sympathique, celui-ci présidant à son tour au fonctionnement végétatif de l'organisme. Les affects, de ce chef, font se dilater les vaisseaux, agissent sur le cœur, vous donnent des palpitations, vous font rougir ou vomir, modifient les capillaires sanguins de la surface de la main, l'état des sécrétions ou de repos des glandes de la peau, la position des poils, vous donnent la chair de poule, etc. Il est donc légitime de déceler des affects par des modifications organiques de cette nature, qu'il est facile d'enregistrer à l'aide d'un circuit électrique simple[2]. »

Il semble bien que les maladies psychosomatiques constituent des avertissements de la Nature — des « sonnettes d'alarme » — destinés à inviter le sujet à se mettre en question, à prendre conscience de ses problèmes, réviser sa manière de vivre et amorcer une prise de conscience. A tel point que, d'après M.-L. von Franz, « l'inconscient peut agir au moyen de maladies, d'accidents de voiture ou autres[3] ».

Et Jung écrit : « Une des formes les plus fréquentes que revêtent les dangers que fait encourir l'inconscient, c'est la détermination d'accidents[4]. »

Quant à F. Alexander, il va jusqu'à préciser que « l'individu prédisposé aux accidents est essentiellement un *révolté ;* il ne peut supporter même la discipline qu'il s'impose à lui-même. Il se révolte contre l'autorité extérieure mais aussi contre les lois dictées par sa propre raison et le contrôle de soi[5] ».

Le « révolté » est généralement la victime inconsciente d'une incompatibilité psychique insupportable qui oppose en lui l'exaltation dionysiaque et la fantaisie créatrice aux contraintes du sérieux, du rationnel, du surordonné, du raisonnable, des obligations vitales, des règles sociales, etc., aussi bien extérieures qu'intérieures puisque le conscient se doit de réfréner les pulsions aussi violentes que chaotiques de l'inconscient[6].

Une autre origine des maladies vient du fait que l'homme civilisé est

---

1. Cf. P. Solié, *Psychologie analytique et Médecine psychosomatique,* Mont-Blanc, 1969, et Dr. F. Alexander, *La Médecine psychosomatique,* Payot, 1977.
2. *H.D.A.,* p. 158.
3. *A.O.,* p. 153.
4. *P.I.,* p. 219.
5. F. Alexander, *La Médecine psychosomatique, oc,* p. 182.
6. Il semble que, seul, Jung ait mis en relief l'importance de ce conflit inévitable et source de sérieuses névroses. Cf. *T.P.,* p. 55 à 67. Il s'agit de l'opposition : « nature-culture ». Cf. *P.I.,* p. 64, 73 et 74.

déraciné de ses bases instinctives et, de ce fait, finit par ignorer ce qui convient et ce qui ne convient pas à la bonne santé de son corps et de son âme.

« L'homme civilisé, écrit Aldous Huxley, a à peu près réussi à se protéger contre les fléaux [des maladies contagieuses], mais il a suscité à leur place un déploiement formidable de maladies de dégénérescence, qui ne sont guère connues chez les animaux inférieurs [1]. »

Pour les religions extrême-orientales, du temps du Christ et des Pères de l'Église jusqu'au vi^e siècle, les maladies et infirmités étaient considérées comme étant les conséquences karmiques de nos erreurs, qualifiées de « péchés ». Ainsi, le Bouddha s'efforce, par sa doctrine, de nous délivrer des maladies, de la décrépitude, de la vieillesse, de la mort, rançons de nos fautes ayant pour conséquence la souffrance.

« Les maladies sont des purgatoires [2] », disait Paracelse.

● *Dans les rêves :*

Les maladies, dans les songes, se rapportent presque exclusivement aux perturbations psychiques qui font souffrir et affaiblissent le rêveur et non aux troubles physiques. Par exemple, un rêve de cancer ou de tuberculose ne concerne pas le corps mais un trouble (à déterminer) qui le ronge et qui est, généralement, associé à des sentiments de culpabilité qui provoquent des mécanismes d'autopunition.

Lorsque paraissent des personnages ou des animaux malades, il peut s'agir d'éléments négligés (à déterminer) qui ne vivent, psychiquement, que comme s'ils étaient affaiblis par la maladie.

Cependant, des éléments négatifs puissants, mais en voie de disparition, peuvent apparaître malades dans les rêves : par exemple, les complexes parentaux ou une forte projection qui, jusqu'ici, paralysaient le rêveur, mais dont les forces contraignantes tendent maintenant à s'atténuer jusqu'à disparaître. Voir « Mort ».

MAMELLES (Les)

Voir « Seins ».

MANGER — LE REPAS

Voir « Avaler », « Dévoré (Être) », « Faim (Avoir) », « Nourriture », « Jeûner ».

Á sa naissance, l'homme se trouve plongé dans un degré d'inconscience tel que sa seule activité consiste à dormir et à boire le lait maternel (ou ses dérivés dans la vie moderne).

Dans les religions judéo-chrétiennes, cette phase correspond à l'épisode paradisiaque de l'Éden où le premier homme se trouve en état de

1. A. Huxley, *La Philosophie éternelle*, Plon, 1948, p. 280.
2. « Purgatoire » du lat. eccl. « purgatarium » = « qui purifie ».

plénitude et de totale inconscience animale. C'est alors qu'un instinct mystérieux, propre à la condition humaine — symbolisé par le serpent —, le pousse, par le truchement de l'anima-éros (Ève) à « manger » un fruit de l'arbre interdit de la Connaissance [1]. Il « absorbe » ainsi une parcelle de conscience et, aussitôt, cesse l'état paradisiaque, en raison du conflit qui, désormais, va opposer le conscient à l'inconscient.

Mais Dieu veut le retour à l'état paradisiaque, céleste cette fois, en contraignant l'homme à gagner son « pain » spirituel à la sueur de son front [2] et se réaccoucher psychiquement dans la douleur [3], allusion au thème archétypique de la renaissance psychique.

Cette douloureuse évolution ne peut s'effectuer que par « l'absorption », par le conscient, des contenus de l'inconscient, symbolisée par la manducation et par toutes les images qui s'en inspirent.

Parfois, nous rencontrons, dans les livres sacrés et les légendes, le thème du prophète, du saint ou du héros, nourrissant ou nourri par la multiplication miraculeuse de certains aliments. Jésus multiplie les pains et les poissons [4]. Élie est secouru dans le désert, lui et sa famille, par un corbeau qui lui procure à manger avec une poignée de farine restant au fond d'une cruche [5].

Dans la *Légende dorée,* saint Dominique, au couvent de Sainte-Sixte, rassasie quarante de ses frères avec un tout petit pain qu'on divise en quarante bouchées. Pendant que les frères mangent ces bouchées, deux anges apparaissent et déposent des pains sur la table.

Certains grands Maîtres spirituels, tels saint Paul ou Maître Eckhart, nous mettent en garde contre un faux ascétisme de renoncement à la nourriture (voir « Jeûne », « Ascétisme »).

Un autre aspect symbolique de la nourriture consommée par le corps est souligné par le motif du « repas pris en commun ». Le rituel du repas assemblant les croyants se retrouve dans les religions orientales et syriennes, dans les cultes de Cybèle et de Dionysos, dans le culte de Mithra aussi bien que dans les temples égyptiens. On y dévorait généralement un animal considéré comme divin. Ce banquet sacré témoignait, par un geste extérieur, que les fidèles d'une même divinité formaient une grande famille. Le néophyte admis à la Table sainte était considéré comme l'hôte de la communauté et devenait frère parmi les frères.

L'Ancien Testament règle les « repas sacrés » ordonnés par Yahvé [6].

Dans le Nouveau Testament, Jésus prend un repas avec ceux qui ont péché, malgré le reproche des Pharisiens. Plus tard, au Cénacle (lat.

1. *Gen.,* Chap. III.
2. *Ibid.,* III-19.
3. *Ibid.,* III-16.
4. *Matth.,* XIV-19 et XV-36.
5. *1ᵉʳ Roi,* XVII-
6. *Exo.,* XXIX-31.

« cena » = « repas du soir »), le Christ institue l'Eucharistie (gr. « eukha-
ristia » = « action de grâce ») qui deviendra la « Sainte Communion »,
appelée également « Banquet Sacré » ou « Banquet Eucharistique » et qui
permet de rassembler les fidèles en « Communion des Saints »[1].

Mais avant que l'Église n'eût institué une liturgie, les premiers chrétiens,
vraisemblablement entraînés par saint Paul[2], se réunissaient pour prendre
en commun le repas du soir, repas que l'on nommait « Agapes » (gr.
« agapè » = « amour ») terme correspondant à la future « Caritas » chrétienne (lat. « carita » = « cher »)[3].

La mythologie gréco-romaine fait allusion aux banquets des dieux au
cours desquels ils consomment l'ambroisie et le nectar d'immortalité
autour de Zeus.

Plus prosaïquement, nous savons que les banquets dégagent une
atmosphère cordiale, franche et euphorique qui est à l'origine de l'expression : « la chaleur communicative des banquets » et qui amène à organiser
des « dîners d'affaires » dans l'espoir que cette ambiance de détente
permette d'obtenir d'avantageux contrats.

Cette idée « d'échanges fraternels » (et « confraternels ») se retrouve
dans les « symposium » (gr. « sumposion » = « banquet ») où des spécia-
listes traitent d'un sujet savant et « échangent » leurs points de vue.

N'oublions pas, enfin, que le mot « compagnon », s'appliquant à
quelqu'un qui partage habituellement ou occasionnellement la vie et les
occupations d'autres personnes, vient du latin « cum panis » = « qui
partage le pain avec... »

Mais l'assimilation des contenus de l'inconscient ne doit pas se limiter à
un simple savoir intellectuel car « ce n'est pas ce que l'homme mange qui le
rend fort mais ce qu'il digère[4] ».

● *Dans les rêves :*

Le fait de manger, dans les songes, symbolise, avant tout, l'assimilation
des contenus de l'inconscient et l'intégration au conscient de l'énergie
vitale qui s'y trouve investie.

On pourrait dire que « l'inconscient-Mère » nourrit le « conscient-
Enfant » afin d'assurer son développement. Par la manducation, le rêveur
absorbe ces énergies dispensées par l'inconscient nourricier, assimilé à
l'Alma Mater.

Mais l'intégration de l'énergie de l'inconscient ne va pas sans révolte et
amertume de la part du moi dont la suprématie doit abdiquer devant le
Soi. Une souffrance certaine peut caractériser le début de ce processus.

La fringale indique parfois, également, un violent instinct de possession

1. *Matth.*, XXVI-26 et s.
2. Cf. *Ier Cor.*, X-16 et s.
3. *Ier Ép. Jean.*, IV-7.
4. Piers Plowman, philosophe anglais du XIVe siècle.

sexuelle. Aussi dit-on « belle à croquer » ou « on en mangerait » dans les rapports amoureux.

Car le baiser (voir ce mot) est effectué avec la bouche (voir ce mot), aussi bien utilisée pour embrasser que pour se nourrir. Le baiser aspire et veut posséder pour mieux absorber l'être aimé : on « dévore de baisers » parce qu'on est « dévoré de désir ».

Manger avec avidité ou de manière excessive :

Ce geste peut compenser une réelle sous-alimentation du corps. Le rêve constitue, alors, un avertissement, quelles que soient les circonstances extérieures : mauvaise diététique, conditions économiques, guerres, paupérisme, etc.

Mais cette image peut aussi être interprétée comme le symbole de l'avidité de l'ego dans tel ou tel domaine matériel ou spirituel (à déterminer). Si l'avidité est excessive, il s'agit alors d'une véritable boulimie (voir ce mot) psychique infantile et la nourriture dont on est affamé est généralement la tendresse et l'affection parentales sécurisantes dont, à tort ou à raison, on se sent frustré. Ce sentiment de frustration rend généralement amer, dur, égoïste, profiteur, parasite et conduit à ne rien accorder en retour de ce que l'on reçoit.

En outre, l'anxiété, le sentiment d'indignité, la perpétuelle insatisfaction conduit à être malheureux, geignard, inhibé et revendicateur jusqu'à dérober le bien d'autrui. C'est pourquoi les prisons sont peuplées d'individus dont l'enfance a méconnu la chaleur affective. Voir « Voler (Dérober) ».

Manger avec écœurement et sans pouvoir avaler :

Même symbolisme que le vomissement (voir ce mot). La « nourriture de l'existence » est mal acceptée. Quelque chose écœure soit dans la vie extérieure, soit dans la vie intérieure (à déterminer).

Manger avec répulsion un animal plus ou moins répugnant :

Les instincts qui s'activent dans l'inconscient sont considérés, en raison de leur refoulement, comme tellement écœurants qu'ils suscitent une extrême aversion. Il y a surconscience intellectuelle, sentimentale ou « morale » qui éloigne des pulsions instinctives les plus légitimes.

Ce songe très rare existe cependant et Jung, à ce sujet, cite un rêve récurrent de Nietzsche qui vécut malade et mourut dément : il devait, dans une indicible angoisse, avaler un crapaud qu'il ne pouvait pas déglutir. « La " volonté de puissance " de son ego-conscient (le " surhomme ") ne parvenait plus à vivre l'instinct animal de l'existence d'où émane l'énergie dynamique de la vie. Il ne fut donc qu'une personnalité maladive[1]. »

---

1. Cf. *P. I.*, p. 69.

Prendre un repas en commun :

Dans les songes, cette image apparaît sous deux aspects.

Le rêveur, ou un personnage du rêve, partage un repas avec un autre personnage : deux aspects psychiques (à déterminer) tentent de répartir l'énergie selon la part qui revient à chacun. L'un des aspects ne cherche plus à exploiter cette énergie à son seul profit mais aux dépens de l'autre.

Le rêveur partage un repas avec plusieurs personnages : il y a tentative de répartition de l'énergie au sein de l'ensemble psychique, chaque élément de la psyché ayant droit à la masse énergétique qui lui est impartie.

Parfois, le rêveur aperçoit un banquet dont il est exclu : c'est que le moi de ce rêveur n'est pas encore parvenu à un juste partage de l'énergie psychique au sein de lui-même.

N. B. : Ces thèmes peuvent éventuellement s'appliquer à la vie extérieure. Le rêveur souffre d'isolement et tente de se réintégrer au social et, ainsi, d'accepter les lois de tous. Il doit s'asseoir au « Banquet de la Vie », composé de mets agréables et de mets amers.

Multiplication des aliments :

Il arrive parfois, dans les songes, que les aliments se renouvellent au fur et à mesure que le rêveur, ou un personnage du rêve, les consomme. La source en paraît intarissable.

Ce thème souligne que la nourriture spirituelle est inépuisable et que tous y ont droit mais à condition de se soumettre aux directives du Soi.

Souvent subsistent des restes après que tous les personnages du rêve ont été rassasiés. Une telle image fait ressortir que les nourritures spirituelles demeurent toujours à la disposition de ceux qui en sont affamés.

Manger du cadavre :

Le conscient assimile des contenus de l'inconscient qui jusqu'ici ne parvenaient pas à s'épanouir au sein de la psyché. Une pulsion instinctive stimule le moi à réaliser l'optimum vital en harmonisant vie et esprit. Cette image rappelle celle de l'Ouroboros.

Manger des excréments :

Voir « Excréments ».

Manger ses viscères :

Ce rêve, très rare, rappelle l'image de l'Ouroboros.

MASTURBATION (La)

Le mot vient du latin « manu » et « stuprare » = « souiller avec la main ».

Le terme est synonyme d'onanisme, lui-même dérivé d'Onân, personnage de la Bible qui provoqua la colère de Yahvé qui le fit mourir parce qu'il « laissait perdre à terre sa semence » chaque fois qu'il devait s'unir à la veuve de son frère car, suivant les mœurs de l'époque, les enfants qu'il aurait eus avec elle seraient allés à la postérité de ce frère décédé [1].

La masturbation constitue un acte normal chez les adolescents qui, pour la plupart, ne peuvent encore avoir des rapports amoureux réguliers. Généralement, elle disparaît avec la possibilité d'une vie sexuelle régulière.

La masturbation, prolongée à l'état adulte, relève de « *l'auto-érotisme* », (gr. « autos » et « eros » = « soi-même » et « amour »), terme créé par l'école freudienne et qui s'oppose à l'amour objectal.

Dans l'auto-érotisme, la sensualité s'oriente vers le sujet lui-même qu'elle prend comme objet d'amour. Il semble, alors, que l'auto-érotique se trouve dans l'incapacité d'investir sa libido amoureuse sur un sujet autre que lui-même.

L'origine de l'auto-érotisme des adultes doit être recherchée dans l'incapacité de sortir de l'infantilisme psychique, soit que l'enfance ait été heureuse et trop protégée et le sujet ne veut pas en sortir, soit qu'elle ait été douloureuse et le sujet n'a aucune envie de se lancer dans une existence dont il a une image extrêmement négative à travers ses premières expériences vitales.

● *Dans les rêves :*

Le plus souvent, la masturbation des songes (rêveur ou personnage du rêve) indique, comme pour l'homosexualité (voir ce mot), que le féminin et le masculin se « court-circuitent » eux-mêmes au sein de la psyché au lieu de s'harmoniser pour créer le troisième terme : l'enfant. Il y a donc infécondité tant sur le plan intérieur que sur le plan extérieur.

Il en résulte une dissociation interne jointe à la difficulté à prendre un engagement avec une personne de sexe opposé.

Ainsi que nous l'avons vu, la masturbation onirique trouve sa source dans l'auto-érotisme infantile et dans la nostalgie du « Paradis Perdu » qui bloque l'évolution au stade narcissique.

Plus rarement, les rêves de masturbation traduisent la révolte contre la pseudo-morale sexuelle conventionnelle. Le personnage du rêve se livre à la masturbation comme par défi, comme dans le rêve suivant d'un homme :

« Je prends des leçons de musique — du violon, qu'en réalité je ne pratique pas. Le professeur, que je ne vois pas, me dit que pour mieux réussir, il faut que je me livre à la masturbation. »

La musique est l'expression absolue de soi-même. Pour se réaliser, le rêveur doit retrouver sa personnalité authentique et accepter la sexualité, interdite par la morale, même s'il doit d'abord régresser jusqu'au stade obligatoire de l'auto-érotisme narcissique de l'enfance.

1. *Gen.*, XXXVIII-8.

MATRICE (La)

Voir « Utérus ».

MENSTRUATION (La)

Racine « mens » = « mois », mais il s'agit du mois lunaire et non du mois de notre calendrier. Les menstrues apparaissent en réalité à des intervalles allant de vingt-cinq à trente jours, soit, en moyenne vingt-huit jours et on dira d'une femme qu'elle est bien « réglée » si elle a ses « règles » tous les vingt-huit jours. Or, vingt-huit jours correspondent à peu près à la révolution sidérale de la lune qui varie de vingt-huit à vingt-neuf jours environ.

Dans l'inconscient et pour l'homme primitif, la synchronisation entre le rythme menstruel de la femme et le cycle lunaire doivent être ressentis comme la preuve évidente qu'il existe un lien mystérieux entre elles. D'où le nom de « menstrues » et l'association de la Lune au Principe Féminin (Grandes-Déesses Mères des mythes et religions, Vierge Marie, alchimie, etc.).

D'ailleurs les Grecs, les Chinois, les Israélites, les Musulmans employaient des calendriers basés sur le cours de la lune et non sur celui du soleil, comme dans le calendrier grégorien.

Les Indiens d'Amérique du Nord croyaient que la lune était une femme, la première femme, et qu'elle était « indisposée » quand elle décroissait.

Dans certaines régions d'Europe, les paysans croient que la lune a des « règles » et que, pendant la lune rousse, son sang se répand sur la terre.

Presque universellement, pendant les menstruations, les femmes ont été ou sont soumises à de rigoureuses restrictions. Elles sont considérées comme « tabou », mot d'origine polynésienne qui signifie aussi bien « sacré » que « intouchable », « interdit », « à l'écart » et « malpropre »[1].

Dans le Coran, le Prophète spécifie : « Tenez-vous à l'écart des femmes durant leurs menstruations, et ne vous approchez point d'elles avant qu'elles ne soient pures[2]. »

La Bible, également, considère la femme comme impure au moment de ses règles. Ici, comme chez de nombreux primitifs, la femme qui enfante se trouve dans le même état d'impureté que celle soumise à ses menstrues. D'après le Lévitique, « si une femme est enceinte et enfante un garçon, elle restera impure pendant sept jours, comme au temps de ses règles... Elle ne touchera à rien de consacré et n'ira pas au sanctuaire jusqu'à ce que soit achevé le temps de sa purification. Si elle enfante une fille, elle sera impure deux semaines, comme pendant ses règles, et restera, de plus, soixante-dix jours à purifier son sang[3] ».

---

1. Pour une étude plus approfondie de la question, on peut consulter le remarquable ouvrage de E. Harding, *Les Mystères de la Femme, oc*, p. 64-67.
2. Le Coran, *Sourate*, II-222.
3. *Lev.* XII-2, XV-19, XV-25, XX-18 et *2re Sam.* XI-4.

Les ovaires apparaissent aussi comme etant en relation avec le mental, terme dont la consonance se rapproche de celle des menstrues : en latin « mens » = « esprit » et « mentis » = « mois » aussi bien que « menstrues ».

Aussi, n'est-il pas étonnant que les règles provoquent des troubles caractériels et psychiques tels que agitation, dépression, migraines, nausées. E. Harding écrit à ce sujet : « Au moment des règles, la nature féminine, instinctivement, se manifeste fortement chez la femme et, telle une marée montante, engloutit au moins une partie de sa conscience...

... Lorsque, pendant les menstruations (associées à la nouvelle lune ou ' lune noire '), une femme éprouve elle-même un manque d'harmonie, de l'irritation, une sorte d'inertie ou d'inquiétude, il lui est possible, en prenant délibérément le temps de s'isoler, d'obtenir une harmonie psychologique que la femme primitive trouvait peut-être en se soumettant aux tabous qui lui étaient imposés... [1] »

En ne s'opposant pas à l'instinct, en l'acceptant, la femme peut récupérer une énergie qu'elle mettra à la disposition du conscient à des fins créatrices au lieu de s'épuiser en luttes vaines de tendances irréconciliables. Les menstruations la mettent en rapport avec le cycle cosmique de l'astre lunaire, l'aidant ainsi à sortir de son isolement individuel pour s'insérer dans le grand rythme universel de la Nature.

Le cycle menstruel peut « éveiller en elle un sens profond d'obéissance à la puissance créatrice de la vie [2] ». La femme s'intègre grâce à lui à l'ensemble de la communauté humaine au lieu de ne prendre, dans l'existence, que ce qui profite à son seul égo.

Les règles peuvent donc puissamment aider la femme à passer de l'inconscient personnel à l'inconscient collectif.

Les violents affects qu'elles suscitent, qu'ils soient positifs ou négatifs, peuvent ressortir de nombreuses causes. La petite fille étant féconde à sa puberté et la femme inféconde dès que cessent ses règles, aux menstruations s'attache l'idée de *fécondité*, elle-même liée à la puissance de l'*instinct maternel*.

Les règles ravivent, par ailleurs, le *complexe de castration* freudien que souligne le sang s'écoulant de la plaie provoquée par l'amputation du pénis et, par extension, du phallus. Elles rappellent la rupture de la paradisiaque androgynie primitive telle qu'elle est, par exemple, soulignée par la Genèse [3] et par « l'homme sphérique » de Platon [4]. Le point de disjonction semble se rouvrir et saigner tous les mois et témoigner ainsi de l'état d'impureté découlant de la « *faute originelle* » associée à l'idée de péché, de tache, de souillure et d'indignité, comme si la femme seule en portait la responsabilité.

1. E. Harding, *Les Mystères de la Femme, oc,* p. 84 et s.
2. H. Henderson in *L'Homme et ses Symboles, oc,* p. 132.
3. *Gen.,* I-27.
4. *Le Banquet,* 189 et s.

Il y a, en outre, dans les règles, une analogie certaine entre le détachement de l'ovule et une *fausse couche* (naturelle ou provoquée) avec tout ce que ce processus peut répercuter de tendance dépressive sur le psychisme féminin.

Par projection, l'homme primitif (et, peut-être bien des hommes civilisés !...) rend la femme responsable de son problème et la décrète « tabou » pendant ses périodes menstruelles. Et nous savons que la projection est aveugle et irrésistible. Mais le mot « tabou » (voir plus haut), aux sens multiples, peut avoir une signification positive ou une signification négative. En l'occurrence, la femme qui a ses règles est « vécue » comme maléfique.

Lorsqu'une femme est affligée d'un complexe-mère négatif, c'est-à-dire d'un complexe-mère dont la puissance est à ce point contraignante qu'elle ne parvient pas à s'en libérer, elle entretient une attitude défensive à l'égard de sa propre mère et de tout ce qui relève de la « Mère ». « Son leitmotiv sera : tout pourvu que ce ne soit pas comme la mère »... et la « résistance contre la mère-utérus se manifeste souvent par des troubles menstruels, des difficultés dans la conception, l'horreur de la grossesse, des hémorragies pendant la durée de celle-ci, des accouchements avant terme, des grossesses interrompues et autres désordres du même genre [1] ». Il y a donc *refus inconscient de procréation et, par voie de conséquence, des cycles menstruels afin de ne pas se comporter comme la mère.*

● *Dans les rêves :*

D'une manière générale, dans les songes, l'allusion aux règles féminines se rapporte à la *fécondité* de la femme, que celle-ci soit d'ordre physique, psychique ou spirituel (niveau à déterminer).

Chez l'homme, de telles images traduisent une sorte de dégoût du féminin plus ou moins associé à la malpropreté.

Chez la femme, il est important d'insister sur les associations d'idées se rapportant à ses premières règles qui la marquent souvent d'affects importants : soit qu'elle ait été heureuse de découvrir sa condition féminine qui lui permettra d'être mère, soit, tout au contraire, qu'elle ait souffert de traumatisme venant de la maladresse de l'entourage ou de l'angoisse d'avoir à devenir adulte responsable, c'est-à-dire « mère ».

En bref, le symbolisme onirique des règles se rapporte :

(−) Au refus d'accepter la condition féminine, accompagné d'un sentiment de honte, d'angoisse et de faute, principalement en raison du complexe-mère mais parfois aussi en raison d'un fort attachement œdipien au père : il serait incestueux d'avoir un enfant de son père. La rêveuse préfère demeurer à l'état infantile que d'affronter la vie. Il peut aussi se rapporter à un complexe d'infériorité plus ou moins prononcé venant d'un

1. *R.C.*, p. 109.

sentiment de castration vis-à-vis de l'homme (souvent, par rapport aux frères).

(+) A la fécondité de la condition féminine acceptée avec joie, les règles impliquant la capacité de procréer les enfants.

Par exemple, chez certaines femmes névrosées, qui n'acceptent pas leur féminité, l'apparition des règles, chez la rêveuse ou un personnage du rêve, marque un net progrès psychothérapeutique : la rêveuse commence à sortir de l'état infantile et se dispose à affronter la vie en adulte.

MENTON (Le)

Une forte mâchoire indique une volonté puissante, virile et réalisatrice, si elle s'accompagne d'un menton proéminent (Napoléon, Mussolini).

● *Dans les rêves :*

Le menton particulièrement développé apparaît parfois dans les songes et possède le même symbolisme phallique que l'on retrouve dans les représentations priapiques du Polichinelle ou dans les mentons proéminents des sorcières.

MEURTRE (Le)

Voir « Tuer ».

MORSURE (La)

Si un animal nous attaque en nous mordant, nous sommes bien obligés de cesser toute activité en cours, de faire face à son agression, d'en chercher, si possible, la raison et de trouver une solution. Voir « Attaquer et Être Attaqué ».

L'animal qui mord nous contraint à « nous exposer et à payer de notre personne [1] » ; nous n'avons plus la possibilité de fuir la masse d'énergie instinctive qu'il représente car « la fuite devant l'inconscient est illusoire [2] »

« Plus, dit Jung, l'attitude de la conscience par rapport à l'inconscient est faite de refus, plus ce dernier devient dangereux [3] » et ce danger, chargé d'angoisse, se traduit par l'image de l'animal qui agresse et qui mord.

● *Dans les rêves :*

Lorsqu'un animal mord, dans les songes, il convient de tenir compte de deux facteurs. Il faut considérer de quelle espèce d'animal il s'agit, car chacune d'elle possède un symbolisme particulier, depuis l'insecte jusqu'au tigre, en passant par le chien, le chat, le crabe, etc., avec une mention particulière pour les bêtes venimeuses telles que le serpent ou le scorpion.

1. *P. et Al.*, p. 250.
2. Cf. *Ibid.*, p. 192.
3. *M.A.S.*, p. 491.

Il convient, par ailleurs, de s'attacher à la partie du corps atteinte par la morsure, chacune de ces parties possédant un sens qui lui est propre.

Par exemple, un chien mordant à la main signifiera que le désaccord avec l'univers instinctif (le chien) gêne l'activité créatrice (la main), intérieure ou extérieure (à approfondir).

En toute généralité, la morsure indique une discordance entre l'intellect conscient et les pulsions instinctives, sexuelles et affectives. Il serait souhaitable que le rêveur redonne à sa nature animale l'activité normale qui lui revient (carence de vie sexuelle, par exemple). Elle peut aussi exprimer une manifestation de la Mère Terrible : la Mère-inconscient envoie chiens, serpents, scorpions ou vers venimeux qui « tuent » celui qui ne parvient pas à sortir de la paradisiaque inconscience maternelle, afin qu'il puisse renaître. L'image de la morsure empoisonnée symbolise, ici, l'angoisse déterminée par la lutte tragique contre le tabou de l'inceste. Isis, en tuant le vieux Râ par un ver venimeux afin que naisse Horus, en est le meilleur exemple.

Dans les deux cas, le symbolisme de la morsure est similaire à celui de la blessure qui guérit. Mais, ici, le rêveur est invité à « s'exposer et payer de sa personne [1] ». Voir « Blessure ».

MORT (La)

La mort est, selon Jung [2], non seulement un événement physique mais un événement psychique marqué par l'appréhension de l'*inconnu,* de ce qui nous attend au-delà, et d'une impression de solitude glacée, sans chaleur affective.

Mais avant ce terme angoissant, « toute vie doit traverser de nombreuses morts » [3], ce qui ne va pas sans malaise. On éprouve ces morts tout au long de l'existence, mais principalement au moment des deux plus grandes crises : le passage de l'adolescence à l'état adulte (dix-huit à vingt-deux ans), et le passage du milieu de la vie (trente-cinq à quarante ans chez la femme, quarante à quarante-cinq ans chez l'homme). Ces passages sont vécus comme la mort définitive d'un passé à jamais révolu au moment d'aborder une nouvelle étape de l'existence. Une telle mort psychique, si nécessaire qu'elle soit, est souvent associée à un sentiment de mort physique à laquelle certains donnent, inconsciemment, un coup de pouce par un « inexplicable » suicide (voir « Suicide »).

Sans doute faut-il voir dans la nécessité des métamorphoses la source des fantaisies de mort car que nous acceptions l'évolution qui se fait ou que nous la refusions, un sacrifice, une mort nous est demandé. De toute façon, celui qui « renonce à tenter de vivre doit en étouffer en lui le désir, donc réaliser une sorte de suicide partiel [4] »

1. *P. et Al.,* p. 250.
2. *M.V.,* p. 358.
3. *R.C.,* p. 115.
4. *Ibid.,* p. 295.

Certes, l'homme voudrait demeurer « infantile » dans la bienheureuse inconscience animale sous l'aile protectrice de la Mère-inconscient. Mais le tabou de l'inceste le contraint à prendre son autonomie afin de devenir adulte : paralysé par la mère (thème d'Œdipe et de Jocaste), il est poussé à s'en libérer (thème de Persée et de Méduse).

Nous savons que le conscient ressent l'inconscient comme étant la Mère qui l'a engendré puisque le nourrisson voit petit à petit naître en lui une parcelle de conscience au sein de laquelle va se développer l'ego et que ce dernier lui paraîtra jaillir de l'inconscience totale dans laquelle il se trouvait. Ce développement va créer, au départ, un tenace antagonisme — douloureusement anxiogène — entre le conscient et l'inconscient. Mais la fonction transcendante va stimuler l'individu à rechercher la conscience totale pour retrouver la bienheureuse unité primordiale, l' « inconscience absolue » et la « conscience absolue » étant également ressenties comme paradisiaques. Universellement, un tel processus est vécu comme une pénétration dans le sein de la Mère, impliquant la « mort » momentanée de l'ego en vue de sa renaissance pleinement consciente.

Citons quelques thèmes principaux de ce motif archétypique : le baptême par immersion, le héros avalé par le monstre, la descente aux enfers, les déluges, le nouveau nom pris par le religieux qui meurt au monde, les paroles du Christ à Nicodème[1] ou le fameux « Si le grain ne meurt... »[2].

On comprend mieux alors l'aspect le plus obscur, le plus mystérieux de l'angoisse de mort : au-delà de la perte de l'hégémonie du moi, cette angoisse est suscitée par le tabou de l'inceste et l'impossibilité de se libérer de la Mère-inconscient. On ne s'étonnera donc pas que Jung ait vu dans le prétendu instinct de mort freudien un instinct « qui signifie vie spirituelle[3] ».

La mort est inconsciemment perçue comme une réintégration. En mourant, il nous semble rentrer dans le sein de la Grande-Mère en vue d'une renaissance physique ou psychique selon les croyances. Certaines civilisations placent des œufs ou des coquillages, symboles de la matrice maternelle, dans les tombes, ou, comme en Égypte, peignent à l'intérieur des cercueils les signes zodiacaux du destin éternel. Plus près de nous, les morts sont ensevelis dans des lieux sacrés : catacombes, cryptes, cimetières, chapelles, etc., c'est-à-dire dans la terre maternelle qu'il est interdit de profaner. D'où aussi les attributs de bien des déesses-mères qui donnent la vie, la reprennent, comme Kali-Durga aux Indes.

On comprend donc à quel point l'idée de décéder (lat. decedere = s'en aller) peut être ambivalente : des sentiments de crainte et de désespoir vont s'attacher à cette fin dernière, mais aussi — et précisément à cause de

1. *Jean.*, III, 3.
2. *Ibid.*, XII, 24.
3. *M.A.S.*, p. 549 et p. 29.

cette peine et de cette angoisse — des sentiments de soulagement et de délivrance (conduisant, par exemple, au suicide libérant définitivement de la souffrance, pour retrouver le « Paradis Perdu » de l'inconscience totale et même d'avant la naissance).

C'est ainsi que, suivant les ethnies, les funérailles sont célébrées dans l'affliction ou dans l'allégresse. Le chagrin devant la mort se traduit par le deuil, par les « pleureuses » louées pour les enterrements et par divers gestes de la Bible et de l'Antiquité qui voulaient qu'on se tonde la chevelure (voir « Cheveux »), qu'on se déchire ses vêtements ou qu'on se couvre de cendres en apprenant la disparition d'un être cher.

Par contre, la mort peut prendre un tour joyeux si elle est vécue comme un acheminement vers la *conjonctio oppositorum* qui libère, enfin, de la douloureuse tension des contraires qui nous déchirent. La mort apparaît alors comme un événement heureux : « Dans la perspective de l'éternité, dit Jung, elle est un mariage, un *mysterium conjunctionis*, un mystère d'union. L'âme, pourrait-on dire, atteint la moitié qui lui manque, elle parvient à la Totalité. Sur les sarcophages grecs, on représentait par des danseuses l'élément joyeux ; sur les tombes étrusques, on le représentait par des banquets... et, encore dans bien des contrées il est d'usage, à la Toussaint, d'organiser des pique-niques sur les tombes [1]. »

Dans presque toutes les religions, la mort est « une promesse d'immortalité » ; elle semble nous plonger dans le nirdvandva bouddhique et brahmanique, c'est-à-dire correspondre à « l'immersion du moi personnel dans l'existence infinie » [2], état spirituel paradisiaque dans lequel les oppositions cessent de se heurter cruellement. Ce qui fait dire à Jung que « la plupart des religions sont des systèmes compliqués de préparation à la mort, au point que la vie ne serait réellement qu'une préparation au but dernier : la mort. Selon les deux plus grandes religions aujourd'hui vivantes, le christianisme et le bouddhisme, le sens de la vie se parfait à sa fin ».

On retrouve universellement cette croyance, ou cette aspiration qu'il existe un royaume des morts. C'est la raison pour laquelle, par exemple, les Égyptiens baignaient les cadavres dans le natron, les embaumaient, les momifiaient en enveloppant leur corps de bandelettes de lin et mettaient de la nourriture dans leur tombe afin qu'ils puissent atteindre l'immortalité dans l'au-delà.

Il faut aussi noter l'importance du culte des ancêtres qui est « originellement destiné à apaiser les revenants [3] ».

En vénérant nos aïeux, nous honorons ceux qui, dans l'au-delà au sein même de la Mère-mort, nous ont précédés dans le déroulement du processus de renaissance spirituelle. « L'idée sous-jacente en est probable-

1. *R.C.*, p. 115.
2. Shri Aurobindo, *Baghavad Gita, oc*, p. 149.
3. *D.M.I.*, p. 162.

ment que les défunts sont plus près de la vérité absolue ou qu'ils connaissent l'absolu des événements. Ils sont en relation avec les couches les plus profondes de l'inconscient et peuvent être utilisés comme des intermédiaires, comme des sortes de médiums entre le destin et nous [1]. » D'où le spiritisme et la nécromancie qui s'efforcent d'invoquer les morts pour obtenir des conseils ou des révélations sur notre destinée.

Les ancêtres étant censés habiter des régions qui se situent au-delà de la conscience (le monde de l' « au-delà »), leur culte est tourné vers la recherche de la totalité psychique unifiée. En Chine, par exemple et selon Marcel Granet, des cérémonies plus magiques que religieuses permettaient de rentrer en contact, par l'intermédiaire des âmes défuntes, avec un monde d'énergie spirituelle. Il s'agissait d'acquérir ainsi « un surcroît de vie, de puissance personnelle, de prestige magique qui élevait à un état second et à certaines extases mystiques proches de l'orgasme [2] ».

En conclusion, il faut souligner que si la première moitié de la vie est caractérisée par l'acceptation de la vie, la seconde l'est par celle de la mort. « En tant que médecin, note Jung, je suis persuadé qu'il est, pourrait-on dire, plus hygiénique de voir en la mort une fin vers laquelle on devrait tendre et qu'il y a quelque chose d'anormal et de malsain dans la résistance que nous lui opposons et qui enlève son but à la deuxième moitié de la vie [3]. » Pour Jung, accepter la mort, c'est ne pas la réduire rationnellement à une fin inepte, mais la laisser résonner dans son imagination, dans son instinct, consentir à s'en faire un mythe [4] et, peut-être ainsi y trouver un sens.

● *Dans les rêves :*

Notons, tout d'abord, que pour Jung, « il est notoire que l'on rêve facilement de sa propre mort », mais, ajoute-t-il, « cela n'est pas sérieux. Lorsqu'il y va de la vie de l'être, le rêve parle un tout autre langage [5] ». D'après M.-L. von Franz, « si l'on en croit les rêves des mourants, le processus [d'évolution] continue, même au-delà de la mort [6] ».

Le rêveur se voit mourir en songe et, parfois, suit son propre enterrement :

(−) L'image est très rarement négative. Si c'est le cas, elle signifie que le rêveur se refuse à la vie active et créatrice et qu'il se laisse porter par l'existence avec l'inertie d'un cadavre [7].

1. *I.C.F.*, p. 270.
2. M. Granet, *La Pensée chinoise*, Albin Michel, 1968.
3. *P.A.M.*, p. 240.
4. *M.V.*, chap. XI.
5. *H.D.A.*, p. 313.
6. *I.C.F.*, p. 116.
7. Peut-être aussi, la « nostalgie du Paradis perdu » engendre-t-elle un refus d'affronter la vie et les exigences obligatoires de l'évolution qui ne peuvent s'accomplir que dans la souffrance de la « Vallée de misère » (Chateaubriand).

(+) L'image, le plus souvent, est positive et indique la mort de l'hégémonie du moi sur l'ensemble psychique. Dans le mythe, cette « mort à soi-même » est nécessaire pour la « renaissance spirituelle » ou « seconde naissance ». Voir « Naissance et Renaissance ».

Parfois, lors d'un passage critique de la vie, lorsqu'une période de l'existence est révolue (telle celle de l'adolescence vers dix-huit/vingt-deux ans ou du matin de la vie vers trente-cinq/quarante ans), ce songe indique que cette période « meurt » pour laisser la place à une nouvelle phase.

Le contexte du rêve, les associations d'idées et les affects décideront de l'interprétation. Mais, en tout état de cause, la mort du rêveur, dans un songe, est l'expression du sacrifice [1] qu'il accomplit en renonçant à une attitude périmée à laquelle il demeurait attaché.

Le rêveur voit mourir un être humain :

(−) Un contenu psychique (à déterminer), symbolisé par cet être humain, est refoulé au point de ne plus participer à la vie psychique du rêveur et peut lui manquer cruellement. Il convient de lui rendre la vie.

(+) Un aspect négatif du rêveur (à déterminer) meurt afin de donner naissance à un nouvel aspect mieux en rapport avec l'équilibre psychique. Ce complexe négatif est en voie de disparition afin de faire place à un complexe positif.

À ce propos, M.-L. von Franz indique que, si c'est le cas, il convient de ne pas réanimer, en songe, un pareil cadavre, image d'un élément ou d'un comportement périmé. Car, écrit-elle, « la réanimation d'un tel cadavre signifie symboliquement que l'on essaye de redonner vie, de façon régressive, à des activités ou à des attitudes passées qui n'ont plus de raison d'être... il faut " laisser les morts enterrer les morts " [2]. »

Le rêveur rencontre le cadavre d'un animal :

La vie instinctive du rêveur est intensément refoulée. Il faut la laisser s'épanouir à nouveau afin qu'elle s'harmonise avec les autres composantes psychiques.

Le rêveur aperçoit un végétal (arbre ou plante verte) mort :

Soit la suprématie de l'intellect conscient « dessèche » le flot vital psychique inconscient. Il n'y a plus de sève pour alimenter la vie instinctive et affective.

Soit l'inconscient lance un avertissement indiquant une diminution des ressources d'énergie vitale par psychasthénie, et, même, par maladie physique.

Dans les deux cas, l'information doit être prise au sérieux.

---

1. Le mot « sacrifice » vient du latin « sacrificium », dérivant lui-même de « sacrificare », c'est-à-dire : « sacer » = « sacré » et « facere » = « faire ».
2. *Ibid.*, p. 272.

Le rêveur est condamné à mort :

Ce songe est difficile à interpréter, mais il semble que l'attitude ou la fonction psychologique qui, jusque-là, prévalait de manière abusivement unilatérale, soit condamnée à mort par les pulsions inconscientes.

Le rêveur meurt par décollation, volontaire ou non .

Ce songe montre que le rêveur est « prêt à renoncer à une vie dictée par la tête[1] ».

Mort du père ou de la mère du rêveur :

La puissance contraignante du complexe père ou du complexe mère est en voie d'extinction. L'énergie qui s'y trouvait investie va développer, selon le sexe du rêveur, le principe masculin ou le principe féminin afin de lui permettre d'accéder à « l'état adulte ».

Mort d'un souverain ou d'une souveraine :

Il se peut que ce songe se rapporte à la « mort » du complexe père ou du complexe mère, mais le plus souvent, il s'agit de l'affaiblissement, jusqu'à sa quasi-disparition, de la souveraineté du conscient collectif, de la Persona, qui nous opprime par sa tyrannie, son étiquette, son protocole.

MOT (Le)

(lat. « muttire » = « souffler mot », « parler »), voir « Nom ».

MOUSTACHES (Les)

● *Dans les rêves :*

Les moustaches des songes possèdent le même symbolisme que celui de la barbe. Voir ce mot.

MOUVEMENTS CIRCULAIRES (Les)

Voir « Circumambulatio ».

N

NAIN (Le)

On rencontre fréquemment le nain dans la mythologie et les contes folkloriques.

Chez les Grecs, on peut citer les Dactyles, ou Doigts ou Poucets, forgerons et maîtres d'Orphée ; les Cabires (fils de Vulcain, travaillant les

1. J. L. Henderson in *L'homme et ses Symboles, oc,* p. 137.

métaux et présidant à des Mystères), les Pygmées (pas plus hauts qu'une coudée), etc.

Dans la mythologie germanique, de nombreux nains sont orfèvres ou adjoints aux dieux.

Un avatar de Vishnou est de se changer en nain à tête de lion pour vaincre Hiranyakaçipou, roi-démon très puissant.

Enfin, dans le conte de *Blanche-Neige,* les fameux sept nains viennent à son secours tandis qu'elle prend soin de leur ménage.

Ces nains mythiques ou folkloriques ont généralement les caractéristiques suivantes : souvent difformes, ils exploitent les mines, travaillent les métaux ou gardent les trésors enfouis dans la terre ; ils portent la plupart du temps des bonnets pointus en forme de piléus phrygien qui rappellent le prépuce. Parfois, auxiliaires des dieux, il arrive qu'ils soient associés à des géants (voir ce mot), expression des forces primitives de la nature, thème que l'on retrouve, *mutatis mutandis,* dans l'exploit de David contre Goliath.

• *Dans les rêves :*

(−) En négatif, les nains des songes peuvent exprimer l'amoindrissement ou le manque de développement d'un élément (à déterminer) qui se traduit, par exemple, par l'infantilisme psychique ou les « petitesses », médiocrités et mesquineries de caractère dans l'aperception de la vie intérieure aussi bien que de la vie extérieure.

(+) En positif, le symbolisme des nains rejoint celui de « l'Insignifiant ou du Prince niais » : ils sont petits et presque toujours contrefaits.

Ils représentent, cependant, les activités créatrices phalliques s'activant dans l'inconscient : coiffés du piléus, ils sont forgerons ou gardiens de trésors. Voir « Phallus ».

S'ils sont associés aux géants — que souvent ils dominent — c'est que l'intelligence de l'esprit peut avoir raison des redoutables forces brutales, impulsives, non encore dégagées de l'instinctivité primitive élémentaire. Cet aspect du symbolisme des nains fait que, dans les mythes, ils sont l'expression des « puissances formatrices inconscientes »[1] méprisées par la superbe de l'intellect conscient.

NAISSANCE ET RENAISSANCE (La)

« Naître, c'est seulement commencer à mourir », écrivait Théophile Gautier. Archétypiquement, la naissance est associée à l'idée de mort et la mort à l'idée de naissance.

Dans les mythes et les contes folkloriques, pour indiquer qu'une naissance est de l'ordre du symbolisme psychique, il arrive que la divinité ou le héros vienne au monde de manière extra-ordinaire. C'est ainsi qu'Athéna sort tout armée du crâne de Zeus, que Bacchus sort de la cuisse

---

1. *P. et Al.,* p. 250.

de Jupiter, qu'Aphrodite naît de l'écume de la mer, que Mithra naît d'un rocher ou d'un arbre, que Jésus et Bouddha sont conçus de manière surnaturelle et que Gargantua sort de l'oreille gauche de Gargamelle... Ces images figuratives soulignent qu'il existe deux catégories de naissance : une première, d'ordre charnel[1], et une deuxième d'ordre psychologique, qualifiée de « naissance spirituelle » ou « deuxième naissance ». Nous nous occuperons principalement, ici, de la naissance de l'enfant désigné sous le nom « d'enfant intérieur » ou « d'enfant spirituel », qui n'est mis au monde que « dans la douleur » après un long et pénible travail sur soi-même, et, presque toujours, de manière imprévisible.

Le psychisme humain est pénétré de l'idée que ce qui est périmé, ce qui est pernicieux, ce qui est contraire à l'ordre des choses, doit mourir pour se régénérer.

Et il semble bien que cette renaissance, impliquant la mort d'un passé révolu ou néfaste, concerne trois aspects principaux de la vie. D'abord, le renoncement à l'inertie découlant de l'état quasi animal maintenu jusque-là par une identité primordiale inconsciente aux parents, état qui « oppose une résistance opiniâtre à toute velléité de développement psychique et spirituel[2] ». C'est la « nostalgie du paradis perdu ». Puis les passages critiques de l'existence : de l'enfance à l'adolescence, de l'adolescence à l'état adulte et de la première partie de la vie à la deuxième. Enfin, le sacrifice, par la mort, d'un égocentrisme démesuré qui voudrait donner au moi la prérogative sur le Soi, alors que, en fait, c'est le moi qui est subordonné au Soi.

Le thème archétypique « mourir pour renaître » se retrouve partout et à toutes les époques dans les mythologies, religions, légendes, etc.

En voici quelques exemples : les déluges engloutissant un univers que l'on retrouve au début de toutes les grandes religions ; le baptême de l'eau que l'on retrouve dans de nombreuses religions et mystères initiatiques, et où généralement, le « néophyte[3] » reçoit un nouveau nom au bénéfice d'un deuxième couple parental, le parrain et la marraine ; le baptême du feu (*Matth.*, III. 11) qui semble parfaire et achever le baptême de l'eau, et qui n'est pas sans rappeler le bûcher d'Héraclès, le char de feu d'Élie et les rites d'incinération ; les rites d'initiation ou de consécration virile chez les primitifs, qui font de l'adolescent un *quasi modo genitus,* une sorte de *nouveau-né*[4] ; le meurtre après un premier épanouissement de la vie en vue d'une régénération : Rê, Osiris, Zagreus, Orphée, Balder, Adonis, Tammouz, etc. ; l'ensevelissement des morts accompagné d'un symbole de renaissance tel que le fait de placer des œufs ou des coquillages dans les

---

1. Se reporter aux rubriques : « Accouchement », « Bébé », et « Nom ».
2. *T.P.,* p. 248.
3. Gr. « Neophytos » : « nouvellement planté », « nouvellement engendré ».
4. *P.I.,* p. 203.

tombes, de ligoter le cadavre dans la position fœtale ; la suspension à la croix (arbre de mort) ou à l'arbre (arbre de vie), tels le Christ qui ressuscite, saint Pierre qui demande à être crucifié la tête en bas, ne voulant pas que le serviteur fût traité comme le maître, et Attis ; la délivrance d'une condamnation au supplice pour lutte contre les dieux tel Prométhée libéré par Héraclès ; les descentes aux enfers ; les retraites et jeûnes purificateurs dans le désert, voir « Jeûne » ; le héros qui, tel Jonas dans la baleine [1], est englouti à l'ouest par un monstre marin (mort) et en sort régénéré à l'est (renaissance) ; l'ensevelissement dans du miel, symbole du Soi, comme le fut Glaucos, fils de Minos et Pasiphae, qui, tout enfant, tombe dans une cuve de miel, meurt étouffé, mais est ressuscité par Esculape ; les enlacements, les dispersements, les démembrements, les morcellements et tous les thèmes symbolisant la rentrée dans la Mère, etc.

L'humanité tout entière est comme possédée — parfois jusqu'à l'obsession — par une pulsion instinctive qui veut qu'un passé jugé néfaste ou périmé doit disparaître (mort) afin de faire place à une existence régénérée (renaissance).

Peut-être même que certains suicides relèvent d'une pulsion inconsciente à mourir afin de renaître. Jésus dit à Nicodème : « En vérité, en vérité, je te le dis, à moins de naître d'en haut, nul ne peut voir le royaume de Dieu. » Nicodème dit : « Comment un homme peut-il naître quand il est vieux ? Peut-il une seconde fois entrer dans le sein de sa mère et naître ? »

En langage psychologique, nous dirons que, pour se réaliser, l'homme doit se « dépouiller » de l'hégémonie d'un ego aveugle qui s'illusionne sur lui-même en croyant dominer l'ensemble psychique alors qu'il ne règne que sur la seule zone consciente. Cette « mort à soi-même » constitue la condition *sina qua non* pour assurer cette renaissance permettant d'atteindre la totalité de l'être, appelé « Christ » par saint Paul, « moi supérieur » par les Hindous et « Soi » par Jung. Voir « Mort ».

● *Dans les rêves :*

(−) Tout songe présentant l'image d'une naissance désastreuse, telle que réduite à une hémorragie, à une fausse couche ou à la mise au monde d'un enfant anormal, avertit le rêveur que, jusqu'ici, ses facultés créatrices n'ont abouti qu'à des résultats funestes pour lui et, éventuellement, pour son entourage. Un tel rêve, très anxiogène, est grave et demande que l'analyse en détermine les causes et aide ce rêveur à rectifier sa vision des choses. Voir « Accouchement ».

(+) Exceptionnellement, la fausse couche ou l'enfant mort-né témoigne de l'expulsion libératrice d'un élément improductif (à déterminer) qui contrariait l'activité créatrice du rêveur. L'affect ressenti dans un tel rêve décidera si le symbole est salutaire.

---

1. *Jon.*, I-1 et suiv.

Cependant, le plus souvent, l'apparition dans les songes d'un bébé vigoureux et sain est l'indication, extrêmement positive, qu'un élément (à déterminer) totalement régénéré va désormais croître et se fortifier dans le psychisme du rêveur pour son plus grand bénéfice. Voir « Bébé ».

Mais surtout, si l'enfant qui vient au monde est du *même sexe que le rêveur*, il est l'image même de cette deuxième naissance archétypique qui apparaît dans tous les mythes, religions, légendes et sociétés secrètes.

Bien entendu, une telle renaissance implique la mort des anciennes adaptations. À ce niveau, une telle naissance est l'expression du développement de la métamorphose psychique qui conduit vers l'individuation.

La naissance, dans les rêves, indique que la « connaissance de soi » a porté son fruit (l'enfant), gage d'une possibilité de réalisation de sa propre totalité psychique.

Mais on peut affirmer, de façon plus générale, qu'une évolution se déroulant de manière satisfaisante implique une succession de morts et de naissances, des masses entières d'attitudes périmées laissant la place, par une sorte de régénération, aux attitudes salutaires.

NAUSÉE (La)

Le mot vient du grec : « nautia » = « mal de mer », de « nautès » = « marin ».

Au figuré, un dégoût insurmontable : « j'en ai la nausée ».

● *Dans les rêves :*

La nausée, dans les songes, exprime une extrême angoisse ; cette angoisse n'est plus supportable, on voudrait s'en débarrasser, la rejeter, la vomir.

Voir « Vomir ».

NERVEUX (Le système)

Le système nerveux (lat. « nervosus » = « ligament », « tendon ») est l'ensemble des organes, des éléments de tissu nerveux qui commande les fonctions de sensibilité, de motilité, de nutrition et, chez les vertébrés supérieurs, les facultés intellectuelles et affectives. Aussi, la nervosité a-t-elle pour synonymes : l'agitation, l'énervement, l'excitation, la fébrilité, l'impatience, l'irritabilité, voire l'exaspération.

Dans son ensemble, le système nerveux se compose de deux éléments : le système cérébro-spinal et le système neuro-végétatif qui sont très liés.

Il semble bien que le système cérébro-spinal soit sous la dépendance du conscient à la volonté duquel il obéit, la volonté étant, pour Jung, « la somme d'énergie à la disposition de la conscience[1] ». Par contre, note également Jung, « les manifestations affectives[2] influencent principale-

---

1. *T.P.*, p. 500.
2. En ce qui concerne les « affects », cf. *T.P.*, p. 423-424 et *G.P.*, p. 259.

ment le système nerveux sympathique, celui-ci présidant, à son tour, au fonctionnement végétatif de l'organisme. Les affects, de ce fait, font se dilater les vaisseaux, agissent sur le cœur, vous donnent des palpitations, vous font rougir et vomir, modifient les capillaires sanguins de la surface de la main, l'état de sécrétion et de repos des glandes de la peau, la position de ses poils, vous donnent la chair de poule, etc. [1] ».

Il est intéressant, par ailleurs, de noter que le système nerveux de l'homme s'associe, dans l'inconscient, à l'électricité. On parlera de réseau nerveux, d'influx nerveux comme on parlera de réseau électrique, d'influx électrique et, tandis qu'une secousse électrique commotionne les nerfs, un coup sur le « petit juif » est ressenti comme un choc électrique.

● *Dans les rêves :*

Toute allusion, au cours des songes, aux nerfs et au système nerveux évoquera l'émotivité, l'affectivité, la sensibilité à fleur de peau, ainsi que leurs répercussions psychosomatiques.

NETTOYER

Le terme vient du mot « net » (lat. « nitidus » = « brillant »).

Héraclès nettoie les écuries d'Augias encombrées depuis trente ans par le fumier et où croupissaient trois mille bœufs.

La première chose que fait Blanche-Neige en arrivant chez les sept nains est de nettoyer leur demeure où régnaient le désordre et la saleté.

Dans la religion chrétienne, « tache originelle » et « péché originel » sont synonymes. Ponce Pilate « se lave les mains » en présence de la foule en disant : « Je ne suis pas responsable du sang de ce juste [2]. » Lady Macbeth ne peut enlever de sa main la « tache » de son crime.

Enfin, le jeûne (voir ce mot) qui nettoie le corps et les ablutions rituelles, regardées comme purifications de l'âme, se retrouvent dans toutes les grandes religions.

● *Dans les rêves :*

Les nettoyages et les triages sont très fréquents dans les songes.

Ce que nettoie le rêveur, ce sont les complexes négatifs, les souillures de ses erreurs, dans tous les sens du terme (voir « Virginité »).

NEZ (Le)

Le nez évoque l'odorat sous son aspect sensuel, voluptueux, et pénétrant qui amène les narines à palpiter au moindre parfum, comme pour en jouir au maximum. Le nez paraît être le récepteur des ondes les plus subtiles. Car il semble bien que toute chose possède une odeur spécifique, même si elle nous échappe, aussi bien une roche qu'une maladie et on parle « d'odeur de sainteté ».

1. *H.D.A.*, p. 40 et 159.
2. *Matth.*, XXVII-24.

La vie de certains animaux est guidée par leur odorat et les chiens reconnaissent l'odeur de leur maître, ou de l'animal de chasse en vénerie, parmi plusieurs autres hommes ou autres animaux.

Mais les parfums peuvent aussi jouer un rôle quasi magique, irrésistible de stimulants : odeurs qui stimulent l'appétit, parfums aphrodisiaques qui stimulent la fonction génésique, odeur de la poudre qui stimule la combativité.

Sur le plan spirituel, certains parfums comme l'encens sont réputés plaire à la divinité ou chasser les démons : on encense l'autel, on brûle des bâtonnets d'encens par action de grâces.

« Les parfums réjouissent le cœur » dit la Bible [1].

Voir « Odorat ».

● *Dans les rêves :*

Les allusions au nez sont rares dans les songes et il semble qu'il puisse évoquer trois éventualités. Il se rapporte avant tout au flair, à la perspicacité, à l'intuition : « avoir le nez creux », « à vue de nez ».

Le nez, dans les rêves, prend parfois un sens phallique. Un nez coupé est une image de castration psychique. Les sorcières ont souvent un nez proéminent pour évoquer la bisexualité de la libido inconsciente.

Enfin, le nez peut évoquer la respiration, et éventuellement, l'étouffement, la suffocation par l'angoisse : « Ouf! je respire enfin! »

NOM

La pensée possède une force créatrice qui se traduit par des mots, les noms que la pensée donne aux choses.

Pour le primitif, l'âme s'identifie au nom. Autrement dit, « le nom d'un individu serait son âme, d'où l'image de réincarner dans les nouveau-nés l'âme des ancêtres en leur donnant le nom de ceux-ci [2] ». Jung observe également qu'il existait « une présomption très primitive suivant laquelle celui qui devine le nom secret obtient tout pouvoir sur celui qui le porte [3] ».

Ainsi Isis contraint le vieux Ré à lui livrer son nom secret (sa puissance) par la morsure d'un ver venimeux. Celui-ci lui causa une telle douleur qu'il accepta de révéler ce nom à la déesse afin qu'elle conjure sa souffrance. Il le fit passer directement de son corps dans celui de la déesse en se cachant aux autres dieux.

Les anciens pays musulmans avaient pour habitude de donner aux enfants un prénom et un petit nom d'intimité. « Le véritable prénom était gardé secret, de crainte qu'il ne tombât dans l'oreille de gens malveillants ou jaloux, capables de jeter un sort à l'enfant. Seul donc, le petit nom d'intimité était usité [4]. »

1. *Prov.*, XXVII-9.
2. *H.D.A.*, p. 14.
3. *R.C.*, p. 224.
4. Aly Mazaheri, *La Vie quotidienne des Musulmans au Moyen Âge*, Hachette, 1951, p. 43.

Dans la mythologie, la pensée égyptienne, la tradition rabbinique, le nom prend une importance magique du fait de l'idée qu'une chose n'existe que dans la mesure où son nom a été prononcé, la parole traduisant, la pensée étant créatrice : « Et le verbe s'est fait chair... [1] »

En Assyrie-Babylonie, le poème de la création s'ouvrait ainsi :

> « Lorsqu'en haut le ciel n'était pas nommé,
> Et qu'en bas, la terre n'avait pas de nom...
> Qu'aucun nom n'était donné... »

Tant qu'une chose ne porte pas de nom elle n'existe pas. On retrouve cette idée dans la Genèse [2] où Dieu créa les animaux et les amena à l'homme pour voir comment celui-ci les appellerait : chacun devait porter un nom. L'homme donna des noms à tous les bestiaux, les oiseaux du ciel, les bêtes sauvages...

Ceci rejoint curieusement la théorie de Schopenhauer qui considère qu'il ne peut y avoir d'objet sans sujet, ni de sujet sans objet, et qui fait cette comparaison : supposons qu'il existe au centre d'un continent inexploré un lac beaucoup plus grand que ceux qui sont actuellement connus, mais auxquels personne ne soit encore parvenu : philosophiquement, ce lac n'existe pas.

Que l'individu porte deux noms, l'un public, l'autre secret, est une tradition presque universelle. Ce thème équivaut à l'idée de la naissance, à laquelle est attribué un nom officiel et la possibilité d'une renaissance, à laquelle est attribué un nom occulte. Voir « Naissance et Renaissance ». C'est pourquoi indique Jung, « le chef primitif tait son véritable nom et en prend un autre ésotérique pour l'usage quotidien afin que nul ne puisse l'ensorceler par la connaissance qu'il en aurait [3] ». Ce rite se perpétue lorsque parrains ou marraines donnent un nom à un novice, à une cloche, ou présentent un candidat à un ordre de chevalerie, à un cercle, à une secte, à l'académie, etc.

Dans la plupart des ordres religieux, ceux qui entrent dans la vie monastique prennent un nouveau nom, le « nom de religion » pour consacrer ainsi leur vie spirituelle.

En bref, le nom connu de tous est ressenti comme étant la personnalité réduite au conscient et au centre duquel trône l'ego ; le nom secret, par contre, évoque la personnalité totale qu'on ne peut réaliser que par un dur travail sur soi-même. Le nom secret est donc l'individuation latente dans l'inconscient.

La vieille coutume chrétienne de donner aux enfants le nom d'un saint se comprend aussi par la puissance magique de tout temps attribuée au nom : en agissant ainsi, on transfère à l'enfant les qualités du saint.

Enfin, notons que les anciens Hébreux ne devaient pas prononcer le

---

1. *Jean*, I-14.
2. *Gen.*, II-19 et suiv.
3. *P.A.M.*, p. 214.

nom de Yahvé. Les Japonais, de même, ne devaient ni contempler ni prononcer le nom de leur Empereur-Dieu : on l'appelait Tenno, c'est-à-dire Roi-Céleste.

● *Dans les rêves :*

Renoncer à son nom ou changer de nom :
Le rêveur tend à se dépouiller de son ancienne personnalité, et à se métamorphoser.

Oublier son nom :
L'inconscient rappelle à l'ordre le rêveur en indiquant qu'il a perdu la notion de son individualité au profit de sa seule personnalité consciente.

NOMBRIL (Le)

Le symbolisme du nombril joue un certain rôle dans les mythes et religions. Ainsi, des dessins rupestres montrent des êtres humains d'âge indéterminé encore retenus à la mère par le cordon ombilical : à ce stade de l'évolution de l'humanité, le conscient, à peine naissant, n'est pas encore autonome par rapport à l'inconscience maternelle.

D'après Platon[1], les hommes étaient primitivement sphériques et possédaient quatre bras, quatre jambes et deux têtes opposées. Pour les punir de leur arrogance envers les dieux, Zeus les trancha en deux et donna l'ordre à Apollon de ramener, sur chacun d'eux, toute la peau sur ce qui s'appelle aujourd'hui le ventre, de la manière dont on coulisse une bourse, puis de la lier en ne laissant qu'une ouverture qui correspond à ce qu'on appelle le nombril. Ainsi, les hommes étaient rappelés à la modestie et ils devaient expier leur insolence envers le Divin, en subissant les chaînes de réincarnations (de cordon ombilical en cordon ombilical) pour revenir à la totalité.

Mircea Eliade insiste sur le thème de la montagne cosmique dont le « sommet est aussi le Nombril de la Terre, le point où a commencé la création. Du nombril de Dieu a été créé le monde, et, de là, il s'est répandu dans toutes les directions. Et la création de l'homme, réplique de la cosmologie, a eu lieu pareillement en un point central, dans le Centre du Monde au " Nombril de la Terre ", entre le Ciel et la Terre[2] ».

Aux Indes, Brahma est mis au monde, trônant sur une fleur de lotus, jaillissant du nombril de Vishnou.

Pour les Incas, l'Inca Suprême (l'empereur) résidait à Cuzco, ville géométrique située à 3 500 mètres d'altitude et dont le nom signifie en quitchoua « nombril ».

Chez les Grecs, le temple de Delphes était dédié à Apollon et considéré

---

1. *Le Banquet*, p. 189 et s.
2. M. Eliade, *Images et Symboles*, Gallimard, 1952, p. 55.

comme le centre de la Grèce. On l'appelait « Nombril de la Terre ». Cet Omphalos était un ancien bétyle (gr. « baitlos » = « maison du Seigneur »), pierre sacrée de forme approximativement conique.

En Lybie, dans le temple de Jupiter-Amon, on vénérait une grosse émeraude en forme de nombril.

Certaines statues orientales représentent le Sage, assis dans la position du lotus, les yeux fixés sur son nombril, c'est-à-dire l'attention entièrement portée au centre de sa psyché.

Pour la même raison, du XIᵉ au XIVᵉ siècle, l'Église grecque fut secouée par une hérésie connue sous le nom « d'Hésychasme » (gr. « Esuchia » = « quiétude »). Ses adeptes pratiquaient un « quiétisme » à tel point outrancier qu'on leur avait également donné le nom « d'omphalopsyque » (« nombril » et « psyché ») car ils recherchaient l'immobilité mentale, aveugles et muets aux activités extérieures, comme s'ils se maintenaient fixés sur leur centre intérieur, sur leur nombril.

Aux Indes, on rencontre également des individus qualifiés « d'Omphalo-Psychistes », qui s'efforcent d'abaisser l'activité du mental conscient en produisant une sorte d'auto-hypnotisme obtenu par la fixation de leur nombril.

Enfin, beaucoup de petits enfants s'imaginent que la naissance a lieu par le nombril, point de rupture d'avec leur mère.

● *Dans les rêves :*

L'allusion au nombril, rare dans les songes, peut évoquer :

(+) soit le centre de la psyché ou Soi, le nombril pouvant être considéré comme le centre du corps inscrit dans un cercle pris comme Mandala. Voir « Ventre »;

soit le point de rentrée dans la Mère-inconsciente (par opposition au fait qu'il est un point de rupture d'avec celle-ci) et à partir duquel peut s'élaborer une renaissance.

(−) Nombrilisme : au figuré, « se prendre pour le nombril du monde » équivaut à donner à sa personne une importance exagérée en se prenant pour le centre de l'univers.

NOURRITURE (La)

Au départ de la vie, les seules choses qui comptent pour le nourrisson sont la nourriture et le sommeil.

De nombreux rites offrent de la nourriture aux divinités et aux animaux, accomplissant ainsi un geste « apoprotéïque » (gr. « apo » = « qui éloigne » et « tropein » = « qui détourne »), c'est-à-dire qui exorcise contre les influences néfastes qui pourraient émaner de la divinité ou de ses agissements malfaisants.

Le cannibale consomme de la chair humaine ou la cervelle de son ennemi pour acquérir son courage, sa force, son « Mana ».

Chronos qui dévore ses propres enfants, les ogres et les ogresses sont l'expression de la brutalité de l'inconscience primitive — de la « Prima Materia » psychique. L'absorption des petits enfants exprime « l'accomplissement de la descente de l'Esprit dans la matière [1] ». Le thème du héros avalé par le monstre relève du même symbolisme.

Sous un autre aspect, le développement de la conscience est assimilable à celui du petit nouveau-né alimenté par sa mère nourricière, par « l'Alma Mater », par l'inconscient maternel.

C'est pourquoi le Sage taoïste « sait téter sa Mère » [2] et que Jung parle des « Racines de la Conscience » pour souligner que, telle la plante, le conscient est fixé à l'inconscient et y puise ses aliments.

Par l'absorption de la nourriture, le corps se rassasie afin de vivre et de se développer jusqu'au bout de son existence. De même, le conscient peut se trouver affamé et assoiffé d'absorber les contenus de l'inconscient. Voir « Faim » et « Soif ». Dans les deux cas, la vie devient féconde, c'est pourquoi les divinités de la fécondité sont étroitement liées à l'agriculture, dispensatrice de nourriture.

● *Dans les rêves :*

La nourriture apparaît fréquemment dans les songes :

(−) Parfois, mais rarement, le rêve invite le sujet au corps sous-alimenté à reprendre des forces par la nourriture ou à éviter une alimentation trop abondante ou nocive telle que l'excès d'alcool, de graisses, de sucre, de café, etc. [3].

Il se peut également que la gloutonnerie, dans un rêve, fasse allusion à une avidité d'existence dominée par le besoin de jouissance, principalement pour compenser une vie trop ascétique.

(+) Mais le plus souvent, la nourriture des rêves symbolise les forces inconscientes que nous absorbons et intégrons à la conscience.

Rappelons, toutefois, que ces forces doivent être assimilées car « ce n'est pas ce qu'il mange qui rend l'homme fort, mais ce qu'il digère [4] ».

N. B. : Certaines nourritures possèdent un sens symbolique particulier que l'on trouvera à la rubrique « Manger — Le Repas ».

Voir également : « Avaler » et « Dévoré (Être) ».

NUDITÉ (La)

En dehors de toute raison climatique, l'éducation nous invite à voiler notre nudité, principalement les parties sexuelles, dites « honteuses ». Voir « Sexuels et la Sexualité (Les Organes) ».

Les animaux et les petits enfants ignorent la pudeur. Mais même chez les primitifs, à l'exception de rares tribus, la région sexuelle est masquée par

---

1. *P. et Al.*, p. 425.
2. Lao-Tseu, *La Voie et sa Vertu*, Vt 20.
3. On peut ajouter l'excès de tabac ou de médicaments.
4. Piers Plowman, philosophe anglais du XIVᵉ siècle.

un pagne ou un simple cache-sexe. L'origine de ce sentiment archétypique de honte à l'égard des parties sexuelles doit être recherchée dans la notion d'opprobre qui s'attache à la dissociation de la psyché en zone consciente et en zone inconsciente, en Masculin et en Féminin. L'androgynie primordiale rompue est vécue comme un « péché originel ».

Si, par exemple, nous prenons la Bible, nous y voyons que l'homme fut créé à l'image de Dieu, c'est-à-dire « homme et femme [1] ». Dans le paradis édénique, il n'y a pas de désunion entre le Masculin et le Féminin, autrement dit entre Adam et Ève : « Tous deux étaient *nus,* l'homme et la femme, et ils n'avaient point honte l'un devant l'autre [2] ». Après le péché originel, « leurs yeux à tous deux s'ouvrirent et ils connurent qu'ils étaient *nus :* ils se cousurent des feuilles de figuier et s'en firent des *pagnes* [3] ». Puis, entendant Dieu, le premier homme se cacha : « J'ai eu peur parce que je suis *nu* et je me suis caché [4] ».

Et, comme c'est le Féminin qui a fait succomber le Masculin, c'est la Femme qui apparaîtra comme la plus marquée de réprobation dans ses organes génitaux lors de l'apparition de ses cycles menstruels. Il semble aux primitifs, et à certaines religions, que, symboliquement, tous les vingt-huit jours, la cicatrice du point de rupture avec le sexe opposé se rouvre et saigne. Ce flux de sang, souvent douloureux, la rend impure en lui rappelant la souillure du péché. Voir « Menstruation ».

La nudité joue aussi un rôle dans les initiations antiques et l'enseignement parabolique. D'après Mircea Eliade, « la nudité rituelle équivaut à l'intégrité et à la plénitude ; le Paradis implique l'absence de vêtements, c'est-à-dire l'absence d'usure, image archétypique du Temps. Toute nudité rituelle implique un modèle intemporel, une image paradisiaque [5] ».

Plotin indique, dans les *Ennéades,* que « pour atteindre le Bien, nous devons accéder à l'état le plus haut et, fixant sur lui notre regard, rejeter les vêtements que nous avions endossés quand nous descendions ici-bas, de même que, dans les Mystères, ceux qui sont admis au cœur du sanctuaire, après s'être purifiés, laissent de côté tout vêtement et s'avancent entièrement *nus* [6] ».

La nudité peut aussi évoquer l'intégralité de la personnalité dans tout ce qu'elle a de véridique, de pur, de naïf (lat. « naturis » = « tel qu'on est né »). Elle est dénuée de Persona. Les vêtements sont associés au conscient collectif, c'est-à-dire à la somme des usages, normes, mœurs, règles, préjugés et conceptions typiques d'un milieu et d'une époque donnée. Mais la nudité est hors du temps.

Enfin la sagesse populaire veut que la Vérité sorte toute nue d'un puits

1. *Gen.,* I-27.
2. *Gen.,* II-25.
3. *Ibid.,* III-7.
4. *Ibid.,* III-10.
5. Mircea Eliade, *Images et Symboles, oc,* p. 208.
6. Plotin, *Les Ennéades,* I-VI-6.

(l'inconscient) et qu'elle ose se regarder dans un miroir, c'est-à-dire dénuée de tout vêtement, dans la totalité de son authenticité.

Nudisme :

Si beaucoup de personnes pratiquent le nudisme en vue d'un retour à une vie plus saine et naturelle, nous avons pu constater que certains s'y adonnent par compensation à un problème de contrainte intérieure, principalement de Persona, non résolu (« Moi, je n'ai plus de complexe !... »).

● *Dans les rêves :*

La nudité des songes peut être négative ou positive suivant leurs contextes, les associations d'idées et les affects qui les accompagnent.

(−) La nudité, dans un rêve, peut refléter une intégration difficile au milieu ambiant, des sentiments d'infériorité, d'indignité et de médiocrité, ressentis comme honteux. Le rêveur est soumis à une susceptibilité exagérée à l'égard du jugement d'autrui et à la crainte anxieuse de s'écarter de la ligne de conduite exigée par les règles morales et sociales conventionnelles. Il appréhende d'être vu sous son jour véritable, soit qu'il ait, en effet, quelque chose à cacher, soit qu'il ressente son moi réel comme non conforme au conscient collectif et qu'il en éprouve une sorte de pudeur intime, une sorte d'humiliation de ses insuffisances.

Parfois, la nudité du rêve est principalement érotique et vient compenser des frustrations sexuello-affectives.

(+) La nudité onirique peut indiquer que le rêveur accepte son personnage authentique, non frelaté par les vêtements de la Persona. Il se libère des contraintes morales, sociales, faussement religieuses, systématiques, intellectuelles ou sentimentales qui, jusqu'ici, entravaient son développement psychique. Il ose être lui-même, sans artifice, accomplissant ainsi une sorte de renaissance, tel le petit enfant qui ignore tout vêtement en venant au monde.

Se trouver nu-pieds :

Voir « Pieds ».

O

ODORAT (L')

L'odorat est le sens par lequel on perçoit les odeurs, l'olfaction en est la fonction. Quant au flair, il permet également de discerner les odeurs mais, au figuré, ce mot désigne l'aptitude à prévoir, à deviner, à juger sur les plus légers indices. D'ailleurs « sentir » s'applique aussi bien au fait « d'éprouver dans l'âme » que de « capter par les sens ».

La perception des odeurs, des parfums, possède une gamme remarquablement étendue. Celle-ci va de l'animal qui sent l'odeur de la femelle en chaleur à l'horreur d'une odeur désagréable ou à la jouissance d'un parfum subtil.

● *Dans les rêves :*

Sentir un parfum, dans les songes, est l'expression la plus subtile de l'émotion ressentie à son maximum d'intensité, d'acuité.

Le symbolisme de l'odorat est le même que celui du nez. (Voir ce mot.)

N. B. : Dans les rêves, la subtilité des affects s'accentue progressivement du rêve en noir et blanc au rêve en couleurs, puis à l'audition des sons, enfin, à la perception des odeurs.

ŒIL (L')

Voir « Yeux ».

ONANISME (L')

Voir « Masturbation ».

ONGLES (Les)

Le terme s'applique également aux griffes des carnassiers et aux serres des rapaces.

Beaucoup d'animaux attaquent et se défendent avec leurs griffes. Aussi trouvons-nous des expressions courantes pour désigner l'agressivité : « bec et ongles », « toutes griffes dehors », « faire ses griffes », « rogner les ongles à quelqu'un ». L'avare a « les ongles crochus ».

Quant à l'*onychophagie* ou manie de se ronger les ongles, elle semble avoir pour origine un intense conflit intérieur, principalement chez les sujets sensibles et émotifs. On l'observe principalement chez l'enfant mais aussi chez l'adolescent et l'adulte. Le sujet qui se ronge les ongles lutte contre un flot émotionnel qu'il ne parvient pas à assumer et qui le plonge dans l'angoisse.

Chez l'enfant, on pourra observer, à ce sujet, un conflit entre les pulsions instinctives vitales, parfois violentes, et une éducation mal acceptée, un refus de progresser dans l'existence par « nostalgie du paradis perdu » ; une frustration de vie affective familiale qui bloque ses propres élans affectifs. On constatera aussi des difficultés à suivre un rythme scolaire qui dépasse son rythme d'assimilation ; une incompréhension de la psychologie de l'enfant, principalement de son type d'attitude ou de son type psychologique, qui provoque chez lui des sentiments d'insécurité, d'infériorité et de culpabilité ; parfois, aussi une angoisse de ne pouvoir faire face à la vie par manque de vitalité physique.

Dans tous ces cas, l'enfant « ronge son frein » en se rongeant les ongles, comme s'il voulait supprimer ses moyens d'attaquer et de défense afin de ne pas se cogner douloureusement aux interdits intérieurs qu'il s'est de lui-même créé de manière réflexe. Un tel enfant vit dans l'anxiété et, au lieu de l'accabler de reproches et de le punir de son onychophagie, les parents devraient chercher à le comprendre, le rassurer et l'aider à s'adapter progressivement à l'existence.

Chez l'adolescent et l'adulte, celui qui se ronge les ongles est soumis à une forte angoisse, soit en raison d'oppositions intérieures intensément anxiogènes (à déterminer), soit en raison d'un motif extérieur tel que d'être confronté à une tâche qui dépasse ses capacités physiques ou intellectuelles. Enfin J. Jacobi signale que « les lettrés chinois laissaient pousser les ongles de la main gauche pour montrer qu'ils ne travaillaient pas manuellement mais se livraient à la méditation [1] ».

● *Dans les rêves :*

Les ongles, dans les songes, évoquent l'agressivité, la combativité, la virilité destructrices ou créatrices ; la lutte vaine et provocante ou un courageux « struggle for life » dont la distinction est souvent difficile à déterminer dans l'interprétation.

ORDRE (Mettre de l')

Voir « Trier ».

OREILLES (Les)

On « tend l'oreille », on « ouvre l'oreille », on « prête l'oreille », mais on peut aussi faire la « sourde oreille » ou « n'écouter que d'une oreille ».

Les Crétois représentaient Jupiter sans oreilles pour marquer son impartialité. Les Lacédémoniens, au contraire, lui en donnaient quatre, pour souligner qu'il était apte à « entendre » toutes leurs prières.

En Égypte, des ex-voto représentant, gravées dans la pierre, des oreilles, étaient placés dans les temples pour indiquer que la Divinité avait exaucé une prière [2].

Les oreilles pointues des satyres ont un sens phallique.

Parfois l'oreille est un lieu de naissance ou de fécondation mythologique pour marquer qu'il ne s'agit pas d'une naissance physique, mais d'une naissance symbolique, tel Gargantua ou cette « tradition du Moyen Âge qui voulait que Marie ait été fécondée par l'oreille [3] ». Et, dans le Ramayana, « le singe Hanunân, avalé par un monstre, se délivre par l'oreille droite [4] ».

1. J. Jacobi in *L'Homme et ses Symboles, oc,* p. 292.
2. Ad. Erman, *La Religion des Égyptiens, oc,* p. 275.
3. *M.A.S.,* p. 529, note 15.
4. *Ibid.,* p. 355.

Aux Indes, « on perce les oreilles des hommes comme charme apoprotéïque contre la mort[1] ».

Mais c'est surtout pour exprimer la sagesse de « l'entendement » intérieur que va jouer le symbolisme de l'oreille. C'est « par des songes, par des visions nocturnes, quand une torpeur s'abat sur les humains et qu'ils sont endormis sur leur couche que Dieu parle à l'oreille de l'homme[2] ».

Mélampe, médecin et magicien de la mythologie grecque, eut pendant son sommeil les oreilles si bien nettoyées par un couple de serpents qu'à son réveil il comprenait le langage des oiseaux et des vers des bois.

Siegfried, après avoir tué le monstre et absorbé son sang, s'est approprié son Mana : il peut alors exercer une toute-puissance sur les forces de la nature secrète tandis qu'il comprend le langage des oiseaux. Et le Christ, comme les Apôtres, utilisent constamment l'expression « entendre » ou « ne pas entendre » pour signifier que l'enseignement qu'ils dispensent se situe au-delà de la seule compréhension intellectuelle rationnelle consciente, mais ressort de l'expérience intérieure personnellement vécue : « Que celui qui a des oreilles entende[3] ! » et c'est la raison pour laquelle Jésus parle par paraboles[4]. Il en va de même pour les réponses en apparence absurdes des maîtres Zen aux interrogations de leurs élèves : les Kôan[5].

L'oreille de l'entendement perçoit la dimension intérieure par une sorte d'intuition mystique directe qui inclut la compréhension intellectuelle comme le vécu affectif émotionnel. « L'entendement » est donc la perception totale de l'âme qui permet au Moi d'élargir le champ de conscience jusqu'à tendre vers le Soi : comprendre « le langage des oiseaux et des vers des bois... » C'est pourquoi, dans la plupart de ses représentations, la tête du Bouddha est agrémentée de grandes oreilles tandis que la légende veut que les oreilles de Lao-Tseu mesurent sept pouces !

Cependant, l'absence de Sagesse est également symbolisée par les oreilles, Seth-Typhon était représenté avec de longues oreilles droites, mais coupées. Midas, roi de Phrygie, qui avait préféré la flûte de Pan à la lyre d'Apollon, fut doté, par le dieu irrité, d'une paire d'oreilles de baudet. Quant au bonnet d'âne de nos écoliers, il exprime que « l'entendement » ne dépasse pas celui de l'animalité.

Cependant, Zénon d'Elée constatait : « La Nature a donné deux oreilles et seulement une seule langue afin de pouvoir écouter davantage et moins

1. *Ibid.*, p. 584.
2. *Job*, XXXIII-14.
3. *Matth.*, XI-15.
4. *Ibid.*, XIII-16.
5. « Sous le terme de Kôan, dit Jung, on entend une question, un dire ou un comportement paradoxal du Maître ». Introduction à *L'Essence du Bouddhisme*, par D. P. Suzuki, Le Cercle du Livre, 1955, p. 33.

parler ! » Et le Bouddha avait coutume de dire : « Celui qui interroge se trompe, celui qui écoute se trompe, alors fais silence et écoute... »

● *Dans les rêves :*

Les oreilles, dans les songes, évoquent :

(−) La sottise, le manque d'entendement, si les oreilles sont bouchées ou coupées, tronquées : « Il n'est de pire sourd qui ne veut entendre. »

(+) La Sagesse de « l'entendement », la perception de la voix intérieure : « Écouter la voix de la Sagesse ».

ORGASME (L')

Le mot vient du grec « orgân » = « avoir le sang en mouvement », « bouillonner d'ardeur ».

Voir « Sexuels et la sexualité (Les Organes) ».

OS (Les)

Voir « Squelette et les os ».

P

PARALYSIE (La)

Du gr. « paralusis » = « relâchement ». Au figuré, la paralysie est l'impossibilité d'agir, de s'extérioriser, de fonctionner.

● *Dans les rêves :*

La paralysie, dans les songes, peut atteindre partiellement ou totalement une personne, un animal ou le rêveur lui-même.

Elle est l'expression d'une grave inhibition qui frappe le rêveur ou un aspect de lui-même. Il conviendra de rechercher de quel aspect il s'agit et d'en découvrir les causes.

PAROLE (La)

Voir « Langage ».

PASSAGE DIFFICILE, ÉTROIT OU DANGEREUX (S'engager dans un)

Les allusions aux passages difficiles, étroits, ou dangereux paraissent dans de nombreux mythes et rituels religieux.

Dans le Nouveau Testament, Jésus dit : « Entrez par la porte étroite. Car large est la porte et spacieux le chemin qui mène à la perdition, et il en est beaucoup qui le prennent ; mais étroite est la porte et resserré le chemin qui mène à la Vie, et il en est peu qui le trouvent [1]. »

---

1. *Matth.*, VII-13.

En Italie, en l'église de Loreto Aprutino, une fresque du xve siècle représente une scène du Jugement dernier : pour atteindre le Paradis, les âmes doivent réussir à traverser un pont dont l'arche se rétrécit de façon périlleuse ; seules, les plus pures y parviendront.

Pour les Égyptiens, Osiris, enfermé dans son coffre par Seth, fut jeté dans le Nil. Le courant l'emporta jusqu'à la mer où il pénétra par « l'orifice qui porte un nom abominable[1] », c'est-à-dire le vagin de l'inconscient-Mère, qui constitue un étroit passage et ceci, en vue de sa « renaissance ».

Les musulmans connaissent le « Pont de Mahomet » qui donne accès au Paradis ; sous les pieds des méchants, il bascule et les précipite dans l'abîme.

Aux Indes, un rite consistait, dans les temps préhistoriques, à faire passer les nourrissons à travers une pierre percée, symbole de la matrice divine. Passer par le trou étroit indiquait une régénération par le principe cosmique féminin et symbolisait la délivrance du cycle karmique.

En mythologie germanique, la Grande Déesse Freya avait acquis un merveilleux collier en or en passant la nuit avec chacun des quatre orfèvres nains qui l'avaient forgé dans leur grotte. Envoyé par Odin, Loki le repéra en pénétrant dans la chambre de Freya, changé en mouche et en passant par une fente grande comme le chas d'une aiguille. On voit, ici, le « Trésor difficile à atteindre » (le Soi) que l'on ne peut acquérir qu'en pénétrant dans la Mère-inconscient par le « Passage étroit ».

Enfin, à St Ménou (Allier) et à Delle (Territoire de Belfort), existaient des « Débrédinoires » ou « Pierre des fous ». Il s'agissait de blocs monolithiques du xiie siècle et percés d'un trou rappelant le rituel hindou indiqué ci-dessus. On passait les fous dans cette pierre et, à Delle, on les plongeait ensuite dans une résurgence du Doubs, ce qui représente deux thèmes de régénérescence. On pensait que les idées se rangeaient en mettant la tête dans le « Débrédinoire »[2].

● *Dans les rêves :*

Les thèmes de passages étroits, difficiles, dangereux, voire obscurs sont très fréquents dans les songes.

Il s'agit souvent de ramper dans un goulot étroit, d'avoir à franchir un pont branlant, coupé ou, encore, au bout duquel attend un individu ou un animal menaçant, de traverser un gué peu sûr, de passer par une zone obscure, etc.

Ce motif dit du « Passage étroit » peut symboliser deux processus psychiques : un pont qui s'établit entre le conscient et l'inconscient, passage souvent fragile, vulnérable et surtout difficile, qu'il convient de consolider ; un changement fondamental d'attitude s'amorce. Ces rêves sont toujours l'expression d'un effort très positif et prometteur. Mais, le

---

1. E. Harding, *Les Mystères de la Femme, oc,* p. 185.
2. « Brediner » = probablement « parler de manière incohérente ».

plus souvent, le passage étroit équivaut au vagin maternel en lequel il faut pénétrer afin d'assurer la renaissance (voir « Naissance et Renaissance »).

Dans les deux cas, le passage étroit et difficile marque une transition pénible et laborieuse mais dont l'effort conduit à un état de conscience plus avancé.

PEAU (La)

La peau est très sensible physiquement (coups, blessures, vieillissement) et psychiquement (rougeurs, pâleurs, dermatoses psychosomatiques, etc.). Certains animaux, comme les serpents, changent de peau annuellement, généralement au printemps. D'où l'expression : « faire peau neuve ».

Gh. Adler suppose que « la première expérience du moi que fait le bébé est en rapport avec sa peau et que, en jouant avec son corps, il en apprend les limites le séparant du monde environnant. C'est comme si, au moyen de la peau, les " quatre murs " ou le " cercle " du corps formaient un cercle magique, une sorte de Mandala primordial différenciant la " sphère du moi " de la " sphère du non-moi " et où le moi ferait, au point de vue sensoriel, ses propres expériences [1] ».

La peau est la limite entre le moi et le non-moi ; elle sépare le monde intérieur du monde extérieur. D'où les thèmes de flèches, lances, blessures, etc., qui transpercent la peau pour indiquer l'introversion phallique dirigée vers les zones obscures de l'inconscience (symbolisées par le corps), ceci ne pouvant, bien entendu, s'effectuer sans souffrance.

La blessure est, ici, d'ordre psychique et appartient au thème de la « blessure qui guérit ». Voir « Blessure ».

● *Dans les rêves :*

C'est principalement en tant qu'image de la séparation de l'interne et de l'externe qu'il faudra, dans les songes, interpréter les allusions à la peau.

Parfois, la peau évoque la Persona lorsque les défauts de la peau sont maquillés et se cachent derrière un masque de fards et autres artifices.

Les démangeaisons traduisent l'énervement, l'émotivité exacerbée et contraignante : « On a les nerfs à fleur de peau », « on est très chatouilleux », « l'envie démange... »

Enfin, un personnage ou un animal du rêve peut apparaître écorché. Voir « Écorchement ».

PENDU (Le)

Il convient de distinguer, en toute généralité, trois images symboliques du pendu telles qu'elles apparaissent dans les mythes, religions et rêves : le pendu à un arbre, le pendu se balançant dans le vide et le pendu par les pieds.

---

1. Gh. Adler, *La Dynamique du Soi* in *Le Disque Vert* 1955, Bruxelles, p. 64.

Le pendu à un arbre :

Chez les Germains, Odin fut « suspendu à l'arbre agité par le vent durant neuf nuits », blessé volontairement par son propre javelot. Par cette pendaison à l'Arbre de Vie, « Odin acquiert la connaissance des runes et de la boisson enivrante qui lui confère l'immortalité ». D'autres peuples, mais surtout les Germains, suspendaient « aux arbres du sacrifice des peaux d'animaux sur lesquelles on lançait des javelots [1] ».

En Amérique centrale, « la suspension des victimes à un arbre était un usage religieux, les anciens Mexicains imploraient Centeotl, fille du ciel et déesse des céréales, à chaque printemps, en clouant à une croix un éphèbe ou une vierge sur qui on tirait des flèches [2] ».

Ces motifs de pendaisons et crucifixions à la croix ou à « l'Arbre de Vie-Mère-inconscient » expriment le sacrifice de la tendance incestueuse à laquelle Œdipe, pour sa part, avait succombé. « Il n'est guère possible, écrit Jung, d'imaginer un symbole qui écrase davantage l'instinct. Le genre de mort lui-même exprime le contenu symbolique de l'acte : le héros se suspend, pourrait-on dire, dans les branches de l'arbre maternel en se faisant attacher aux bras de la croix. Il s'unit, en quelque sorte, dans la mort avec sa mère en même temps qu'il nie l'union et paie sa faute du tourment de la mort. Par cet acte du plus grand courage et du plus grand renoncement, la nature animale est réprimée au maximum, et c'est pourquoi l'humanité doit y trouver son suprême salut ; car seule une telle action semble de nature à racheter la faute d'Adam qui résidait en une *instinctivité indomptée*. Le sacrifice n'est pas du tout signe de régression, mais d'une réussite du transfert de la libido sur l'équivalent de la mère et, par conséquent, vers le *spirituel* [3]. »

Notons au passage que cette régénération par la pendaison à l'Arbre de Vie a donné naissance à des superstitions telles que le fait de toucher ou posséder un morceau de corde de pendu porte-bonheur ou, encore, à l'expression « avoir une veine de pendu ».

Le pendu dans le vide :

Mais le symbolisme du pendu peut prendre une tout autre signification avec l'image de la pendaison dans le vide. Celle-ci permet de symboliser une extrême angoisse car, ballottée au gré du vent, la victime a perdu tout appui, tout contrôle, toute maîtrise d'elle-même, toute possibilité créatrice.

C'est ainsi que Zeus, exaspéré par l'humeur acariâtre d'Héra alla, un jour, jusqu'à la suspendre entre ciel et terre avec une chaîne d'or et lui mettre une enclume à chaque pied !

1. *M.A.S.*, p. 441 et 706.
2. *Ibid.*, p. 442.
3. *Ibid.*, p. 441.

Jung constate que, « privé des couches inférieures, notre esprit reste *suspendu dans le vide* : rien d'étonnant qu'il devienne nerveux[1] ».

Se couper de l'inconscient et ses archétypes, c'est risquer la « perte de l'âme » des primitifs qui conduit à l'angoisse, la névrose ou la psychose car la psyché se trouve alors en état de dissociation[2].

Être pendu par les pieds :

La pendaison par les pieds apparaît dans les mythes, religions et thèmes initiatiques. Œdipe est pendu à un arbre par les pieds.

Dans les « Actes apocryphes » de Pierre (chap. XXVIII), celui-ci dit, alors qu'il venait d'être crucifié la tête en bas : « Connaissez le mystère de toute la nature et quel a été le commencement de tout ! En effet, le premier homme, dont en image je porte la race, précipité la tête en bas, montra une nature différente de ce qu'elle était autrefois, car elle devint morte et sans mouvement... Suspendu comme il était, il organisa toute l'ordonnance du monde à l'image de sa vocation (c'est-à-dire : du renversement de toute valeur qui était pour lui la conséquence de sa chute). Il montra droit ce qui est gauche et gauche ce qui est droit ; il changea tous les signes de la nature au point de considérer comme beau ce qui ne l'était pas et comme bon ce qui était en réalité mauvais. À ce sujet, le Seigneur a dit en secret : " Si vous ne faites pas gauche ce qui est droit et droit ce qui est gauche, inférieur ce qui est supérieur, antérieur ce qui est postérieur, vous ne connaîtrez pas le Royaume[3] ! " »

Dans les « Actes apocryphes » de Philippe, on retrouve un thème identique. Pendu par les pieds, Philippe dit : « Ne soyez pas affligés que je sois ainsi pendu, car je porte la forme du premier homme qui a été établi sur terre tête en bas, puis qui a été, de nouveau, rendu vivant, par l'arbre de la croix, de la mort causée par la transgression... Soyez comme moi en cela, car tout l'univers, avec toutes les âmes qui sont en lui, est tourné dans le mauvais sens[4]. »

Enfin, la lame XII (12 = fin d'un cycle) du Tarot se nomme « Le Pendu ». Elle représente un pendu par le pied gauche (côté de l'inconscient) à une branche d'arbre morte posée elle-même sur deux troncs d'arbres vivants.

Ce qui est en bas est périmé, c'est-à-dire la création par l'intellect, représenté par la tête, et la vie affective sentimentale (mariage, amours éperdues, etc.) représentée par la poitrine. Désormais, seule compte la réalisation de la *conjunctio oppositorum* : la croix formée par les jambes. Ce renversement des valeurs ne peut s'accomplir que dans l'angoisse : la pendaison.

1. *P. et R.*, p. 75.
2. Cf. *H.D.A.*, p. 41 ; *G.P.*, p. 214 ; *R. à J.*, p. 155 et *T.P.*, p. 230.
3. Cité par J. Doresse in *L'Évangile selon Thomas*, commentaires, Plon, 1959, p. 158-159.
4. *Ibid.*, p. 159.

N. B. : La sexualité n'est pas déplacée par rapport à la position debout ou renversée car elle demeure au centre de toute l'activité de l'évolution, qu'elle soit physique, psychique ou spirituelle.

Voir « Sexuels et la Sexualité (Les Organes) ».

● *Dans les rêves :*

Les rêves de pendus apparaissent principalement, dans les songes, sous la forme de suspensions dans le vide. Ils sont toujours vécus avec une atroce panique et réveillent la plupart du temps en sursaut.

Pendaison à l'arbre :

Il semble qu'elle veuille signifier, à la fois, un renoncement au désir de demeurer inconscient et un sacrifice de l'animalité déchaînée afin de canaliser l'énergie ainsi récupérée.

Pendaison dans le vide :

Ce motif, toujours accompagné d'angoisse, est l'expression d'un déracinement par rapport à l'inconscient.

Les causes de ce manque de contact sont à rechercher dans la surdifférenciation de la conscience intellectuelle, spirituelle, idéologique ou sentimentale.

Très souvent, la sexualité, même physiquement vécue mais culpabilisée ou mal acceptée dans l'inconscient, nous éloigne de notre nature instinctive et nous laisse dans une impression de vide et d'intolérable angoisse. Il en sera de même, surtout chez les hommes, pour un flot émotionnel redouté qui entrave l'indispensable vie affective.

« Nul arbre noble et de haute futaie, dit Jung, n'a jamais renoncé à ses *racines* obscures. Non seulement il pousse vers le haut, mais aussi vers le bas[1]. »

Pendaison par les pieds :

Ce thème apparaît lorsque la voie de l'individuation parvient à un stade où la « Weltanschauung »[2] devient différente dans le sens où le sujet vit en fonction de la véritable échelle des valeurs. Il peut aussi apparaître, au milieu de son existence, lorsque le sujet est appelé à renverser l'échelle des valeurs dans le sens indiqué à la rubrique « Vie (Âges de la) ».

Dans les deux cas, le thème du pendu par les pieds exprime l'inversion des orientations et des valeurs, inversion qui ne s'accomplit que dans le renoncement, la souffrance et l'angoisse.

PERDRE ET RETROUVER

Dans les rêves, perdre et retrouver peut signifier « mort et résurrection »[3], c'est-à-dire mourir afin de renaître.

1. *P. et Al.,* p. 149.
2. « *Weltanschauung* » = « contemplation des choses et du monde ».
3. *M.A.S.,* p. 570.

PHALLUS (Le)

Le phallus (gr. « phallus » = « pénis ») est la représentation du membre viril qu'on portait dans les processions des fêtes d'Osiris, de Dionysos, etc.

Le culte phallique était rendu, en Grèce, au cours de cérémonies nommées « Phallophories » et celui qui, dans ces fêtes, portait le phallus se nommait « Phallophore », principalement en l'honneur de Bacchus. D'une manière générale, le « phallisme » est un terme qui s'applique au culte rendu aux organes génitaux mâles, c'est-à-dire à la fécondité et à la puissance reproductrice de la Nature.

Le phallus se retrouve dans les religions du monde entier : Osiris, Dionysos, Pan, Priape, le Lingam de Çiva, etc., et dans les mains des héros : les verges d'Aaron et de Moïse, la massue d'Héraklès, le Caducée d'Hermès, le marteau de Thor, la lance de Parsifal, l'épée de Siegfried, etc. Il est le spectre du roi, le bâton de maréchal, la baguette magique, le balai des sorcières, la canne du Maître de cérémonie, la crosse des évêques, le serpent qui travaille dans l'ombre et se dresse brusquement ou, encore, certains arbres tels que les ifs pour leur forme allongée ou les figuiers en raison de leurs fruits androgynes, comme celui des grenadiers (l'eau féminine et les semences masculines), symbole qui amène Adam et Eve à cacher leurs sexes avec des feuilles de figuier, et non de vigne comme on le croit généralement [1].

Enfin, certaines parties du corps peuvent prendre un sens phallique : le pied, le doigt [2], les nez proéminents, dits « priapiques », des sorcières et de Polichinelle, la barbe et les oreilles pointues des satyres, la main, la dent, etc.

La personnification la plus significative du phallus vénéré est figurée par le dieu gréco-romain Priape, fils de Dionysos et Aphrodite. Il vint au monde complètement difforme, ce qui plongea l'Olympe dans l'hilarité. En Grèce, Priape fut rapproché du dieu Pan et, en Italie, il condensa tous les dieux agraires. Il joua, en outre, un rôle important dans les mystères antiques. Priape, gardien des troupeaux, des jardins, des vergers, des ruches et ennemi des voleurs, était aussi bien dieu de la vie que divinité funéraire car la vie implique la mort et la mort implique la vie. Voir « Mort » et « Naissance et Renaissance ». Il était le principe de la puissance de la génération, de la fécondité, de la richesse et de la propriété. On le voyait figurer dans les jardins et sur les tombeaux [3], tandis que, de nos jours, il est encore représenté à la porte des mas méditerranéens par un grand if phallique soigneusement taillé.

Priape, comme Pan, semait la terreur — la « panique » — par ses impudeurs et ses libertinages car ces deux divinités exprimaient nos

---

1. *Gen.*, III-7.
2. « Phalange » (gr. « phalanx » = « bâton ») possède une curieuse similitude avec le mot « phallus ».
3. Vie et mort.

propres pulsions passionnelles dont nous redoutons qu'elles nous emportent si elles se déchaînent. Il est le plus souvent représenté en buste sur un socle, avec des cornes de bouc, des oreilles de chèvre et une couronne de feuilles de vigne ou de laurier. Les Grecs le nommaient le « bienfaiteur » et le « tutélaire », les Latins « le père », le « saint », « l'ami puissant »[1].

À Rome, on célébrait les Priapées ou fêtes de Priape. C'était surtout les femmes qui y prenaient part ; elles s'habillaient en bacchantes, dansaient et jouaient de la flûte et une prêtresse sacrifiait un âne au dieu.

Par extension, le mot « priape » désigne le membre viril, une « priapée » est un poème, une peinture ou un spectacle obscène et le « priapisme » est, en médecine, une érection violente, prolongée et, souvent, douloureuse.

Les Anciens portaient diverses amulettes pour conjurer la fascination, le « mauvais œil », attribué aux serpents et aux Gorgones. Cette fascination passait pour empêcher de voir la réalité des choses. La plus usitée de ces amulettes était la représentation du phallus, appelée « fascium ». On la suspendait autour du cou des enfants, on la plaçait près de l'âtre et dans les jardins. En réalité, cette « fascination » était la crainte de subir le charme magique des débordements de l'inconscient instinctif (le serpent) et du flot émotionnel de l'anima (les Gorgones).

Pour Jung, « la représentation du dieu sous la forme d'un phallus correspondait à une union corporelle avec la divinité » et « ce geste symbolique s'accomplissait afin que l'homme ne soit pas emporté par ses forces passionnelles[2] ». Le phallus est donc « source de vie, créateur et thaumaturge, et fut partout vénéré. C'est pourquoi, le Serpent et le soleil avaient un sens phallique[3] ».

En tant que forces de la nature et puissances créatrices, les Poucets, Cabires, Dactyles et Nains, dont le trait caractéristique est de travailler en secret, figurent les forces phalliques spirituelles créatrices s'activant au sein de la « Prima Materia », féminines et inconscientes, dans le but de réaliser la métamorphose psychique. Ces divinités, ainsi que Attis, Mithra et ses dadophores, portaient le « Pileus » coiffure pointue et en forme de prépuce, « traditionnel des dieux et des lutins[4] ». Le Pileus phrygien fut porté plus tard par les esclaves affranchis et coiffe les images de la liberté et de la République française, tandis que les doges de Venise portaient également un bonnet pointu pour marquer leur puissance.

La perte du Phallus se rencontre soit dans les mythologies (Osiris, Attis...) soit par opération rituelle symbolique (circoncision, tonsure,...).

---

1. Le Phallus, les dieux et les images qu'il inspire sont dits « ithyphalliques » (gr. « ithys » = « dressé » et « phallus » = « pénis ») et, étymologiquement, « phallus » vient du grec « falos » = « lumineux », « brillant » (*M.V.*, p. 32).
2. *M.A.S.*, p. 140-141.
3. *Ibid.*, p. 185-189.
4. *Ibid.*, p. 231.

« Elle correspond, pour l'homme, à ne plus exiger que la femme satisfasse ses besoins sexuels et émotionnels comme si elle était sa mère [1] » et, par extension, l'inconscience paradisiaque comme le fait Œdipe. « En sacrifiant délibérément sa propre puérilité, elle fait naître en lui une nouvelle faculté spirituelle. Dans le mythe, elle se traduit par la faculté de s'unir une fois de plus avec la déesse.

Dans l'expérience de l'homme moderne, elle se manifeste par un renouveau du pouvoir d'aimer, mais d'une façon différente, car ce nouvel amour ne sera pas la simple recherche d'une satisfaction, mais l'émotion d'un être qui reconnaît l'individualité de l'autre. La nouvelle faculté, née du sacrifice de la puérilité, se manifestera peut-être par le développement d'une personnalité nouvelle et indépendante [2]. »

Jung écrit à ce sujet que « les Anciens et les primitifs, qui utilisaient les symboles phalliques avec une grande libéralité, n'eurent jamais l'idée de confondre le phallus, symbole rituel (processions des fêtes d'Osiris en Egypte, de Dionysos en Grèce, etc.) et pénis, la verge. Le phallus, dans toute l'Antiquité, a désigné le " Mana " Créateur, " l'extraordinairement efficace ", selon une expression de Lehmann, la force fécondante et médicinale, exprimée aussi de façon équivalente par le taureau, l'âne, la grenade, l'yoni, le bouc, l'éclair, le sabot de cheval, la danse, la copulation magique dans le champ, la menstruation et par une foule d'autres analogies [3] ».

● *Dans les rêves :*

L'apparition du pénis, dans les songes, ne doit être que très rarement interprétée dans son sens objectif. Il ne s'attache pas au problème sexuel physique. La plupart du temps, il est à joindre aux nombreuses images qui désignent le phallus. Il évoque la source de vie, le principe de génération, la procréation, la force vitale, la fécondité, le pouvoir fertilisant masculin du monde, bref, l'énergie créatrice au niveau physique, psychique et spirituel.

Le phallus est aussi la force créatrice de l'esprit qui s'active dans l'inconscient.

PIEDS (Les)

Dans les mythologies, le pied possède surtout un symbolisme phallique. D'où le fétichisme de la chaussure qui, dès lors, prend un sens sexuel féminin : « trouver chaussure à son pied », « prendre son pied ».

En Chine, dans les temps anciens, le soleil, le plus grand symbole Yang, était souvent représenté sur un pied.

« Le Rigvéda appelle le soleil le " Solipède " et une prière arménienne

---

1. E. Harding, *Les Mystères de la Femme, oc*, p. 212.
2. *Ibid.*, p. 213.
3. *H.D.A.*, p. 308.

demande que le soleil veuille bien poser son pied sur le visage de celui qui prie [1]. »

Le pied (masculin) qui fend la terre (féminin) est un symbole fréquent dans la mythologie et, à travers son image sexuelle, ce geste évoque la fécondité : il engendre la pluie bienfaisante et, même, des êtres humains.

Les pieds évoquent également la stabilité puisque nous reposons sur eux : dans l'Apocalypse, le Fils de l'Homme possède des « pieds d'airain [2] ».

Les pieds assurent, en outre, notre mouvement en avant, en arrière, de côté : dans la haute Antiquité, le soleil était souvent représenté avec des ailes ou des pieds au bout de chaque rayon pour évoquer sa course.

En contact direct avec le sol, le pied nous rappelle la dure réalité des lois objectives de la vie par opposition aux illusions idéologiques subjectives : « Ne pas avoir les pieds sur terre. » Voir « Planer. »

Situé aux antipodes de la tête, qui symbolise la sur-conscience au sein de laquelle règne l'ego, c'est au pied que dieux et héros sont blessés ou tués au moment où ils s'y attendent le moins : le vieux Râ est blessé au pied par le ver venimeux d'Isis, Orion par un scorpion, Achille par une flèche, Philoctète par un serpent, etc. Le héros solaire russe Oleg, s'étant approché du crâne d'un cheval abattu, est mordu au pied par un serpent et lorsque Indra, sous la forme d'un faucon, ravit le Sôma, boisson d'Immortalité, le gardien le blesse au pied de sa flèche. Ces rappels à l'ordre indiquent toujours la fragilité du dieu ou héros qui croit avoir réalisé l'invulnérabilité. Voir « Talon ».

Enfin, le pied peut susciter un geste d'humilité vis-à-vis d'un supérieur : aux Indes, le visiteur essuie la poussière des pieds du Rishi (« Saint », « Sage ») ; le Christ lave les pieds de ses disciples [3], geste répété le Jeudi Saint par les dignitaires de l'Église, et Jean-Baptiste indique qu'il n'est pas digne de dénouer la chaussure de Jésus [4].

● *Dans les rêves :*

Les allusions aux pieds, dans les songes, peuvent se rapporter à la stabilité des assises dans la vie extérieure ou dans la vie intérieure, au mouvement en avant ou en arrière de l'évolution, suivant qu'il y a progression, régression ou stagnation. Elles peuvent aussi se rapporter à la région la plus éloignée de la tête, siège du rationalisme aveugle et d'où viennent les attaques les plus imprévisibles pour un intellect borné au seul champ de conscience, et rarement, à la puissance de l'énergie créatrice phallique.

1. *M.A.S.*, p. 425.
2. *Apoc.*, I-15.
3. *Jean*, XIII-5.
4. *Matth.*, III-11.

Se trouver nu-pieds :

(−) Traduit des sentiments d'insécurité. On se sent désarmé, vulnérable et non protégé par une solide paire de chaussures pour affronter le silex, les ronces, le froid...

Parfois, il s'agit d'humiliation, d'avilissement : un « va-nu-pieds ».

(+) Le rapport direct avec la terre, donc avec les effluves telluriques et les réalités de la vie et ses lois : ainsi, pour ne pas oublier la condition humaine, les mouvements du Hatha Yoga doivent toujours se faire nu-pieds et, aux Indes, sur une peau d'animal, tandis qu'un proverbe chinois nous avertit : « On ne peut marcher en regardant les étoiles quand on a un caillou dans son soulier. »

Plus rarement, la modestie, la soumission : Moïse ne peut parler à Yahvé que nu-pieds [1], les musulmans se déchaussent pour pénétrer dans la mosquée comme les Hindous dans le temple ou devant le rishi, et certains ordres chrétiens sont « déchaux ».

Piétiner, trépigner, fouler :

Les rêves concernant ces mouvements exécutés avec les pieds sont rares et semblent faire allusion, soit à une sorte de danse rythmée (voir « Danse ») soit à un intense mépris : « fouler au pied », « piétiner un condamné ». Parfois, trépigner marque l'impatience ou l'enthousiasme : on « trépigne de joie » ou « d'impatience ».

Jung note également que certains pas de danse des primitifs qui trépignent sur place « semblent être comme une répétition du " trépignement " infantile. Ce dernier est en relation avec la mère et avec des sentiments de plaisir, en même temps qu'il représente un mouvement qui s'exerce déjà dans la vie intra-utérine [2] ».

Pied(s) coupé(s) :

Indice d'inhibition totalement paralysante, ou de castration.
Voir « Paralysie » et « Castration ».

Pied(s) difforme(s) :

Voir « Difformité ».

PILEUX (Le système)

Pour l'homme, le système pileux rappelle la toison animale. En outre, les poils poussent où, quand et comme ils le veulent (épis, noevus pileux, femmes barbues, etc.) semblables à la nature brute, sauvage, peu raffinée qui vit toujours en nous : « une bête fauve ». Ce rappel heurte l'amour-propre de l'homme civilisé, intellectualisé, moralisé. C'est pourquoi, le

1. *Exo.*, III-15.
2. *M.A.S.*, p. 520 et s.

système pileux, considéré comme impudique est, le plus souvent, supprimé des nus artistiques sauf, bien entendu, la barbe et les cheveux.

En outre, la qualité du système pileux est un indicateur de santé chez l'homme comme chez les animaux : les poils et cheveux souples, luisants et abondants indiquent une meilleure santé que les cheveux raides, ternes et clairsemés.

Enfin, un homme velu comme un gorille paraît particulièrement « masculin », tandis qu'une femme aux longs et fins cheveux est considérée comme plus « féminine » que celle coiffée de cheveux courts « à la garçonne ».

Le souci de s'évader de l'être purement animal se retrouve chez les prêtres de certaines religions. Ainsi, chez les bouddhistes, les religieux et les religieuses se rasent le crâne et les sourcils, tandis que, d'après Hérodote, les prêtres et initiés égyptiens se rasaient le corps tous les deux jours et, parallèlement, se lavaient deux fois par jour et deux fois par nuit. Les poils, comme la crasse, étaient considérés comme impurs et susceptibles d'entretenir de la vermine alors que toute souillure devait disparaître dans l'exercice du culte.

La Fable de la « Toison d'Or » exprime le sacrifice d'un excès d'animalité au profit d'une spiritualité qui se révèle, en fait, difficile à atteindre et non un vœu pieux.

Dans la Bible, Esaü qui, dans une impulsion tout animale, vend son droit d'aînesse contre un plat de lentilles, était « roux et tout entier comme un manteau de poils [1] ».

Les hippies protestent, tous poils dehors, contre les idées reçues, d'un excès de civilisation qui exaspère la nature animale.

● *Dans les rêves :*

Toute allusion, dans les songes, au système pileux concerne notre composante primitive et instinctive qui a toujours son mot à dire, surtout si nous la malmenons.

PIQÛRE (La)

Au figuré, la piqûre est une blessure morale, un dépit d'amour-propre.

La piqûre se rencontre dans les mythologies (Ré, Orion, Adonis, Achille...) ou dans les contes folkloriques (la « Belle au Bois Dormant »). Elle est alors provoquée par divers instruments (lance, flèche, épine, aiguille, quenouille...) ou divers animaux (serpent, ver, scorpion, sanglier...). Dès lors, le personnage piqué meurt en vue d'une régénération ou entre en sommeil magique en vue d'un « éveil » de la conscience.

La piqûre symbolique est l'expression d'une périlleuse autofécondation phallique qui passe par la mort des anciennes adaptations soumises au seul

---

1. *Gen.*, XXV-25.

ego, afin de permettre l'élaboration de l'« Enfant Intérieur », c'est-à-dire une renaissance spirituelle. Voir « Naissance et Renaissance ».

Mais, si la personnalité ne parvient pas à surmonter les épreuves initiatiques, elle peut sombrer dans la folie : « être piqué », « piquer une crise », « être piqué de la tarentule »..., car toute initiation suppose risque, danger, sacrifice, souffrance.

Jung note également que, dans le cas d'un changement mineur d'attitude, le rêve moderne n'utilisera pas les instruments de piqûres rencontrés dans les mythologies mais « au lieu du couteau sacrificiel, une seringue hypodermique[1] » telle que celle employée en thérapeutique.

● *Dans les rêves :*

Les piqûres, dans les songes, évoquent, en toute généralité, l'introversion dirigée vers le monde intérieur (l'inconscient) afin de procéder à la régénération psychique.

Elles impliquent sacrifices et, parfois, une idée de mort par renonciation, dans la souffrance, du moi souverain régnant sur les anciennes adaptations.

Voir « Transpercement douloureux », « Blessure ».

PLANER

Au figuré, planer, c'est dominer par la pensée ou être perdu dans l'abstraction ou, encore, considérer de haut. D'où les expressions populaires telles que : « être flottant », « se perdre dans les nuages », « une créature éthérée »...

● *Dans les rêves :*

Les songes dans lesquels le rêveur ou un personnage du rêve planent sont presque exclusivement négatifs.

Ils se rapportent généralement à une fuite devant les réalités de la vie : « Ne pas avoir les pieds sur terre », ou à un refus de vivre tel que nous sommes. Pourtant dit Jung, « le " en bas " est le sol de la réalité qui existe et demeure agissante malgré et par-delà les autotromperies. Atteindre la réalité de ce sol, se cramponner au " plancher des vaches ", semble d'une importance extrêmement urgente, d'une urgence qui se conçoit parfaitement si on ne se ferme pas à la constatation que les hommes d'aujourd'hui, d'une façon générale, tendent à " *planer* " quelque peu au-dessus de leur vrai niveau[2] ».

C'est pourquoi, lorsqu'un sujet rêve qu'il plane, il ressent souvent, malgré sa névrose, une sorte de bien-être apaisant, car il se soulage momentanément en éludant sa propre réalité qu'il refuse de reconnaître et il s'adonne voluptueusement à cette présomption.

1. Cf. Jung in *The Mysteries*, Bollingen Series XXX-2, New York, Pantheon Books, 1955, p. 335.
2. M. M., p. 122.

Si c'est un personnage du rêve qui plane, il faut rechercher quel élément de lui-même il s'efforce inconsciemment d'escamoter.

Voir « Voler dans les Airs », « Ailes » et « Plumes ».

PLEURER

● *Dans les rêves :*

Pleurer dans les songes peut traduire :

(−) La tristesse, la détresse, le désespoir.

(+) Une forte abréaction d'une tension émotive pénible à supporter[1]. L'émotion bouleversante devant une image de beauté, de plénitude, de « complétude ».

Dans les deux cas, les larmes positives du rêve provoquent un profond sentiment de soulagement, de délivrance, de bien-être.

PLUMES (Les)

Les plumes apparaissent relativement fréquemment dans les mythes, religions et contes folkloriques où elles évoquent le domaine de l'air, de l'impalpable, de l'intangible, du subtil ; elles appartiennent au monde des idées, des désirs, de l'abstrait, de l'imagination, de l'intuition, de l'inspiration.

L'idéogramme de Shou, dieu de l'air égyptien, est une plume d'autruche. L'attribut et l'idéogramme de Maât, déesse de la Vérité et de la Justice, est une plume, car la plume, chez les Égyptiens, était considérée comme l'image de la Vérité. Toujours en Égypte, certains dieux portaient deux grandes plumes sur leur coiffure pour souligner leur caractère solaire : Amon, roi des dieux ou Mentou, dieu de la guerre, par exemple.

Dans l'enfer de l'épopée babylonienne de Gilgamesh, les âmes portaient des vêtements de plumes, comme les oiseaux.

Dans la mythologie aztèque, la pieuse déesse Coatlicue (« celle à la robe tissée de serpents »), un jour qu'elle était en prières, se trouva enceinte après avoir reçu sur la poitrine une couronne de plumes tombée du ciel.

Parfois, les plumes sont associées aux rayons solaires comme celles d'oiseaux de proie et surtout d'aigles, qui ornent la coiffure des Indiens de l'Amérique du Nord. Chez ces mêmes Indiens, selon Lévy-Bruhl, il est d'usage d'ajouter le mot « plume » à un autre mot pour signifier que la chose désignée par ce mot n'existe qu'au niveau de l'imagination.

D'après Mircea Eliade, les termes « savant à plumes » ou « hôte à plumes », désignent, en Chine, le prêtre taoïste. « Monter au ciel en volant » s'exprime en chinois de la manière suivante : « Au moyen de plumes d'oiseau, il a été transformé et est monté comme un immortel. »

Les taoïstes et les alchimistes étaient censés avoir le pouvoir de s'élever

---

1. « L'étranglement dans la gorge, ce que l'on appelle le « globus hystericus » (la « boule hystérique »), se produit lorsqu'on retient ses larmes.

dans les airs. Quant aux plumes d'oiseau, elles constituent un des symboles les plus fréquents du « vol chamanique » et elles sont amplement attestées dans la plus ancienne iconographie chinoise... Par le symbolisme des plumes, « la pesanteur est abolie, et si les alchimistes chinois et indiens, les yogis, les sages, les mystiques aussi bien que les sorciers et les chamans sont capables de voler, ils ne prétendent pas pour autant être des dieux mais ils participent à la condition des " esprits " et, ainsi, dépassent la condition humaine [1] ».

Dans les contes folkloriques, la plume apparaît souvent, soit que l'on souffle dessus, soit que le vent l'emporte, comme si on la chargeait d'indiquer une direction en s'en remettant à l'intuition, au souffle de l'esprit, au message de Dieu.

Enfin, « au Moyen Âge, lorsqu'on était perdu à un carrefour de route, ou encore si on n'avait pas de projets précis, on soufflait sur une plume et l'on allait dans la direction où le vent l'emportait. Les plumes représentent les pensées, les phantasmes et évoquent les oiseaux. Elles sont portées par le vent, c'est-à-dire par l'inspiration spirituelle émanant de l'inconscient. Souffler sur une plume, c'est laisser l'imagination ou la pensée aller à sa guise, de façon à permettre aux inspirations nées de l'inconscient de se manifester en dehors du rationalisme intellectuel. La plume est donc associée au souffle de l'esprit [2] ».

● *Dans les rêves :*

Les plumes apparaissent dans les songes de manière très diverse. D'une manière générale, leur symbolisme se rattache à l'inspiration, à l'intuition, à l'abstrait, au souffle de l'esprit. Elles condensent en elles l'image de l'aile (voir ce mot) et celle de l'oiseau, c'est-à-dire « des entités psychiques ou des pensées de caractère intuitif [3] ».

Comme l'oiseau, elles peuvent exprimer « l'idée-désir » [4]. Si les plumes des rêves voltigent, elles évoquent généralement les pensées intellectuelles et intuitives intangibles s'éparpillant au gré des fantaisies.

Parfois, le rêveur se voit entièrement ou partiellement recouvert de plumes. Ce rêve apparaît principalement au début d'une analyse et semble indiquer que la psychothérapie banale sera dépassée et s'orientera vers un degré supérieur de prise de conscience. Les plumes promettent un essor transcendantal. Voir « Voler dans les Airs ».

Mais, en négatif, les plumes peuvent évoquer les idéologies sentimentales, creuses et inconsidérées ou, encore, l'esprit frivole, léger, instable, flottant, inconstant : « Comme la plume au vent, femmes volages et bien peu sages !... » dit la chanson.

1. Mircea Eliade, *Mythes, Rêves et Mystères, oc*, p. 133 à 140.
2. *P. et Al.*, p. 148-149.
3. *I.C.F.*, p. 66, 85 et 89.
4. *M.A.S.*, p. 404.

Être déplumé (un animal surtout) exprime la perte de la faculté de lutter contre les intempéries intérieures et extérieures ainsi que l'impossibilité de voler, de se protéger, de prendre son essor. Il y a défaut de moyens défensifs et offensifs qui rend comme « nu », infiniment vulnérable, et condamne à l'inaction. Que l'on songe aussi à l'expression « y laisser ses plumes ».

La phobie des plumes est l'expression d'une aversion instinctive à toucher ou voir une plume flotter au vent. Ce trouble névrotique a généralement pour origine un souvenir traumatisant de l'enfant mais il peut également traduire par réaction une répulsion pour les propres tendances du rêveur à se perdre dans l'abstraction imaginaire idéologique et sentimentale.

POILS ET DUVETS (Les)

Voir « Pileux (Le système) ».

POITRINE (La)

● *Dans les rêves :*

La poitrine contient principalement les poumons et le cœur.

Si, dans les songes, il est fait allusion à la poitrine en tant que siège de la respiration, il s agit généralement d'angoisse sous forme d'essoufflement, d'étouffement, de suffocation.

Si la poitrine est ressentie comme étant la région où s'active le cœur, elle évoque le sentiment, l'affection, l'amour et toutes les manifestations émotionnelles telles que « battements de cœur », « tachycardie , « érétisme cardiaque », etc. Voir « Cœur ».

A ce sujet, il y a lieu de noter que, dans les rêves, le symbolisme de la poitrine s'exprime souvent à travers le vêtement qui la recouvre : pull-over pour les hommes, pull-over et chemisier pour les femmes.

POUCE (Le)

Voir « Doigts ».

POUMONS (Les)

Voir « Poitrine ».

POURRITURE (La)

Le corps est destiné à pourrir car, dit la Genèse, nous sommes « glaise et nous retournerons à la glaise ». Mais de cette « glaise » naîtront à nouveau des êtres qui regagneront la « glaise » et, ceci, à l'infini.

Un enseignement hermétique spécifie que tout ce qui est sur terre, la « Providence du Vrai » l'a maintenu dans la corruption, l'y maintient

---

1. *Gen.*, III-19.

enveloppé et l'y maintiendra toujours. « Sans corruption, il ne peut y avoir génération et cette corruption est nécessaire pour qu'à nouveau naissent les êtres. En effet, ce qui naît doit nécessairement se corrompre pour qu'il n'y ait pas d'arrêt dans la génération des êtres. Reconnais cela comme la première cause apparente pour la génération des êtres. »

Dans la mythologie, quatre jours après sa naissance, Apollon vengea sa mère Latone en tuant le Python[1] qui, encouragé par la jalousie de Héra, la suivait obstinément. Puis il poussa dédaigneusement du pied sa victime en lui disant : « Pourris maintenant là où tu es. » Or, en grec, « pytho » vient du verbe « puthein » = « pourrir ». Le monstre, sorte de dragon femelle, fut d'abord écorché et sa peau servit à couvrir le trépied sur lequel s'asseyait la « pythonisse » du Temple d'Apollon à Delphes pour rendre ses oracles[2].

En alchimie, *l'Opus* ne peut être atteint qu'en passant par la *putrefactio* qui permet, à travers la décomposition des éléments, de revenir à la *massa confusa* initiale afin d'accomplir « l'œuvre » à partir des parties restées saines de la psyché[3].

● *Dans les rêves :*

La pourriture, dans les songes, rappelle le cycle éternel des morts, des naissances et des renaissances. Voir « Mort » et « Naissance et Renaissance ».

On peut assimiler son symbolisme à celui du fumier d'où sortira la nouvelle récolte.

PUDEUR (Sentiments de)

Voir « Nudité » et « Sexuels et la Sexualité (Les Organes) ».

Q

QUEUE (La)

Les sirènes sont souvent représentées avec des queues de poisson et certaines images allégoriques représentent des êtres humains ou des animaux à queues de serpent : certains dieux hindous, le capricorne zodiacal, la Chimère, Échidna, le sphinx grec, etc.

La queue du paon possède un symbolisme spécifique que l'on retrouve en mythologie et dans l'alchimie.

---

1. Monstrueux reptile qui naquit de la vase déposée sur le sol par les eaux du déluge.
2. De tout son éclat, la conscience lumineuse écrase les forces obscures de l'inconscience.
3. Cf. *P. et Al.,* p. 137.

● *Dans les rêves :*

Il est rare que, dans les songes, apparaisse un être humain muni d'un appendice caudal.

Il semble que cette image constitue, pour le rêveur, un rappel des arrière-plans psychiques originels, primitifs, inadaptés, mystérieux, instinctifs et inconscients, d'où jaillit un jour sa conscience — dont il est si fier.

Ce rappel lui indique que ces zones sont encore très éloignées de l'intégration à la conscience, quelles que soient les illusions de celle-ci. Jung écrit à ce sujet : « L'Ombre, prise au sens le plus profond, est l'invisible queue de saurien que l'homme traîne encore derrière lui. Soigneusement séparée, elle devient le serpent sacré du mystère. Seuls les singes s'en servent pour parader[1]. »

La queue des rêves vient généralement compenser une surconscience moralisée ou intellectualisée à l'excès. Il y a là comme un rappel à l'ordre.

R

RAJEUNISSEMENT D'UNE IMAGE (Le)

Dans l'Antiquité, on pensait se rajeunir en se baignant dans la fontaine de Jouvence. Jouvence était une nymphe.

Cette croyance rappelle le rite du baptême par immersion qui régénère le catéchumène en le plongeant dans les Eaux-Mères de l'inconscient.

Le Soma, l'Amrita, l'Haoma, l'Ambroisie, le Nectar, l'Hydromel du Chaudron celte, etc. conféraient éternelle jeunesse et immortalité. Les Paradis Célestes ignorent la vieillesse et la mort. Voir « Mort ». Enfin certaines sources miraculeuses sont réputées guérir et régénérer.

Jung considère que « l'approche du Soi constitue une sorte de rajeunissement[2] ». En effet, ce rajeunissement constitue une approche de ce qui ne meurt pas, de ce qui est éternel. C'est ainsi que l'on parlera du « Puer Aeternus » et de la « Puella Aeterna ».

● *Dans les rêves :*

Les songes de rajeunissement ne sont pas fréquents mais existent cependant.

Rajeunissement du père :

Pour l'homme : L'image du « Père Tyran » devient une image « fraternelle » sur laquelle on peut compter.

1. *A. et V.*, p. 319.
2. Jung in *The Mysteries*, oc, Eranos.

Pour la femme : Le Père œdipien contraignant se transfère sur « l'animus-Époux ».

Rajeunissement de la mère :

Pour l'homme : La Mère œdipienne contraignante se transfère sur « l'anima-Épouse ».

Pour la femme : L'image de la « Mère Terrible » devient une image de la sœur intérieure qui assiste et secourt.

N. B. : Ce rajeunissement de la Mère est un des moyens employé par le symbolisme pour barrer la route à l'inceste et assurer la deuxième naissance avant que l'image maternelle ne disparaisse définitivement des rêves [1].

Rajeunissement du rêveur lui-même :

Généralement, il s'agit d'une régression à un stade infantile, donc positive, qui permet de réduire le conditionnement opéré par la parenté et les circonstances de la vie dans la première enfance. Le plus souvent, le rêveur se voit à tel ou tel âge et il convient de lui faire formuler clairement tous ses souvenirs et son vécu émotionnel à l'âge en question afin de les dédramatiser.

Personnages connus apparaissant rajeunis dans un rêve :

Des éléments (à déterminer) symbolisés par ces personnages sont transformés, vivifiés et susceptibles d'être mieux acceptés en raison de la prise de conscience.

RAMPER

Au figuré, être rampant, c'est s'abaisser, se soumettre.

● *Dans les rêves :*

Ramper, dans les songes, possède le même symbolisme que celui du « passage difficile, étroit ou dangereux ». Se reporter à cette rubrique.

RAPETISSEMENT D'UNE IMAGE (Le)

● *Dans les rêves :*

Le rapetissement d'une image onirique peut signifier soit que le contenu psychique (à déterminer) représenté par cette image a été surévalué, et doit être ramené à sa véritable proportion, soit qu'un sentiment (à déterminer) a été vécu de manière exagérée et doit être ramené à sa juste valeur.

Voir « Taille plus grande ou plus petite que nature ».

1. Cf. *M.A.S.*, p. 376.

RAPT (Le)

Voir « Voler (Dérober) ».

REGARDER EN ARRIÈRE

Regarder en arrière est un thème qui peut être bienfaisant ou malfaisant.

(+) Parfois, et par exemple, dans une psychothérapie, il est nécessaire de regarder en arrière. Il s'agit, alors, d'une régression positive délibérée, décidée à affronter et à voir en face les problèmes parentaux. Ce regard vers le passé permet de réduire les fixations inconscientes à la famille, principalement à la mère, tant physique qu'archétypique et expression du « Paradis Perdu ».

Ce « regard en arrière » est alors un acte volontaire qui s'oppose à une « fuite en avant » qui refuse d'admettre la puissance des attachements infantiles.

(−) Par contre, le « regard en arrière » prend un sens négatif dans de nombreux textes mythologiques.

Dans la Bible, la femme de Lot s'étant retournée pour contempler la destruction de Sodome, malgré l'interdiction de Jahvé, fut changée en colonne de sel[1].

Chez les Grecs, la Fable voulait qu'Orphée descende dans l'Hadès rechercher son épouse Eurydice tuée par la morsure d'un serpent. Pluton et Proserpine consentirent à la lui rendre à condition qu'il la précède en chemin et ne se retourne pas une seule fois vers elle jusqu'à leur retour sur la terre. Mais Orphée ne put résister au désir de voir Eurydice avant d'être sorti des Enfers. Il perdit ainsi définitivement celle que son amour était parvenu à arracher à la mort. Orphée mena alors une existence misérable, en proie au désespoir jusqu'à ce qu'il fut mis en pièces par les femmes de Thrace furieuses d'être dédaignées par lui.

Un mythe identique existe au Japon où, indique Jung d'après Frobenius, « Izanagi, l'Orphée japonais, suit son épouse morte aux Enfers et la prie de revenir. Elle y est prête, mais elle lui demande : " Ne cherche pas à me regarder ! " Izanagi allume alors avec son peigne, c'est-à-dire une force phallique de la lumière et perd de cette façon son épouse. A la place " d'épouse ", ajoute Jung, il faut mettre " mère, anima, inconscient "[2] ».

Un texte anonyme tibétain abonde dans le même sens : « Longue et lassante est devant toi la voie, ô Disciple. Une seule pensée donnée au passé laissé derrière te fera retomber, et il faudra recommencer l'ascension. Tue en toi-même ta souvenance d'impressions passées. Ne regarde pas en arrière ou tu es perdu[3]. »

A un disciple qui, avant de le suivre, lui avait dit « Je te suivrai,

1. *Gen.*, XIX-26.
1. *M.A.S.*, p. 566.
2. *La Voie du Silence*, Éd. Adyar, 1958, p. 25.

Seigneur, mais permets-moi d'abord de prendre congé des miens », Jésus répond : « Quiconque a mis la main à la charrue et regarde en arrière est impropre au service de Dieu [1]. »

Tandis qu'à un autre qui voudrait aller enterrer son père avant de le suivre, le Christ dit : « Suis-moi et laisse les morts enterrer les morts [2]. » Ce qui signifie que le passé est mort et qu'il est inutile de demeurer le regard fixé sur lui.

Sous un autre aspect, l'interdiction de regarder en arrière peut se présenter sous la forme de l'obscurité qui empêche de percer un mystère. C'est le cas des amours nocturnes d'Éros et de Psyché.

L'invitation archétypique de « quitter sa parenté » relève du même principe car, toute fixation à la famille et à ce qu'elle évoque symboliquement retient en arrière.

● *Dans les rêves :*

Le regard en arrière des songes peut être positif ou négatif suivant le contexte du rêve, les associations d'idées et les affects.

(+) Le regard en arrière est positif lorsqu'il témoigne d'une régression salutaire. Ceci signifie, qu'au lieu de fuir et de refouler les tenaces fixations parentales ou certains événements rétrospectifs pénibles, nous avons le courage de tourner notre regard vers le passé et de contempler bien en face ces problèmes afin de les dédramatiser, de les réduire et de nous en libérer. « Regarder en arrière, dit Jung, mène à la régression et en constitue le début, c'est-à-dire le commencement de la séparation de la jeunesse [3]. »

(−) Le regard en arrière est négatif s'il exprime principalement l'impossibilité de nous dégager de la Mère-inconscient, source paralysante (telle Méduse) de la nostalgie du paradis perdu.

Jung considère que cette « nostalgie de la Mère, ce regard en arrière vers la source, est inné en chacun » et il ajoute : « Pour qui regarde en arrière, le monde et même le ciel étoilé, c'est encore la Mère penchée sur lui et l'enveloppant de tout côté [4]. »

RÈGLES (Les)

Voir « Menstruation ».

RENAISSANCE OU SECONDE NAISSANCE (La)

Voir « Naissance et Renaissance ».

REPAS EN COMMUN (Le)

Voir « Manger — Le Repas ».

---

1. *Luc*, IX-61.
2. *Matth.*, VIII-21.
3. *M.A.S.*, p. 674.
4. *Ibid.*

RIRE (Le)

Le nourrisson ne rit guère avant quelques mois ; il est encore dans l'état paradisiaque de l'inconscience totale. Le Sage de Lao-Tseu dit, parlant de lui-même

> « Moi seul demeure en paix, imperturbable,
> Comme un enfant qui n'a pas encore ri [1]. »

Beaucoup de gens « utilisent le rire, écrit M.-L. von Franz, pour se protéger de la vie. C'est un trait caractéristique des personnalités névrosées et dissociées, lorsqu'elles se sentent concernées et que le destin les attend sous la forme d'une implication émotive, que de *fuir* par une plaisanterie élégante en donnant un tour léger et amusant à la situation [2]. »

Sans même se manifester comme étant l'expression d'un mécanisme maniaque de défense, le rire peut être provoqué par une sorte de « nervosisme » incontrôlé qui provoque, par réaction, une sorte de petit ricanement crispé et contraint lorsque, par exemple, on se sent intimidé ou ridicule, que l'on a le trac, que l'on est terrifié, que l'on se trouve dans une situation dangereuse ou, encore, dans le rire hystérique qui se produit lorsqu'une émotion est trop forte pour pouvoir être assumée.

On peut « pouffer » dans un fou-rire, généralement inextinguible et communicatif, lorsque la tension nerveuse est arrivée à son point de rupture au cours d'une cérémonie solennelle, en cas de deuil ou d'enterrement, en présence d'un personnage important, au moment où, précisément, le plus grand sérieux devrait être observé.

Le rire permet de se gausser des malheurs d'autrui, malheurs qu'il serait affligeant de voir fondre sur soi. On rit en plaisantant des cocus, des bègues, des balourds, des radoteurs, des maladroits, des ivrognes, des gaffeurs ainsi que de ceux qui trébuchent. C'est une façon inconsciente de croire : « Moi, au moins, je ne suis pas ainsi ! » ou encore « Ce n'est pas à moi que cela arriverait ! » D'où le rire « homérique » de l'*Iliade,* lorsque les dieux s'esclaffent à la vue du pauvre Héphaïstos trompé par Aphrodite avec Arès.

Le rire peut faire fléchir d'un seul coup la colère, la sévérité, la gravité, l'austérité. Le rire peut à tel point réagir à une exaspération nerveuse qu'il est susceptible d'avoir des répercussions physiologiques allant des simples larmes au relâchement des sphincters en passant par la toux, les hoquets, les points de côté, l'étouffement, etc. : « Se tordre de rire », « crever de rire », « pleurer de rire », « mourir de rire ».

Enfin, il paraît bien qu'un rire joyeux, naturel, de bon aloi est non seulement nécessaire à l'homme normal mais encore savoir rire est un signe de santé morale. La saine hilarité vient alors soulager des mille petites tensions psychiques parfois épuisantes, que suscitent la vie quoti-

---

1. *La Voie et sa Vertu, oc,* Vt n° 20.
2. *A.O.A.,* p. 83-84.

dienne et ses contraintes : « La plus perdue de toutes les journées est celle où l'on n'a pas ri », disait Chamfort [1].

Ceux qui ne savent pas rire ou ceux qui rient de manière incoercible ne savent user à bon escient de la plus naturelle des catharsis. « Les gens qui ne rient jamais ne sont pas des gens sérieux » disait A. Allais. A noter que le rire ne doit pas être confondu avec le sens de l'humour.

• *Dans les rêves :*

Le rire est relativement rare dans les songes où il peut apparaître comme négatif ou positif. En effet, le rire peut :

(−) Faire ressortir le côté diabolique, destructeur, amer, mordant, railleur, impertinent, méprisant, etc., d'un personnage dont le symbolisme est à déterminer.

(+) Indiquer une détente importante pour l'ensemble psychique du rêveur. Il traduit une soudaine abréaction qui libère d'une tension psychique dont il faut chercher l'origine. Généralement, cette « catharsis » procure au rêveur un profond soulagement car un conflit d'opposition tend à s'harmoniser au lieu de créer une insupportable contrainte.

S

SALIVE (La)

« Selon la conception primitive, la salive est la substance qui renferme le Mana personnel, la force salutaire et vitale [2]. » Dans cette optique, la salive peut être assimilée au sperme créateur issu du Phallus, c'est-à-dire la force créatrice du Principe Masculin. Elle est alors la « substance de l'âme » capable de donner la vie, la « liqueur de jade » des Chinois.

Sous sa forme négative, cette puissance est utilisée dans les envoûtements ou dans le fait de cracher au visage de quelqu'un, comme si la charge magique en accroissait la nocivité.

D'autre part, on « crache des injures » ou, en passant près d'un personnage pour l'humilier par le dédain. Ainsi, les Grands Prêtres, le Sanhédrin tout entier et les soldats crachent au visage de Jésus pour l'humilier [3].

C'est avec la terre et sa salive qu'Isis fabriqua le ver venimeux qui piqua à mort le vieux Rê afin de renouveler le soleil sous la forme d'Horus.

Suivant une légende d'Héliopolis, le dieu égyptien Atum, identifié lui aussi comme étant le soleil et dont le nom signifie « ne pas être » et « être

---

1. Chamfort, *Maximes et Pensées,* Gallimard.
2. *M.V.,* p. 307.
3. *Matth.,* XXVI-67 et XXVII-30.

au complet » (tel le soleil dans sa course), s'engendra lui-même, puis il cracha deux divinités : le dieu Shou (qui soutenait le ciel) et la déesse Tefnet (déesse de la pluie) qui engendrèrent Geb (le Ciel) et Noût (la Terre) qui, à leur tour, eurent pour fils Osiris et Seth et pour filles, Isis et Nephtys, d'où sortit toute l'humanité.

Dans le Nouveau Testament, Jésus guérit un sourd-bègue en lui mettant le doigt dans l'oreille et en lui touchant la langue de sa salive [1], un aveugle à Betsaïde en lui crachant sur les yeux après lui avoir imposé les mains [2] et un aveugle-né en crachant à terre et en lui enduisant les yeux de la boue ainsi formée [3].

Quant à l'Église, elle permet à une mère éloignée de tout prêtre de baptiser son enfant en lui traçant une croix sur le front avec sa salive.

Le baiser buccal, par une communion salivaire, est un envoûtement d'amour.

● *Dans les rêves :*

La salive qui paraît rarement dans les songes semble y posséder une signification spermatique.

SANG (Le)

Le sang est le liquide vital par excellence dont la circulation échappe au contrôle de la conscience. À ce titre, il est auréolé d'un certain pouvoir magique associé à l'idée du profond mystère de la vie et de son secret. Son flot animateur part du cœur et revient au cœur, lui-même centre vital de l'être qui rythme son existence au moyen des pulsations sanguines. Le sang va donc évoquer aussi bien le dynamisme de vie, et son sacrifice éventuel, que l'âme, étincelle spirituelle ou démoniaque, s'activant au sein du corps physique.

Le sang, en tant qu'expression du dynamisme de vie exaltante, passionnée, enivrante, débordante d'émotivité et de jouissance, faisait représenter Dionysos revêtu d'un manteau écarlate. Mais ce rouge sang était également la couleur de Mars, dieu de la guerre, du courage, des passions, des pulsions brutales. Mars, l'intrépide, combat pour des causes justes, mais a pour fils la Terreur et la Crainte.

Nous-mêmes, si nous sommes dominés par des pulsions passionnelles, on dira que nous avons le « sang chaud » et la surexcitation, la colère, la rage, font que nous « voyons rouge » ou que nous avons les yeux « injectés de sang ». Nous disons alors « mon sang n'a fait qu'un tour », « nous ne nous connaissons plus », et le sang peut couler.

Beaucoup de primitifs, ainsi que les Juifs, refusent de se nourrir d'animaux étouffés afin de ne pas consommer l'âme de la bête qui pourrait

1. *Marc,* VII-23.
2. *Ibid.,* VIII-23.
3. *Jean,* IX-6.

leur nuire par incorporation de sa bestialité. Ou, tout au moins, laisser libre cette âme et ne se nourrir que de la chair de ces animaux. Aussi, dans la Genèse, Jahvé interdit-il à Noé de manger la chair mêlée de sang : « Vous ne mangerez pas la chair avec son âme, c'est-à-dire le sang[1] », interdiction renouvelée à Moïse[2], tandis que, pour les alchimistes, le cœur et le sang étaient le siège de l'âme[3].

Le sang évoque également l'idée d'hérédité (les « princes du sang ») et une prise de sang du père permet la recherche de paternité d'un enfant (la « voix du sang »). Injecter du sang, c'est donc injecter en même temps les qualités et les vices de ce sang (« avoir cela dans le sang », un « pur-sang », « avoir le sang chaud » ou, encore, avoir du « sang bleu »).

A noter que l'état psychique influence le sang : au niveau psychosomatique, on aura par exemple de l'urée ou des difficultés spasmodiques de circulation (se « faire du bon ou du mauvais sang », se « glacer le sang »).

Le sang peut être associé à l'idée de fécondité. C'est ainsi que des sacrifices sanglants — humains ou animaux — sont offerts aux grandes Déesses Mères afin de se la concilier et qu'elle accorde la fertilité : Indes, Amériques, Méditerranée orientale, Nord de l'Europe, etc. Le sang est alors un facteur magique de fertilité qu'il garantit à la Terre et c'est l'élément féminin qui dispose de cet instrument magique en maître absolu.

Mais le sang, dans la plupart des traditions est, avant tout, le véhicule de l'esprit qui, à notre insu, agit en nous, comme la circulation sanguine échappe à l'emprise de la volonté. En égorgeant le taureau, Mithra libère l'esprit (la conscience) captif des forces sauvages et brutales de l'inconscient, et le mythe de Pégase né du sang de Méduse décapitée possède un sens identique[4].

Sous la forme du vin, le prêtre consomme le sang du Christ, c'est-à-dire son âme, tandis que le pain est identifié à son corps. Le Moyen Âge voyait dans le Saint-Graal un vase d'émeraude qui avait servi au Christ pour la Cène avec ses disciples et dans lequel Joseph d'Arimathie aurait recueilli l'eau et le sang que le centurion fit couler en perçant le flanc de Jésus crucifié.

Sous une autre forme, le sang associé à l'esprit est exprimé par la légende de Siegfried buvant le sang du dragon. A la suite de quoi, il comprend le langage des oiseaux et se trouve placé en relation particulière avec la nature, situation que son savoir rend prépondérant. En outre, il délivre Brunehild et conquiert un trésor. De plus, en buvant le sang du dragon, le Héros absorbe son âme et rend ainsi possible l'union des contraires.

---

1. *Gen.*, IX-4.
2. *Lev.*, XVII-10.
3. *P. et Al.*, p. 361 et 437, note n° 63.
4. « L'état d'inconscience est un état proche de l'animalité », dit Jung (*R.A.J.*, p. 58).

Au sang est associée l'idée de l'âme, elle-même assimilée au feu intérieur (le rouge-feu) qui purifie et vitalise.

Nous voyons donc que le sang répandu ne s'attache pas seulement à la cruauté, à la vengeance et au crime, il évoque aussi le sacrifice, par exemple, celui de Mithra pour assurer sa propre régénération, ou celui du Christ pour racheter les péchés du monde. Dans ces deux cas, le sang versé matérialise la souffrance acceptée dans un but de fécondité spirituelle.

● *Dans les rêves :*

Lorsque, dans les songes, « le sang est en jeu, la situation est sérieuse et les alibis fallacieux ont fait leur temps », dit Jung[1]. Et il faut, avant tout, se demander quelle erreur majeure est commise pour être ainsi averti de la souffrance éprouvée ou de la souffrance qui s'annonce, ou encore quel sacrifice va être exigé.

Souvent, le sang des rêves n'est pas ressenti comme douloureux parce que la blessure qu'il évoque est encore trop inconsciente. Elle est d'autant plus grave, voire dangereuse, car la vie étourdissante menée par un conscient trop actif et trop contrôlé la maintient au secret, enfouie au plus profond de l'inconscient.

Le sang des rêves pourra être négatif ou positif et symbolisera :

(−) En négatif :

■ Un traumatisme psychique très profond qui a durement blessé le rêveur.

■ Une souffrance aussi intense que cachée venant d'une erreur grave vis-à-vis de la Loi et qui perturbe dangereusement.

■ Des pulsions sado-masochistes qui déchirent le rêveur.

■ Une perte de substance vitale, de libido (asthénie, psychasthénie) dont il faudra rechercher l'origine.

(+) En positif :

■ Le douloureux renoncement de l'ancienne personnalité, une souffrance sacrificielle plus ou moins acceptée qui revivifie tant au point de vue psychique que spirituel. C'est ainsi que certains primitifs peignent en rouge les cadavres pour les faire renaître d'un sang nouveau[2].

■ Parfois, mais rarement, un flot vital, une force nouvelle qui inonde l'être et lui donne de l'ardeur à vivre en toute plénitude (« avoir du sang dans les veines », « insuffler un sang nouveau »).

Cracher, vomir, uriner du sang ou avoir des diarrhées de sang :

(−) Rêve très négatif qui indique une perte de substance psychique ou de force physique dans une grande souffrance.

---

1. *H.D.A.,* p. 394.
2. Que l'on songe aussi au thème de « l'Agneau Égorgé » de l'Apocalypse qui, par son sacrifice, devint « l'Agneau de Dieu » ou « Agneau Mystique », c'est-à-dire le Christ pour les chrétiens.

(+) Rarement, cette image signifie qu'une douleur psychique aiguë se libère douloureusement afin de permettre le soulagement définitif de la souffrance.

Vampires :

Si, dans un songe, le rêveur se voit vampirisé par un être plus ou moins fantomatique (représentant souvent le complexe-Mère), c'est que le complexe symbolisé par cet être capte à son profit une bonne part de l'énergie du conscient du fait que ce dernier, l'ayant trop refoulé, l'empêche de « vivre » normalement au sein de la psyché.

Cette « soif de sang traduit l'aspiration ou la pulsion des contenus inconscients vers la conscience : si on les refoule, ils se mettent à drainer l'énergie hors de la conscience, laissant l'individu dans un état de fatigue et d'apathie [1] ».

SAUTER À TERRE

● *Dans les rêves :*

Il arrive fréquemment, dans les songes, que le rêveur, un personnage, un enfant ou un animal quelconque, saute à terre d'un point d'où il semblerait qu'il doive s'abîmer sur le sol. Ces images sont généralement chargées d'appréhension mais, la plupart du temps, le saut réussit sans le moindre dommage.

Ce thème indique que le rêveur vit trop éloigné de ses bases instinctives fondamentales. Il peut être trop intellectuel, trop égocentrique, trop conventionnel (Persona), trop spiritualiste, trop systématique ou, encore, avoir exagérément développé une seule des quatre fonctions psychologiques : pensée, sentiment, sensation, intuition.

Il doit « descendre de sa hauteur » [2] et retrouver les bases solides de la terre ferme, c'est-à-dire de l'inconscient où sont inscrits son destin et les lois de la vie.

Parfois, l'être qui a sauté semble s'être écrasé sur le sol. L'image n'est généralement pas trop dangereuse mais traduit le choc émotif qui peut résulter de cette reprise de contact plus ou moins brutale avec la réalité objective.

Voir « Vertige » et « Tomber dans le Vide » ainsi que « Chocs et Collisions ».

SEINS (Les)

Le mot « sein » vient du latin « sinus » = « pli », et « mamelle » du latin « mamilla », signifiant « mamelle » et dérivant de « mamma » = « maman, grand-mère, nourrice ».

« L'Alma Mater » nourrit avec amour ce qu'elle a créé. C'est ainsi que

1. *I.C.F.*, p. 188.
2. *M.M.*, p. 122.

Géa, déesse de la Terre, était dite « Déesse à la large poitrine » ; que les statuettes préhistoriques (de Lespugue, par exemple) sont dotées d'un large bassin (fécondité) et d'une forte poitrine (source de nourriture) ; ou, encore, que la statue de la Diane d'Éphèse, au visage noir (allusion à la Terre), s'orne de quinze mamelles qui doivent nourrir les multiples animaux sculptés sur son socle. Par extension, « sein maternel » est une expression qui s'applique aussi bien au giron familial qu'au giron maternel.

Par opposition, le refus de cette féminité était exprimé, chez les Grecs, par la fable des Amazones (de « a-mazos » = « privé du sein »), femmes guerrières qui refusaient l'homme, sauf une fois l'an pour perpétuer l'espèce. Elles faisaient mourir leurs enfants mâles ou les renvoyaient près de leurs pères, tandis qu'elles élevaient leurs filles avec soin mais, dès l'enfance, leur brûlaient la mamelle droite afin qu'elles puissent tirer à l'arc.

● *Dans les rêves :*

Les seins peuvent, dans les songes, avoir deux significations principales : s'ils sont lourds et généreux, les seins évoquent l'aspect nourricier de la Mère ; s'ils sont petits et délicats, pleins de fraîcheur juvénile, les seins sont l'image même de la Féminité tendre, sensible, érotique.

Morsure de sein par un serpent :
Révèle un conflit érotique.

Femme allaitant un serpent :
La femme du rêve doit, dans ce cas, être considérée sous son aspect typiquement maternel.

La transcendance (le serpent) se nourrit du sein de la Mère nourricière, image de l'inconscient. Le serpent est d'ailleurs principalement associé à la Terre (il semble, en rampant, plaqué à la Terre et en épouser les formes) et cette Terre est toujours représentée comme féminine. Cette image exprime, donc, que la transcendance s'accomplit par l'union du Logos et de l'Éros.

> « Chacun amasse et thésaurise
> Moi seul je parais démuni
> Quel innocent je fais !
> Quel idiot je suis !
> Chacun paraît malin malin
> Moi seul me tais me tais
> Fluctuant comme la mer
> Je vais et viens sans cesse
> A chacun quelqu'affaire
> Moi seul je m'en abstiens
> Incivil et têtu

Pourquoi si singulier ?

Je sais téter ma Mère[1]. »

dit le Sage du *Tao-Te-King.*

SEXUELS ET LA SEXUALITÉ (Les organes)

Si nous considérons une étoile à six branches, nous pouvons observer qu'elle est formée de deux triangles équilatéraux inversés et entrelacés. Généralement, celui qui se présente la pointe en l'air est blanc, tandis que celui qui possède la tête en bas est noir (ou bleu et rouge) et le symbolisme de cet hexagramme est équivalent à celui du Tai-Ki-Tou chinois, image du jeu éternel du Yin et du Yang, du Féminin et du Masculin, dans le monde.

Le triangle blanc, pointe en l'air, figure schématiquement les organes génitaux de l'homme dont la structure est externe. Il est phallique et s'apparente au lumineux Yang. Mais il exprime également l'aspiration de la Créature à s'élever vers son Créateur afin de le glorifier, telles les flammes des holocaustes sacrificiels s'élevant vers la divinité.

Le triangle noir, pointe en bas, figure schématiquement les organes génitaux de la femme dont la structure est interne. Il était l'attribut de la Grande Déesse Mère Athéna, divinité de la Sagesse et de l'Initiation. Sa forme est pubienne et il s'apparente au sombre Yin. Mais il exprime également la descente du Créateur vers ses Créatures afin de les illuminer, comme les langues de feu descendant sur les Apôtres à la Pentecôte.

Ce signe , appelé « Bouclier de David » ou « Sceau de Salomon », très employé dans l'ancienne magie, est un symbole, aussi bien du macrocosme que du microcosme dans leur totalité unifiée par l'association, aussi harmonieuse qu'indissoluble, du Féminin et du Masculin : « Ce qui est en bas est comme ce qui est en haut et ce qui est en haut est comme ce qui est en bas pour faire des miracles d'une seule chose[2]. »

On saisit, dès lors, l'origine du mot latin « *sexus* », signifiant « *sexe* », dérivant du terme « *sex* », signifiant « *six* ».

Mais on perçoit également l'importance de la sexualité et de son symbolisme à tous les niveaux, puisqu'elle s'étage de l'individu qui fréquente les bordels aux extases des plus grands mystiques.

Aussi Jung a-t-il pu écrire qu'il « est hors de doute que la sexualité se range parmi les contenus psychiques les plus fortement teintés d'affects[3] » car, dans son sens le plus profond, elle est à ce point hermétique qu'elle relève de l'initiation et que sa signification profonde n'était, autrefois, enseignée, dans les temples, que de bouche à oreille.

Il est donc surprenant de constater que, unanimement, et quelles que soient les époques et les civilisations, un sentiment de honte s'attache aux organes génitaux. Si nous considérons la Genèse, « l'homme et la femme

1. Lao-Tseu, *Le Tao-Te-King, oc,* Vt n° 20.
2. Deuxième Proposition de *Table d'Émeraude* d'Hermès Trismégiste.
3. *M.A.S.*, p. 266.

étaient nus et n'en avaient point honte l'un devant l'autre ». Le Féminin et le Masculin — le Yin et le Yang — polarisant toutes les dualités, l'état « paradisiaque » primitif découle d'une inconscience totale incluant la parfaite *coincidentia oppositorum* (« coïncidence = tomber ensemble », « correspondre exactement »). Il y a confusion et non différenciation des éléments opposés. Mais la voie de l'individuation, par le truchement de la fonction transcendante instinctive (le serpent), va permettre de quitter l'état d'inertie primordiale pour tendre vers la *Conscience totale,* incluant le jeu harmonieux de la *conjunctio oppositorum* (« *conjunctio* » = « action de joindre une chose à une autre »). La naissance de la conscience est exprimée par la consommation par Adam et Ève du fruit (et non de la pomme !) de l'arbre de la connaissance. Ils espèrent, nous dit le texte, « que leurs yeux s'ouvrent et qu'ils deviennent comme des dieux qui connaissent le Bien et le Mal[1] » (la prise de conscience). Voir « Yeux ».

En langage psychologique, nous dirions que cette tentation entraîne le moi *à l'inflation,* c'est-à-dire à se croire *le Soi,* à se prendre pour Dieu infaillible lui-même, donc « haïssable en ce qu'il se fait le centre de tout et l'ennemi de tous les autres »[2], et au plus extrême, à la paranoïa. C'est le « Péché Originel », principalement fait d'orgueil et d'aveuglement, eux-mêmes générateurs d'angoisse, de souffrance, d'infantilisme, de cruauté, etc. qui sont, hélas, le propre de l'homme.

Dès lors, dit la Genèse, Adam et Ève se virent nus, en eurent « *honte* » et se firent des pagnes en feuilles de figuier[3]. Voir « Nudité ». Ce qui signifie que, partant de l'androgynie inconsciente primordiale paradisiaque (Paradis Terrestre), l'homme a dissocié son psychisme en conscient masculin et inconscient féminin (inversé chez la femme) et que cette dissociation est ressentie comme une disgrâce impardonnable.

Il lui faudra retrouver sa bienheureuse unité, mais en toute conscience[4] cette fois (Paradis Céleste). Son Logos mangera son pain spirituel « à la sueur de son front »[5], son Éros « enfantera dans la peine »[6] à travers de nombreuses morts et renaissances puisque Yahvé « multipliera ses gros-sesses »[7]. Voir « Mort » et « Naissance et Renaissance ». Un désir d'union « la poussera vers son mari et lui la dominera »[8], c'est-à-dire que le Féminin (Éros) inconscient poussera le Masculin (Logos) à effectuer la prise de conscience, telle Ariane donnant le fil à Thésée afin qu'il puisse sortir du labyrinthe crétois. Dans la religion judéo-chrétienne, c'est donc la faute originelle — la dissociation de la psyché en partie consciente et

1. *Gen.,* III-5.
2. Pascal, *Pensées,* VII-55.
3. *Gen.,* III-7 à 10.
4. « Rien ne se trouve voilé qui ne doive être dévoilé, rien de caché qui ne doive être connu » (*Matth.,* X-26).
5. *Gen.,* III-14.
6. *Ibid.,* III-16.
7. *Ibid.*
8. *Ibid.*

inconsciente qui rend honteuse la sexualité. Les parties génitales, le masculin et le féminin, seront désormais considérées comme le pénible témoignage de cette dissociation originelle qu'il convient de réparer.

Bien des religions accordent une place essentielle à la sexualité. En Grèce, comme à Rome, à l'exception de quelques divinités féminines farouchement vierges, les amours des dieux et des déesses défrayent la chronique de l'Olympe, et Junon ne décolère pas des frasques de Zeus avec de séduisantes mortelles telles que Léda, Europe, Danaë, Alcmène, etc.

L'importance de l'amour était telle pour les Grecs que le premier grand dieu qui apparaît dans leur panthéon est Éros (gr. « désir passionné d'union »), qui permit à la Nuit et à son frère l'Érèbe de s'unir et de procréer car Éros inspire aux êtres ces inexplicables « affinités électives » qui les poussent à s'accoupler afin de « croître et multiplier [1] ». Mais Éros va également s'activer au sein de la psyché individuelle afin de mettre en sympathie des éléments disparates ou violemment antagonistes de l'inconscience primordiale « chaotique ». Chez les Latins, il deviendra Cupidon (lat. « cupiditas » = « désir avide », à l'origine du mot français « cupide »). Par la suite, Aphrodite-Vénus, en tant que divinité présidant aux plaisirs amoureux et à la luxure, entourée des Jeux, des Ris et des Amours, deviendra la mère d'Éros-Cupidon qui, comme elle-même, sera réputé aussi cruel qu'ensorcelant.

En fait, Éros en Grèce, Cupidon à Rome ou Kama aux Indes, sont l'expression de la violente attraction réciproque des sexes opposés, depuis les passions les plus basses ou les plus morbides jusqu'aux aspirations d'amour les plus élevées. La Nature tout entière, dans l'Antiquité, fourmillait de Faunes, de Sylvains, d'Égypan-Satyres, de Ménades-Bacchantes, etc., tous faisant allusion à la sexualité. Mais surtout, les Anciens vénéraient (et parfois craignaient) le dieu Phallus-Priape, le dieu Pan et le dieu Dionysos. Les Grecs rendaient un culte à l'emblème de l'organe mâle de la génération, c'est-à-dire du Phallus [2]. Ce culte était l'objet de fêtes appelées « Phallophories » et celui qui portait le Phallus était nommé : « Phallophore ».

Le Phallus, source et expression de toute génération masculine physique, intellectuelle et spirituelle, représentait, en somme, l'ensemble des forces créatrices de l'existence comme de l'esprit (être « génial ») et il apparaissait, principalement, dans les cultes de Priape, Pan et Dionysos.

En réalité, la personnification du Phallus fut surtout le dieu Priape, divinité de la Vie et divinité funéraire (vie = mort) et, précisément, fils d'Aphrodite et de Dionysos. Il était, aussi bien, le principe de la génération et de la fécondité que celui de la richesse et de la prospérité.

Dans les fêtes données en son honneur, les « Priapées », c'était surtout

1. *Ibid.*, I-28 et IX-1.
2. Cf. *M.A.S.*, p. 141.

les femmes qui y prenaient part, s'habillant en bacchantes ou en danseuses, jouant de la flûte ou d'autres instruments, tandis qu'une prêtresse immolait un âne, image bien connue de la fécondité phallique et de la concupiscence.

Par extension, « priape » désignera, plus tard, un membre viril en érection et « priapisme », une érection persistante et douloureuse.

Les Anciens attachaient une telle importance à tout ce qui engendre et féconde, qu'ils portaient diverses amulettes pour conjurer la « fascination », le « mauvais œil », attribués principalement aux serpents et aux Gorgones, images négatives de l'inconscient. Cette « fascination » passait pour empêcher de voir la réalité des choses : la peur de l'inconscient compromet la recherche de la vérité.

La plus usitée de ces amulettes était la représentation du Phallus, appelée « fascinum », que l'on suspendait au cou des enfants ou plaçait près du foyer et dans les jardins. En réalité, cette « fascination » traduisait la crainte de subir le charme magique de la psyché inconsciente (les serpents) associée au Féminin (les Gorgones). Que l'on songe à Méduse pétrifiant tous ceux sur lesquels elle jetait son regard !...

Un autre dieu phallique était le Grand Pan, c'est-à-dire : le « Grand Tout » qui semait la « panique » dès qu'il paraissait inopinément, surtout la nuit, dans quelque coin de la Nature : orée des bois, bosquets, points d'eau, cavernes, etc. Et, bien entendu, dans les cauchemars. Fréquemment associé aux Satyres, Pan ne cesse de poursuivre les nymphes, de régler leur danse et de s'unir à elles. On retenait surtout de lui la soudaineté de ses agressions qui terrifiaient et on le représentait laid, poilu, cornu (puissance phallique), le bas de la ceinture au corps de bouc « vagabond et lascif[1] » ; « dans les écrits latins, il était appelé : Pan, l'agresseur, le hardi, le barbare, le féroce, le brutal, le crasseux, le poilu et le noir[2] », nous dit James Hillman.

Pourquoi donc le Grand Dieu-Bouc semait-il la terreur autour de lui ? Pourquoi donc un aspect de la sexualité provoque-t-il la « panique » en nous ? Pourquoi donc ce risque incessant de cauchemars diurnes et nocturnes ? C'est que la sexualité, dans ses pulsions instinctives inconscientes, peut susciter de brusques et irrésistibles désirs de viol et de masturbation. À ce niveau, l'amour ne joue encore aucun rôle[3]. Seule, s'exprime la bestialité purement animale de l'être humain, le « bouc » en lui. Voir « Cornes ».

Le dieu Pan incarne, donc, la brutalité aussi spontanée qu'imprévisible, aussi subite qu'impitoyable, de notre nature instinctive primitive et impersonnelle se manifestant inopinément même dans les moments les plus inopportuns. Pan, c'est la violence du désir qui engendre la

1. J. Hillman, *Pan et le cauchemar,* Imago, 1979.
2. *Ibid.*
3. *Ibid.*, p. 107.

« panique » car nous pourrions être emportés par des forces passionnelles qui nous feraient perdre tout contrôle ou qui pourraient se heurter à des rebuffades génératrices de rage ou de souffrance. En outre, la répression du déchaînement de ces pulsions peut conduire à de redoutables inhibitions : trac, bégaiement, tics, castration..., accompagnées d'angoisses et de sentiments de culpabilité et d'infériorité.

Sous Tibère, le Christ arrivant au monde, tout le bassin méditerranéen retentit d'une voix mystérieuse : « Le Grand Pan est mort !... » « Le Grand Pan est mort !...[1] » En fait, Pan ne disparut pas. Il fut simplement remplacé par le Diable aux pieds fourchus et à la tête ornée de cornes de bouc qui apparaît sous la forme d'incubes[2] et de succubes[3] terrifiant les populations médiévales par d'affreux cauchemars et hallucinations. Ces images matérialisent la violence du désir sexuel refoulé[4].

Une autre divinité capitale de l'Antiquité, associée à la sexualité, fut Dionysos-Bacchus, élevé loin de ses parents, par Silène et, le plus souvent, représenté en état d'ébriété monté sur un âne mais doué d'une grande sagesse lorsqu'il ne se trouvait pas sous l'empire de la boisson.

Dans les fêtes célébrées en l'honneur de Dionysos, c'est-à-dire les Dionysies ou Orgies (gr. « orgia » = « célébration de Mystères dans l'enthousiasme sacré ») en Grèce et les Bacchanales ou Libérales à Rome (lat. « liber » = « libre »), le refus de toute contrainte et la liberté sexuelle prédominaient à travers danses, chants, cris, pâmoisons simulées, etc., afin de se dépouiller des interdits, lois, tabous et contraintes les plus sévères imposés par le conscient personnel et le conscient collectif qui abolissent l'état paradisiaque primitif[5] et l'unité perdue du Féminin et du Masculin. Bien entendu, de grands mystères initiatiques accompagnaient le culte de Dionysos.

Précédant les temps bibliques (± xie siècle av. J.-C.) à partir desquels se développèrent le judaïsme, le christianisme et l'islamisme, régnait en Assyro-Babylonie, puis dans tout le bassin méditerranéen, une religion appelée « Prostitution Sacrée »[6].

En toute généralité, les adeptes masculins de cette religion s'unissaient sexuellement aux prêtresses, appelées « courtisanes sacrées », ou homosexuellement aux hiérodules[7] du temps d'une Grande-Déesse Mère, telle

1. Cf. Pascal, *Pensées* XI-695, en référence à Plutarque, *De defectu oraculorum* XVII.
2. Incubes (lat. « incubus » = « cauchemar ») : démon masculin qui était censé abuser d'une femme pendant son sommeil.
3. Succube (lat. « succuba » = « concubine ») : démon femelle qui était censé venir la nuit s'unir à un homme.
4. Cf. *M.A.S.*, p. 78.
5. M. Eliade, *Méphistophélès et l'Androgyne*, Gallimard, 1962, p. 158.
6. On retrouve la « Prostitution Sacrée », en tant qu'ancienne religion, aux Indes, au Mexique et au Japon.
7. Hiérodule : (gr. « hieros » = « sacré » et « doulos » = « esclave ») Esclave attaché au service d'un temple.

Ishtar à Babylone, par exemple ; tandis que les adeptes féminines venaient également se prostituer dans son temple avec un inconnu, sans jamais renouveler l'acte sexuel avec le même sujet.

Par ce geste sacré, l'adepte est censé ne plus assouvir que son seul ego dans l'acte sexuel, mais, à travers la hiérogamie, s'élever jusqu'à l'anthropos [1].

Par la suite, passant du matriarcat babylonien au patriarcat juif, la Bible interdit les religions de « Prostitution Sacrée » [2]. Mais aussi surprenant que cela puisse paraître à première vue, la même recherche de transcendance à travers l'harmonie des sexes opposés se retrouve dans les deux Testaments. Rappelons le merveilleux *Cantique des Cantiques* dont le langage, parfaitement érotique [3], célèbre l'incomparable béatitude de l'union de l'Époux et de l'Épouse, de la conjonction du Masculin et du Féminin [4], donc de toutes les oppositions. Mais c'est surtout le Christ qui, dans un langage très hermétique, souligne l'importance pour l'homme de s'unir à son anima, et, pour la femme, de s'unir à son animus [5].

C'est que d'une certaine façon, « la discussion du problème sexuel n'est que l'annonce brutale d'une question infiniment plus profonde devant laquelle pâlit son importance : celle des rapports spirituels entre les deux sexes [6] ». La sexualité contient le Soi et le Soi contient la sexualité puisque la totalité psychique est faite de l'harmonie du Féminin et du Masculin, du Yin et du Yang, de l'Éros et du Logos, dont la *conjunctio* s'opère symboliquement par l'union sexuelle [7].

Rien d'étonnant donc si la sexualité joue un rôle important dans la mystique. Sainte Thérèse d'Avila, par exemple, parle dans ses poèmes du Bien-Aimé qui lui « a lancé une flèche la rendant tout embrasée d'amour ». Dès lors, s'exclame-t-elle, « j'ai fait un tel échange que mon Bien-Aimé est à moi et que je suis à mon Bien-Aimé [8] ». Ailleurs, elle parle de l'Époux et du beau Berger [9], considérant « le Christ comme étant l'Époux à qui elle a donné son âme comme butin, sûre de ses embrassements [10] ».

Quant à saint Jean de la Croix, guidé par une lumière dans la nuit, son âme parvient à celui qu'elle aimait et elle s'exclame : « Ô nuit qui avez uni

---

1. Le Soi de Jung, permettant l'amour inconditionné par le « Mariage Sacré ». Cf. *1er Ép. Jean* : IV-8.
2. *Deut.*, XXIII-18 ; *1er Roi*, XIV-24 et XXII-47 ; *Osée*, IV-14.
3. Spécialement : I-24 ; II-6-7 ; III-4-5 ; V-1 et 4 ; VII-2 à 13 et VIII-4.
4. Il semble que, pour distinguer la sexualité psychique de la sexualité physique, l'auteur fasse dire de manière allégorique à la Sulamite (« celle qui a trouvé la paix ») : « Ma vigne est à moi... Je ne l'avais pas gardée ! » (I-6), comme pour indiquer qu'il ne s'agit pas de virginité corporelle.
5. *Matth.*, XIX-1 et s, et V-31-32.
6. *P.A.M.*, p. 286.
7. Cf. figures 5, 5a et 6 in Jung, *La Psychologie du transfert*, Albin Michel, 1980.
8. Sainte Thérèse de Jésus, *Œuvres complètes*, oc, p. 1588.
9. *Ibid.*, p. 1584 et s.
10. *Ibid.*, p. 1591. Voir aussi p. 1595 à 1597.

l'Aimé avec sa Bien-Aimée qui a été transformée en lui », ajoutant, plus loin, « Je restai là et m'oubliai, le visage penché sur le Bien-Aimé. Tout cessa pour moi, et je m'abandonnai à lui, je lui confiai tous mes soucis et m'oubliai au milieu des lis [1]. »

Dans les quelques instants d'extases spirituelles orgastiques, comme dans l'orgasme physique extatique, le ravissement résulte d'une communion quasi totale du Féminin et du Masculin. C'est la « sexualité », facteur de transcendance, qui conduit à ce « mariage mystique ».

Cependant, avant de soupçonner que le « mariage mystique » puisse exister, la sexualité apparaît « comme un dieu de fécondité, comme un démon femelle cruellement voluptueux, comme le diable lui-même aux jambes de bouc dionysiaque, aux gestes inconvenants, à moins que ce soit sous la forme d'un serpent terrifiant qui enserre [2] ». Il est certain que, dans la puissance du désir effréné comme dans l'acte sexuel lui-même, il y a risque de cessation de conscience de soi et d'absence totale de contrôle dans la conduite du moi. Nous pouvons ainsi demeurer prisonniers de notre sexualité, utilisant, consciemment ou inconsciemment, une bonne partie de notre énergie à empêcher le volcan d'entrer en éruption. Voir « Menstruations » et, plus haut, le symbolisme du dieu Pan.

La sexualité non vécue transforme les élans du désir en brutalité sadique et masochiste, en jalousies par frustration, en réactions hystériques, en dépressions nerveuses et, même, en troubles mentaux obsessionnels. On peut donc dire que la répression de la vie sexuelle et des plaisirs de l'existence va nourrir les forces de l'Ombre susceptibles de déchaîner une violence inconsidérée envers les autres et envers soi-même. Que l'on songe à l'Inquisition et à son implacable tortionnaire Th. de Torquemada qui, à lui seul, fit brûler vifs plus de huit mille personnes et passait les nuits à flageller son corps. (Voir « Castration »).

Certaines existences sont dominées jusqu'à la hantise obsessionnelle par la sexualité. Jung relève, fréquemment chez les névropathes, l'erreur « de penser que la véritable adaptation au monde consiste à vivre à fond sa sexualité ». Chez les Égyptiens, la concupiscence dévastatrice était divinisée par Seth, dieu des ténèbres. En somme, la sexualité est ressentie aussi bien comme démoniaque que divine.

Cependant, Jung souligne nettement l'opposition qui existe entre l' « instinct sexuel » et l' « instinct spirituel » car, pour lui, le spirituel apparaît lui aussi comme un instinct. Si le christianisme est l'expression de cet instinct spirituel, les religions de l'Antiquité et celles d'Extrême-Orient sont, par contre, imprégnées par l'instinct sexuel.

Et Jung écrit : « On pourrait voir en la sexualité le porte-parole des instincts, et c'est pourquoi le point de vue spirituel le considère comme son adversaire principal... Que serait l'Esprit, finalement, s'il n'y avait pas en

1. Saint Jean de la Croix, *Œuvres spirituelles*, Seuil, 1947, p. 17 et 18.
2. *P.A.M.*, p. 33.

face de lui un instinct qui le vaille ? Il ne serait que forme vide. C'est devenu pour nous chose toute naturelle de considérer raisonnablement les autres instincts ; il en est autrement de la sexualité : elle est encore pour nous un problème, ce qui veut dire que, sur ce point, nous ne sommes pas encore parvenus à la conscience qui nous permettrait, sans dommage moral sensible, de satisfaire entièrement ses exigences [1] ».

Jung voit aussi dans le choc inévitable de la sexualité avec la morale, avec l'éthos « la condition *sine qua non* de l'énergie psychique [2] ». Mais, ajoute-t-il, « le conflit entre " éthos " et sexualité n'est pas, aujourd'hui, une simple collision entre instinctivité et morale : c'est une lutte pour le droit à l'existence d'un instinct ou pour la reconnaissance d'une force qui s'exprime en lui, force avec laquelle on ne plaisante pas et qui, pour cette raison, refuse de se soumettre aux bonnes intentions de nos lois morales [3] ».

Chargée de culpabilité et de chaleur affective, de dégoût et d'attrait, de honte et d'harmonie, d'opprobre et de joie, de malaise et de complétude extatique, nous pouvons dire que la sexualité constitue et constituera toujours un mouvant et difficile problème [4].

● *Dans les rêves :*

Les songes dans lesquels apparaissent des images sexuelles sont parmi les plus nombreux.

Ils vont des symboles évoquant les parties génitales masculines et féminines aux symboles d'accouplement.

En dehors du pénis, toute forme phallique, tout objet long ou pénétrant pouvant aller du lingam de Çiva aux sous-marins ultra-modernes font allusion aux parties sexuelles de l'homme. Seront, en outre, masculins et incluant la sexualité masculine : l'air, le vent qui féconde, le feu, la foudre (Zeus), le soleil, la lumière, le père, les frères, les amis, le partenaire amoureux, le fils, le Vieux Sage ; les armes, le sceptre, le bâton (de maréchal, de chef d'orchestre, de chambellan, d'escamoteur...), beaucoup d'outils et d'attributs de divinités mâles ; de nombreux animaux à forte apparence virile et, spécialement, le taureau, le bouc, le bélier, le coq, le cerf, l'oiseau et les serpents dressés ; les chiffres impairs, les triangles pointe en l'air et les fruits, soit du fait de leur forme allongée, soit parce

1. *Le Rosaire des Philosophes,* trad. franç., Librairie Médicis, 1973.
2. *Ibid.*
3. *E.P.,* p. 83.
4. L'anatomie parle, non seulement de « nerfs honteux », d' « artères honteuses » qui innervent et irriguent les parties génitales mais aussi de « nerfs sacrés » et de « sacrum » pour désigner les cinq dernières vertèbres de la colonne vertébrale, précisément situées derrière les parties génitales et spécialement affectées aux dieux de l'Antiquité lors des sacrifices d'animaux. Ce qui, sur le plan symbolique, signifie que le « honteux » mais aussi le « sacré » et, en tout cas, le « secret » se localisent dans cette région.

qu'ils contiennent de nombreuses semences, telles que la grenade et la pomme de pin, etc. Les Chinois diraient que ces images sont *Yang*.

En dehors du vagin, tout contenant, toute forme creuse pouvant aller du coquillage à la grotte, font allusion aux parties sexuelles de la femme. Seront, en outre, féminins et incluant la sexualité féminine : la terre, l'eau, la lune ; la mère, les sœurs, la partenaire amoureuse, les filles, les amies, la femme âgée exprimant la Sagesse ; de nombreux animaux femelles et, spécialement, la vache, la chèvre, l'ourse, la chatte, la biche ; les nombres pairs, le triangle pointe en bas et, parfois, une simple zone très humide évoquant la matrice cosmique. Les Chinois diraient que ces images sont *Yin*.

Quant aux représentations d'accouplement, elles signifient *maximum d'union intime avec...* (union à déterminer) car il n'y a pas de fusion plus étroite que l'acte sexuel.

L'accouplement pourra donc aussi bien s'effectuer avec un personnage du sexe opposé qu'avec un personnage du même sexe et, même, avec un animal puisque, sauf exception, un tel rêve est l'expression d'un geste ou d'une activité purement symbolique.

Le rêveur s'accouple avec un personnage de l'autre sexe ou voit s'accoupler deux personnages de sexe opposé :

Ce songe très important nous renseigne, à travers les associations d'idées et les affects du rêveur, sur ses dispositions actuelles aussi bien affectives que physiques d'un acte aussi important que l'acte d'amour.

N. B. : Il y a lieu de tenir compte de l'aspect compensateur d'un tel rêve en cas de frustration sexuelle ou de difficultés à vivre normalement sa sexualité.

Parfois, des rêves érotiques de ce genre apparaissent soudainement en plus grand nombre lorsque le rêveur (même si sa vie sexuelle est parfaitement satisfaisante) commence à « quitter sa parenté » car, dès lors, il n'est plus l'individu infantile contraint et dominé par le couple parental mais forme désormais, en adulte, son propre couple afin de, progressivement, s'attacher à son anima, former avec elle « une seule chair »[1] et ainsi, par projection, s'attacher au mieux à la femme de son choix.

Le rêveur s'accouple avec un personnage connu de lui, que celui-ci soit féminin ou masculin :

Il y a lieu de rechercher avec quel élément de l'inconscient le rêveur se réconcilie[2] d'après ses associations d'idées sur le personnage.

Par exemple, avec une fonction psychologique refoulée, avec l'acceptation des lois réalistes de la vie, avec une ouverture à la spiritualité, etc.

1. *Gen.*, II-24.
2. Rappelons que le rêveur représente l'ego et que chaque élément du rêve est un contenu de l'inconscient.

Le rêveur voit s'accoupler deux personnages connus de lui :

Il convient de déterminer, par les associations d'idées, quels éléments opposés entrent en « conjunctio ».

Le rêveur s'accouple avec un animal ou voit un personnage s'accoupler avec un animal :

Comme la plupart des animaux apparaissant dans le symbolisme onirique, ceux-ci appartiennent au domaine des instincts et à ce qui, en nous, se trouve en accord avec l'ordre des choses.

Ce rêve est toujours l'expression d'une tentative de réconciliation (profonde et non seulement de surface) avec le corps et ses légitimes exigences instinctives.

L'animal du songe vient souvent compenser une « sur-conscience » trop ordonnée, trop intellectuelle, trop sentimentale ou soumise à une fausse éthique.

Il convient de rechercher le symbolisme de chaque animal en particulier sans omettre la signification de sa couleur ou de telle ou telle particularité. C'est ainsi que nous avons rencontré le cas d'un homme s'accouplant avec une vache verte ou de femmes s'accouplant avec un ours noir, un orang-outang, un serpent bleu...

Chaque fois, l'image indiquait un début d'harmonisation entre la suprématie d'une conscience sur-ordonnée ou faussement moralisée, avec la vie objective et ses lois.

Ici encore, comme dans le paragraphe précédent, le rêve « rectifie la situation » par « auto-régulation psychique »[1].

Le rêveur est gêné par des personnages qui le regardent accomplir l'acte sexuel :

Quelles que soient les justifications intellectuelles du rêveur qui se croit libéré de tout préjugé, son inconscient lui indique qu'il n'est nullement délivré d'une certaine pudeur due à l'éducation, à la morale acquise, à la Persona, aux fixations œdipiennes ou, tout simplement, à la honte archétypique qui s'attache aux parties génitales.

Un membre de la famille du rêveur — le plus souvent la mère — entre dans la chambre « conjugale » et gêne ou interdit l'accomplissement de l'acte sexuel au couple qui s'y trouve :

La « Parenté » du rêveur et ses traditions s'opposent au libre jeu de l'accouplement.

Si nous prenons « l'imago maternelle » qui, d'après notre expérience, est celle qui intervient le plus souvent dans un tel cas, celle-ci, par ce geste, traite encore le rêveur comme autrefois sa mère qui entrait dans sa chambre d'enfant pour veiller, disposer, obliger, interdire.

---

1. *H.D.A.*, p. 234 et 238.

Un complexe-mère aussi contraignant maintient le rêveur à l'état « infantile » en empêchant l'acte sexuel de s'accomplir librement.

Rêves de sodomie :

Ces rêves n'ont de valeur symbolique que chez les hétérosexuels.

Ils semblent indiquer que le rêveur, du fait de son éducation, ait « enregistré » la sexualité comme inférieure, vicieuse et entachée de perversité.

Mais, n'étant pas totalement refoulée (comme dans l'impuissance et la frigidité), elle ne peut s'accomplir que « par en dessous », « par-derrière » et comme camouflée par rapport à la dignité sociale et familiale, dite « bien pensante ».

Rêves de parties de débauches en commun dites, populairement, « partouzes » :

Ces songes, relativement rares, peuvent avoir pour origine soit la compensation d'une intense frustration de sensualité et de sexualité, soit un ardent désir d'orienter sa vie vers l'amour universel (peut-être par compensation d'un état de conscience menacé par la brutalité de l'Ombre et sa violence destructrice).

Cette « orgie » (gr. « célébration des mystères dans l'enthousiasme sacré ») rejoint la très grande religion que fut celle de la « prostitution sacrée » et le geste de Jésus pardonnant à Marie-Madeleine, « pécheresse de la ville » parce qu'elle a « montré beaucoup d'amour »[1].

Ici, la débauche en commun, comme la « prostitution sacrée », exprime le fait que de s'unir avec tous sans discrimination, à l'encontre d'un désir satisfaisant le seul ego[2], tend vers l'amour inconditionné.

Le rêveur voit un personnage possesseur des deux sexes :

Ce motif, relativement fréquent, rappelle au rêveur l'androgynie de la libido ou masse d'énergie vitale en général.

Un tel rêve se présente généralement lorsqu'un rêveur du sexe masculin ou une rêveuse du sexe féminin a minimisé son inconscient possesseur des caractères de l'autre sexe.

Un homme se voit, en rêve, nanti d'un sexe féminin :

Le rêveur est moins tributaire de son flot émotionnel ; il tend à pouvoir assumer ses affects, car il commence à s'harmoniser avec son anima.

Une femme se voit, en rêve, nantie d'un sexe masculin :

La rêveuse tend à s'affirmer, à prendre confiance en elle-même, car elle commence à s'harmoniser avec son animus.

1. *Luc.*, VII-36 et 47.
2. Rappelons que « Éros » vient du verbe « erein », venant lui-même de « eran » = « désir passionné d'union ».

Ablutions des parties génitales :

Ce geste, fréquent dans les rêves, indique que, chez le rêveur, la sexualité commence à se purifier de tous les sentiments de culpabilité qui l'entachent.

Morsure des parties génitales par un serpent :

Chaque fois que le serpent apparaît dans les rêves, il est l'indice qu'il y a contradiction entre l'attitude consciente et l'attitude inconsciente et que quelque chose d'important se constelle[1] dans l'inconscient.

« L'inconscient, dit Jung, s'insinue sous la forme du serpent quand la conscience éprouve de la peur en présence de la tendance compensatrice de l'inconscient[2]. »

Naturellement, l'apparition du serpent peut être salutaire si le conscient tient compte des avertissements de l'inconscient ou dangereuse si « la conscience n'est pas en état de saisir et d'intégrer avec intelligence les contenus qui ont fait irruption[3] ».

La morsure des parties génitales par un serpent peut donc avoir deux significations :

(−) l'inconscient avertit le rêveur de ce que la suprématie de sa conscience provoque une sorte de castration (voir ce mot) des facultés créatrices (le sexe). La « sur-conscience » ne suscite que stérilité et impuissance. L'image évoque une sorte de mutilation sexuelle et désormais le rêveur devrait s'efforcer de mieux tenir compte des facteurs inconscients.

(+) L'inconscient invite le rêveur à ne pas se laisser dominer par les seules pulsions instinctives incontrôlées et à se pencher, désormais, sur les mystères de la vie inconsciente (le serpent).

Cette image peut se présenter à tout instant, mais on l'observe surtout au milieu de la vie, lorsque bien des réalisations matérielles ont été accomplies et qu'il est temps maintenant de se pencher vers les valeurs du monde intérieur, changement d'orientation qui passe par un renoncement douloureux (la morsure).

SILENCE (Le)

Le silence est le fait de ne pas parler ou l'attitude d'une personne qui reste sans parler : « Garder le silence », « imposer le silence », « réduire au silence », « passer sous silence ». Mais le silence est aussi l'absence de

1. « La notion de " constellation " exprime que la situation extérieure met en branle dans l'inconscient du sujet un processus psychique marqué par l'agglutination et l'actualisation de certains contenus... La constellation est une opération automatique, spontanée, involontaire, dont personne ne peut se défendre. » (*H.D.A.*, p. 194). On pourrait dire qu'une situation extérieure active un contenu de l'inconscient.

2. *M.A.S.*, p. 629.

3. *Ibid.*, p. 651.

bruit, d'agitation, et l'état d'un lieu où aucun son n'est perceptible : « un profond silence », « un silence absolu », « un silence de mort ».

Ce silence, associé à la cessation de la vie, se retrouve, par exemple, aux Indes où les Parsis (secte zoroastrienne émigrée de Perse pour fuir les persécutions musulmanes) exposent les corps de leurs morts sur une « Dakhma » ou « Tour de silence » afin qu'ils soient dévorés par les vautours car leur religion interdit de souiller la terre et le feu.

Sur le plan physique et psychique, toutes les études sur le silence ont démontré que celui-ci était un facteur de santé et d'aisance dans le travail. Cependant, des expériences ont montré que si un être humain est plongé dans le silence absolu, il sombre rapidement dans la démence.

Sous son aspect négatif, le silence peut aussi masquer l'incapacité ou l'illusion car, dit la Bible, si « L'homme avisé se tait »[1], « même l'insensé, s'il se tait, passe pour sage, pour raisonnable s'il ne desserre les lèvres[2] ».

On observe que beaucoup de névrosés sont particulièrement sensibles au bruit. En cas de dépression nerveuse, cette sensibilité devient une véritable phonophobie accompagnée de photophobie et de psychasthénie qui justifient les cures dans les maisons de repos dans le silence et la semi-obscurité. Pour cette catégorie de malades, les tensions anxieuses qu'ils portent en eux les sensibilisent au point que tout est prétexte à l'agitation mentale, aux affects disproportionnés, aux illusions, aux justifications ahurissantes ainsi qu'à des projections parfois délirantes.

Ni la volonté ni le raisonnement n'ont de pouvoir sur de tels troubles psychiques. Bien au contraire, la contrainte crispée ou la logique intellectuelle ne font qu'accroître le désordre intérieur, générateur d'angoisse, car elles augmentent encore (comme par protestation) le vacarme de la conscience et, par voie de conséquence, l'antagonisme entre le conscient et l'inconscient.

Réduire progressivement au silence le tumulte cérébral et la surexcitation de l'ego va donc constituer un des objectifs premiers du traitement analytique.

On retrouve le silence dans la plupart des disciplines initiatiques et religieuses. Il s'agit alors d'aller vers ce « vide » initiatique, qui dit Gh. Adler, constitue « le point central des mystiques[3], c'est l'abdication, l'extinction du moi individuel aussi complète qu'elle peut l'être sans aller jusqu'à l'anéantissement total[4] ». Le silence recouvre alors non seulement le silence verbal mais aussi le silence intérieur.

Molinos, théologien espagnol, précurseur du quiétisme (lat. « quies » = « calme », « repos »), distinguait, nous dit Adlous Huxley, « trois

---

1. *Prov.*, XI-12.
2. *Ibid.*, XVII-28.
3. Mystique, du gr. « mustikos », « relatif aux mystères » et « Mystères » vient du gr. « Mustès » = « initié » qui dérive lui-même de « Myo », « tenir la bouche close ».
4. G. Adler, *Études de psychologie jungienne, oc*, p. 214.

degrés de silence : le silence de la bouche, le silence de l'esprit et le silence de la volonté. S'abstenir du verbiage oiseux est difficile ; faire taire le caquetage de la mémoire et de l'imagination est beaucoup plus difficile ; le plus difficile de tous est d'imposer le silence aux voix du désir et de l'aversion dans le sein de la volonté [1]. »

Aux Indes, Ramakrishna (1836-1886) considérait que la « religion du silence et du secret est la seule vraie religion [2] » et il ajoute : « Soyez certains que tant qu'un homme clame " Ô mon Dieu ! Ô mon Dieu ! ", il n'a pas encore trouvé Dieu. Celui qui l'a réalisé devient silencieux [3] ».

Chez les Soufis, comme on apprenait au Maître Ibrahim ben Adham qu'un homme étudiait la grammaire, il se contenta de dire : « Il aurait bien plus besoin d'apprendre le silence ! »

Pour les Indiens d'Amérique du Nord, « le silence est le " Grand Mystère ". Le " Silence Sacré " est la voix du " Grand Esprit ". Le silence est la base même de la formation du caractère. Ses fruits sont : contrôle de soi, courage profond, endurance, patience, dignité, vénération [4] ».

Une secte protestante anglaise mit le silence à la base de sa doctrine. C'est le mouvement des « Amis de la Vérité », fondé au début du XVIIe siècle par George Fox. Elle fut appelée par dérision les « Quakers » (angl. « to quake » = « trembler ») en raison de la parole de son fondateur : « Honorez Dieu et tremblez devant sa parole. » Pour eux, le silence appliqué en collectivité était le moyen de communiquer, sans intermédiaire, avec Dieu et le prochain. Ainsi, pratiqué publiquement, le silence ne se retrouve dans aucune autre grande religion. Dans le culte « Quaker », il n'y a ni autel, ni liturgie, ni sermon, ni chant, ni sacrement, ni officiant : les « Amis » se réunissent dans la fraternité du silence. Dès lors, leur attention n'est plus distraite par les provocations extérieures et se trouve pleinement réceptive à la moindre manifestation divine qui émane du monde intérieur. Le « Quaker » Gerald Hibbert considère que « le silence apaise, guérit, unit, purifie et stimule. Il nous aide à descendre jusqu'aux sources profondes de notre être, souvent négligées par le tourbillon de la vie quotidienne. Par lui, la petite voix de Dieu nous devient perceptible [5] ». Chez les « Quakers », le silence en groupe constitue le véritable sacrement de communion car, ce faisant, chaque moi renonce à son verbiage égocentrique pour s'immerger dans l'universalité divine.

En Occident, certains ordres monastiques (principalement les trappistes), en dehors d'interminables psalmodies diurnes et nocturnes destinées à abolir l'activité du mental, renoncent, obéissent et se recueillent en

1. A. Huxley, *La Philosophie éternelle*, Plon, 1948, p. 265.
2. *L'Enseignement de Ramakrishna*, oc, n° 362.
3. *Ibid.*, n° 1427.
4. E. Bertholet, *la Réincarnation*, Gallimard, 1949, p. 312.
5. Henry Von Etten, *George Fox et les Quakers*, Seuil, 1956, p. 160.

silence, imitant en cela le Christ se retirant dans la solitude ou dans le désert pour prier. Déjà, Jérémie avait dit : « Il est bon d'attendre en silence le salut de Jahvé[1]. »

Au VIIe siècle, l'Église grecque fut secouée par une hérésie connue sous le nom d'hésychasme (gr. « èsuchia » = « quiétude », « repos »). Ses adeptes, inspirés des « Pères du désert », pratiquaient un quiétisme à tel point outrancier qu'on leur avait également donné le nom d'Omphalopsyques (gr. « Omphalos » = « nombril » et « psyché » = « âme »), indiquant par là que leur application était entièrement orientée vers le centre de leur psyché, à l'exclusion de toute œuvre extérieure. On en trouve encore des traces chez les moines du Mont-Athos.

Le mouvement hésychaste montre par son excès même à quel point nous sommes imprégnés de cette idée archétypique que le calme du silence, cette quiétude par le mutisme, est nécessaire pour nous soumettre à l'inspiration émanant de l'inconscient.

Certaines régions égyptiennes vénéraient le crocodile parce qu'il était muet, ce qui lui permettait de percevoir la Sagesse enseignée par le dieu crocodilocéphale Soukhos.

Dans les initiations pythagoriciennes, au Tibet et chez certains gnostiques, avant d'être admis, il fallait passer par des épreuves de silence allant de deux à cinq ans.

Au cours des Mystères de Mithra, le candidat devait poser un doigt sur ses lèvres et murmurer : « Silence, silence, silence ! Symbole du dieu vivant et impérissable. »

Chez les bouddhistes, les moines s'efforcent, par le silence, de chasser tout désir, seule condition de la délivrance. Et le Bouddha dit : « Celui qui interroge se trompe, celui qui répond se trompe. Fais silence en toi et écoute... »

Concluons avec l'Occidental Paul Valéry et la strophe finale de son beau poème « Palme » :

« Patience, patience
Patience dans l'azur !
Chaque atome de silence
Est la chance d'un fruit mûr. »

Voir « Langue (appendice) », « Langage ».

● *Dans les rêves :*

Les songes où apparaissent des silences significatifs sont assez rares et peuvent se rapporter : au recueillement, au respect, à la déférence, à l'adoration ; à l'annonce d'un processus psychique « numineux » ; à une certaine compensation chez un rêveur assourdi par un vacarme du mental.

Exceptionnellement, un silence onirique peut être chargé d'angoisse s'il

---

1. *Luc.*, V-16 et *Matth.*, IV-1.

est ressenti par le rêveur comme un « silence de mort », un insondable « abîme de silence ». Ici, le silence se confond avec la léthargie, la torpeur, le découragement.

SKIER

● *Dans les rêves :*

Skier est fréquent dans les songes.

Parfois le ski évoque les vacances, c'est-à-dire la détente.

Mais, le plus souvent, le ski, du fait qu'il paraît acrobatique (*schuss, slalom, christiania, sauts...*), est l'expression d'un joyeux réveil dynamique de la psyché, de la maîtrise de soi à l'égard des aléas de l'existence. Il peut s'agir aussi d'une promesse d'aisance dans l'adaptation à la Vie, comme dans un parcours sur la neige, solidement chaussé de skis. Sauf, bien entendu, en cas de chute et d'accident ! (à déterminer).

SOIF (Avoir)

Au figuré « être assoiffé de... » est un désir passionné et immédiat.

● *Dans les rêves :*

La soif éprouvée par le rêveur ou tout autre personnage du songe est généralement pour de l'eau, c'est-à-dire l'élément primordial, siège du germe et, paléontologiquement, source de toute existence animale. L'eau est à l'origine de la vie et de la mort : elle préside à l'existence et tout s'y dissout. L'eau dont le rêveur ou un personnage du rêve a soif sera, selon le contexte du songe, l'eau d'en bas (l'aspiration à la plénitude de vie physique) ou l'eau d'en haut (l'aspiration à la réalisation par l'esprit).

Il peut donc, aussi bien, s'agir de renaissance que de naissance (voir « Naissance et Renaissance »).

Si le rêveur a soif de vin ou d'alcool, à l'avidité du désir se joint le symbolisme de l'ivresse sacrée.

Pour tout autre boisson pour laquelle le rêveur aurait soif, il convient de tenir compte, pour l'interprétation, de ses associations d'idées.

SOLITUDE ET ISOLEMENT

Le mot « solitude » vient du latin « solus » = « seul ». Le mot « isolement » vient de l'italien « isolato » = « séparé comme une île ». La solitude peut prendre un aspect aussi positif que négatif.

(−) *Aspect négatif de la solitude :*

Lorsqu'un individu ne parvient pas à s'intégrer à l'entourage et se sent comme « disjoint » de la communauté humaine, il vit comme un naufragé sur une île perdue au milieu du vaste océan social. Cet isolement est, la plupart du temps, involontaire et relève, avant tout, d'un manque de maturité. Car c'est principalement l'infantilisme névrotique qui maintient dans un stérile état de solitude et cette solitude paralyse douloureusement les contacts et les échanges humains[1].

Dans cette optique négative, Jung constate, à propos des rêveries du solitaire, que « si le conscient laisse en jachère une partie de ses énergies, celles-ci refluent dans l'inconscient où elles renforcent les qualités négatives inconscientes et, au premier chef, les traits infantiles de la personnalité[2] ».

L'isolement cristallise aussi les tendances égocentriques, et c'est pourquoi les religions s'efforcent de maintenir leurs frères en communion.

Notons aussi que par la confession mutuelle, qui est un motif archétypique que l'on retrouve dans plusieurs religions, le pénitent se libère « de la possession d'un secret agissant comme un poison psychique qui rend le porteur étranger à la communauté[3] ».

Sur un plan plus spirituel, maître Eckhart, l'Occidental, rejoint Krishnamurti, l'Oriental, pour bannir la solitude. Le premier proclame :

« L'homme ne peut acquérir l'intelligence spirituelle par une attitude évasive en prenant la fuite devant les choses pour se réfugier dans la solitude loin du monde[4]. »

Le second écrit : « Il est impossible de vivre isolé. La vie est relation et lorsqu'il y a un sentiment de solitude, il n'y a pas d'amour[5]. »

Quant à la Bible, elle est sans pitié pour l'inertie du solitaire qui subit son isolement sans réagir : « En cas de chute, l'un relève l'autre ; mais tant pis pour l'isolé qui tombe, sans personne pour le relever[6] ! »

(+) *Aspect positif de la solitude :*

Dans les anciennes initiations, l'épreuve de la solitude était considérée comme très importante[7]. Elle avait pour but de « se mettre en communication avec les couches les plus profondes de l'inconscient et répondait à l'espoir d'obtenir une vision ou un grand rêve initiateur[8] ».

De là, les anachorètes (gr. « anachorètès » = « mis à l'écart ») se retirant dans le désert de Thébaïde en Haute-Égypte au début de l'ère chrétienne. Ce furent les premiers ermites (gr. « érémitès » = « qui vit dans le désert », de « érémos » = « désert »), les premiers moines (gr. « monakos » = « solitaire », de « monos » = « seul »), qui précédèrent la vie communautaire ou cénobitique (gr. « koenobion » = « vie en commun ») qui ne débuta qu'au ive siècle.

C'est dans la solitude du désert que l'Esprit conduisit Jésus afin qu'il soit

---

1. *M.A.S.*, p. 673.
2. P. et A., p. 117-118.
3. *G.P.*, p. 32 ; *M.A.S.*, p. 131 et 718.
4. Maître Eckhart, *Entretiens Spirituels, oc,* n° VI.
5. J. Krishnamurti, *Commentaires sur la Vie,* Buchet-Chastel, 1957, p. 110.
6. *Eccl.,* IV-10.
7. Plusieurs années chez les pythagoriciens.
8. E. Harding, *Les Mystères de la Femme, oc,* p. 80.

tenté par le Diable[1] car, au milieu du désert, dans notre total isolement, rien ne peut nous solliciter, que Dieu ou le Diable.

De pénibles sensations d'abandon sont ressenties aussitôt qu'il nous faut dépasser la rassurante chaleur d'un « connu » se référant au savoir appris, au raisonnement intellectuel et au conscient collectif[2]. « Le sentiment d'isolement, dit Jung, est alors inévitable car le sujet se trouve placé *ipso facto* hors du troupeau indistinct et inconscient[3]. » Mais cette prise de conscience de soi quelque peu poussée réanime les grandes images archétypiques éternelles de l'inconscient collectif. « Celles-ci, dit Jung, possèdent une portée qui n'appartient qu'à elles : elles servent à inclure dans un ordre général et supra-individuel le cas d'espèce personnel qui paraît unique et insoluble : le dard douloureux que plante toute situation d'exception, l'impression d'isolement qu'elle inflige, se trouvent supprimés et l'individu relié à l'humanité tout entière[4]. »

● *Dans les rêves :*

Les impressions de solitude sont relativement rares dans les songes.

(−) Des situations objectives, tragiques pour le rêveur, que celles-ci soient matérielles, psychologiques ou sentimentales, peuvent susciter des rêves de douloureuse solitude, traduisant l'angoisse et le désespoir de son isolement.

(+) Mais, si le rêveur se sent quelque peu égaré dans une forêt, dans un désert, dans une île lointaine inconnue, au sommet d'une montagne..., c'est qu'un événement important se prépare dans son évolution. Il doit plonger plus avant encore dans sa propre nature dans une solitude nécessaire à l'éloignement des idées reçues de la collectivité.

SQUELETTE ET LES OS (Le)

La composition minérale du squelette semble défier le temps en résistant à la décomposition (même si cette croyance est fausse en réalité). En astrologie, c'est Saturne, dieu du temps, qui gouverne les os et les dents suivant la conception que « tout ce qui est dur dure ».

Selon le folklore de nombreuses contrées et chez beaucoup de primitifs, les os sont considérés comme étant une sorte de substance impérissable de l'âme et, aussi, comme la partie du corps qui retient l'âme immortelle ou, tout au moins, l'essence principale de l'être. L'os apparaît comme étant une force symbolique concentrée.

L'os ou le squelette est également considéré comme siège de l'âme ; ainsi, Eve, anima d'Adam, est née d'une de ses côtes et devient « l'os de

---

1. *Matth.*, IV-1 à 11.
2. Conscient collectif : terme jungien désignant l'ensemble des usages, normes, mœurs et conceptions typiques d'un milieu, d'une civilisation et d'une époque donnée.
3. *P.A.M.*, p. 253.
4. *H.D.A.*, p. 386.

ses os »[1] et, pour les chrétiens, l'âme (anima) est immortelle. En ce sens, l'os est analogue à la roche inaltérable au sein de la terre, comme le squelette est inaltérable au sein du corps[2].

● *Dans les rêves :*

Le squelette ou l'os symbolisera ce qui demeure incorruptible dans la psyché, l'élément impérissable encore enfoui dans l'inconscient et qu'il convient de « garnir de chair » vivante afin qu'il accède à la vie.

Parfois, il s'agit du Soi[3].

SUICIDE (Le)

On considère, statistiquement, que c'est entre vingt-deux et quarante ans qu'il y a le maximum de suicides. On constate, d'autre part, que les hommes se suicident trois fois plus que les femmes mais les trois quarts des tentatives sont faites par des femmes. Jung en donne l'explication suivante : « Alors que, dans l'attitude externe de l'homme, logique et réalisme dominent ou sont, pour le moins, son idéal, chez la femme, c'est le sentiment qui tient le plus de place. Dans l'âme, c'est le contraire ; intérieurement, l'homme s'abandonne au sentiment et la femme délibère. Aussi l'homme désespère-t-il plus vite dans des circonstances où la femme peut toujours consoler et espérer, et recourt-il plus facilement au suicide[4] ».

Cependant sur un plan plus général, Jung a pu observer « de nombreux patients dans des conditions de vie si pénibles que des natures plus faibles n'auraient résisté qu'à grand-peine au désir de se supprimer, développer une tendance normale au suicide mais, par raison, l'empêcher de devenir consciente : de sorte qu'ils devenaient porteurs d'un complexe suicidaire inconscient. Celui-ci suscitait à son tour toutes sortes de hasards dangereux, tels qu'évanouissement dans un endroit exposé, une hésitation devant une automobile en marche, une méprise qui fait confondre la potion contre la toux et le sublimé, une envie soudaine de se livrer à des acrobaties périlleuses, etc. Si l'on parvient, dans ces cas, à rendre consciente l'impulsion au suicide, la raison secourable peut intervenir et l'entraver, la discrimination consciente dépistant et évitant les possibilités d'accidents[5] ».

---

1. *Gen.*, II-23.
2. En ce qui concerne « l'os crochu » qui, à notre connaissance, n'apparaît pas dans les rêves, cf. *F.C.F.*, p. 231.
3. Dans le mythe grec du Déluge, envoyé par Zeus pour noyer la race dégénérée des hommes, Deucalion, fils de Prométhée, et son épouse Pyrrha, fille d'Épiméthée, échappèrent à la noyade en construisant un navire. L'eau recouvrit la Terre durant neuf jours après lesquels le couple fit revivre la race humaine en semant derrière lui les « os de la Mère » (Le Soi inclus dans l'inconscient). Ceux lancés par Deucalion devinrent des hommes et ceux que lança Pyrrha, des femmes.
4. *T.P.*, p. 430.
5. *G.P.*, p. 34.

D'une manière générale, on reconnaît en psychiatrie que la tendance au suicide (généralement à récidive) agit comme le ferait une fonction auto-agressive, auto-destructrice, et, qu'à son propos, on pourrait dresser le tableau suivant :

Suicides réussis :

malades mentaux, malades, âges critiques, prisonniers.

Tentatives de suicide :

■ Pour les hystériques, chantage envers une personne dont on voudrait modifier l'attitude.

■ Pour les anxieux, appel au secours à la société pour l'induire à un certain comportement.

■ Pour les obsessionnels, réaction « ordalique », sorte de pari : « Si je ne meurs pas, c'est que la vie vaut la peine d'être vécue. »

On peut ajouter à ce tableau, dans la ligne de la psychologie analytique de Jung, que les « inexplicables » idées de suicide, comme les angoisses de mort, peuvent procéder, beaucoup plus fréquemment qu'on ne le croit, de l'intense désir de retourner dans le sein de la Mère-inconscient par « nostalgie du paradis perdu ».

A l'opposé de cette régression œdipienne [1] qui équivaut à un instinct de mort (voir « Mort ») en demeurant dans l'inconscience, les pulsions de vie nous portent à évoluer [2].

● **Dans les rêves :**

Les suicides sont rares dans les songes mais, pour la plupart, extrêmement négatifs. Ils indiquent un rejet de l'existence, total ou partiel, par autodestruction.

A la limite, cette pulsion d'anéantissement du moi tend vers la schizophrénie.

Cette pulsion autodestructrice peut conduire le rêveur à refuser, inconsciemment, la guérison analytique.

Si un personnage du rêve se donne la mort, il faut rechercher quel élément du rêveur se refuse à vivre. Très exceptionnellement, le suicide traduit un désir ardent et irrésistible de faire mourir l'ancienne personnalité en vue d'une renaissance.

---

1. Dans le sens que Jung donne à ce complexe.
2. Le suicide était toléré chez les stoïciens et, en outre, par l'École hédoniste cyrénaïque où le philosophe Hégésias, surnommé « péisithanatos » ou « conseiller du suicide », considérait que, dans la vie, les maux l'emportaient sur le bonheur. Pour lui, la mort, loin d'avoir à être crainte, devait être accueillie avec joie par le sage. Plusieurs de ses auditeurs se tuèrent au sortir de ses leçons.

T

TAILLES PLUS PETITES OU PLUS GRANDES QUE NATURE (Les)

● *Dans les rêves :*

A ce propos, Jung note : « Un rêve typique de l'enfance est celui où le rêveur devient infiniment petit ou infiniment grand, ou passe de l'un à l'autre de ces extrêmes, comme dans *Alice au Pays des Merveilles*[1]. » On n'est pas encore en état de saisir les dimensions réelles de son psychisme et de s'y adapter.

Mais les tailles plus petites ou plus grandes que nature indiquent surtout, dans un rêve, l'aspect encore difficilement saisissable, pour le conscient, de l'inconscient collectif qui, parfois, s'accompagne d'une tentation d'inflation psychique, de vertiges, de sentiments, de désorientation, etc.[2]

TALON (Le)

Le talon est placé à l'extrême opposé de la tête, symbole de la conscience intellectuelle et constitue donc, par rapport à celle-ci, le point du corps le plus bas, le plus en arrière, le plus éloigné.

Dans son orgueil, le moi-conscient toise la vie, tourne vers l'avant et, du haut de sa suffisance, oublie totalement l'existence de son talon, indispensable cependant à la marche et point d'appui de l'équilibre du corps.

Et c'est là, par-derrière et jaillissant de l'ombre, que le coupe-jarret attaquait l'individu, le faisait basculer, l'immobilisait et le détroussait. C'est aussi là qu'Achille « aux pieds légers », invulnérable sauf à l'un de ses talons, est atteint par la flèche de Pâris, au dernier endroit auquel il s'attendait. Il en est de même pour Krishna blessé au talon gauche par un chasseur ou pour le tueur de la Fable de la Fontaine « La Colombe et la Fourmi ».

Tandis que, dans la Genèse, la femme devra écraser la « tête du serpent qui l'atteindra au talon[3] ».

C'est souvent de cette petite région, souvent confondue avec le pied, de ce point insignifiant, méprisé par l'individu, que viendra un anéantissement, qui lui permettra de repartir sur de nouvelles bases régénérées : Râ, Oleg, Indra, Orion...

Ainsi, le moi-conscient, arrogant mais aveugle, se trouve terrassé par les dangers qui peuvent surgir d'un inconscient oublié ou négligé qui se rappelle brutalement à lui afin qu'il en tienne compte.

1. Jung in *L'Homme et ses symboles, oc*, p. 53.
2. *D.M.I.*, p. 102.
3. *Gen.*, III-15 : lutte de l'anima pour se maintenir hors de l'inceste, tels les contes folkloriques au cours desquels un animal se métamorphose en anima-princesse (ou en animus-prince).

● *Dans les rêves :*

Le talon, dans les songes, est l'expression d'une vulnérabilité insoupçon-née. Il symbolise le point faible, la faille imprévisible par où l'inconscient est susceptible à tout instant de l'attaquer à l'improviste dans le but de lui faire reconnaître que c'est le Soi et non le moi qui conduit l'évolution. Par la blessure au talon, le Destin nous rappelle à l'ordre.

TÊTE (La)

Le mot « tête » vient du latin « testa » qui signifie « vase de terre cuite », puis « coquille », puis « crâne ». Il a éliminé peu à peu le vieux français « chef » qui venait du latin « caput ».

De par le cerveau et le bulbe rachidien, la tête est considérée comme le siège de la pensée, de la raison, de la volonté, de la mémoire, de la conscience, et de l'équilibre en général : « Avoir toute sa tête », « perdre la tête », « avoir en tête », « tenir tête », etc.

La tête commande donc au corps ; d'où le terme « caput » = « chef » : « opiner du chef », « branler du chef », « de son chef » et « être à la tête de... »

En astrologie, le bélier et ses « coups de tête » gouverne la tête.

Apollonios de Tyane estimait que le fer (métal considéré comme le plus vil) ne devait pas toucher la chevelure d'un philosophe car, disait-il, « il n'est pas convenable qu'on l'approche de l'endroit qui est le foyer des sens, la source des voies sacrées, des prières et des paroles, interprètes de la Sagesse »[1].

D'après M. Kaltenmark, « les immortels taoïstes et le dieu de la longévité Chéou Sin sont souvent représentés avec une sorte de bosse sur le crâne ou avec un crâne démesurément développé. Cette hypertrophie crânienne n'est pas due à l'hydrocéphalie ou la marque d'une intelligence prodigieuse. Elle signifie que les Bienheureux ont su fortifier leur cerveau (qui n'est pas considéré comme l'organe de la pensée, mais comme un réservoir d'énergie vitale), par des méthodes appropriées »[2]. Ce qui, en termes psychologiques, équivaut à une réintégration dans la conscience de la masse d'énergie psychique inconsciente qui, jusqu'ici, leur échappait et dont, maintenant, ils vont pouvoir disposer dans un but supérieur. Certains primitifs rendent un véritable culte au crâne qui est censé posséder les « secrets divins de l'homme »[3]. D'autres dévorent la cervelle de leurs ennemis, contenue dans leur crâne, pour des motifs identiques. D'ailleurs, « d'après les croyances primitives, le crâne contient l'essence immortelle des êtres mortels, d'où les chasseurs de têtes et le culte rendu aux crânes. Pour les Indiens d'Amérique du Nord, les scalps qu'ils se procuraient contenaient l'essence de leur ennemi »[4].

1. Philostrate, *Vie d'Apollonios de Tyane*, VIII-7.
2. M. Kaltenmark, *Lao-Tseu et le taoïsme*, p. 153, Seuil.
3. *I.C.F.*, p. 182.
4. *Ibid.*, p. 228 et s.

Quant aux alchimistes, ils utilisaient l'image du crâne et plus spécialement de l'occiput, comme symbole du « vase rond » de transformation, car
il abrite le cerveau, « partie divine », siège aussi bien de la pensée et de
l'intelligence que du mystère [1].

● *Dans les rêves :*

La tête, dans les songes, symbolisera :

■ La fonction pensée, c'est-à-dire l'activité intellectuelle qui juge,
raisonne, déduit et conclut (surtout le front), par opposition aux sentiments (la poitrine), aux instincts (en dessous de la ceinture) et la nature
végétative de l'organisme.

■ Le moi-conscient qui éclaire et enregistre par les yeux, les oreilles, le
nez (la « lumière de la conscience ») ou encore qui contrôle et décide.

■ Le Principe paternel supérieur, le Phallus créateur, principalement le
sommet du crâne d'où surgit tout armée Pallas-Athénée, déesse de la
Sagesse [2]. Le crâne peut ainsi, dans certains cas, évoquer l'animus de la
femme.

■ La conscience spirituelle la plus élevée : le sommet de la tête est pour
le Rajâ Yoga le siège du dernier et suprême chakras coronal ou Sahasrarâ,
le « lotus aux mille pétales », la « rotondité achevée ». C'est ainsi qu'on a
retrouvé dans des tombes préhistoriques des squelettes dont seul le crâne
était protégé par une grosse pierre plate, comme s'il fallait à tout prix
préserver le siège d'un début de conscience.

■ Enfin, « la tête étant sphérique et contenant l'esprit, elle peut être un
symbole du Soi. C'est probablement l'une des raisons du culte fréquent
que les primitifs rendent aux crânes [3] ». Ceci parce que c'est avec notre tête
que nous trouvons la clef des problèmes intérieurs car, pour les primitifs,
elle contient savoir et sagesse.

Enveloppement de la tête dans un voile ou dans un capuchon :

■ Symbole de recueillement, de concentration d'esprit, de méditation à
l'abri des distractions venant de l'extérieur : capuce des moines, voile des
religieuses, lame IX du Tarot : « l'Ermite », etc.

■ Il y a recherche de contemplation intérieure comme lorsque quelqu'un
se met la tête dans les mains pour se concentrer.

■ Symbole de l'aspect mystérieux du processus d'individuation et de la
nécessité de ne l'entreprendre qu'à l'abri du secret. Caractère ésotérique
de la voie initiatique.

■ Symbole de mort en vue d'une renaissance : Mystères antiques,
Pénitents, Ku-Klux-Klan, etc.

1. *P. et Al.,* p. 117 et 345.
2. Cf. aussi *M.A.S.,* p. 587 et 588.
3. *Ibid.,* p. 183.

Corps sans tête :

Absence de fonction pensée ou de cette volonté directrice équilibrée qui devrait caractériser l'état adulte.

Tête sans corps :

Peut être une image avertissant d'une exagération des fonctions intellectuelles, d'une suractivité du mental, d'une recherche spirituelle outrancière, aux dépens de la vie instinctive et affective et de l'ensemble de la personnalité.

Expression symbolique de « la pâleur de la pensée séparée du corps »[1].

Tenir compte des affects éprouvés par le rêveur.

Tête bouffie, boursouflée, trop ronde :

Image de l'inflation stérile de l'univers intellectuel.

Couper la tête :

(−) Tendance à la schizoïdie sinon à la schizophrénie. Le rêveur se coupe de la vie, donc du monde extérieur.

(+) Suppression brutale mais positive de la surdifférenciation intellectuelle consciente. Le rêveur « est prêt à renoncer à une vie dictée par la tête »[2]. Il arrive même, parfois, que le rêveur se décapite lui-même avec soulagement.

N. B. : Dans les deux cas, l'interprétation dépendra du contexte onirique et des affects du rêveur.

TOILETTE (Faire sa)

● *Dans les rêves :*

« Faire sa toilette », dans les songes, peut s'apparenter (mais rarement) au motif symbolique du nettoyage. Voir « Nettoyer ».

En fait, ce sont surtout les femmes qui, dans les rêves, s'apprêtent devant leurs miroirs, en s'habillant, se fardant, se parant de vêtements seyants et de bijoux.

Pour les Grecs, Éros aidait Aphrodite à sa toilette car il est universellement reconnu (même chez les primitifs) qu'il appartient à la femme de se mettre en beauté afin de conquérir l'homme, s'unir à lui et procréer.

TOMBER DANS LE VIDE

Une telle chute donne le vertige (lat. « vertigo » = « mouvement tournant »), c'est-à-dire l'impression que les objets environnants et soi-même sont animés d'un mouvement circulaire ou d'oscillations.

Avec les monstres mythologiques ou légendaires et les attaques d'êtres

---

1. *P. et Al.,* p. 112.
2. J. L. Henderson in *L'Homme et ses symboles, oc,* p. 137.

menaçants, la chute dans le vide est l'une des images qui traduit l'angoisse au suprême degré car elle donne l'impression d'une totale perte de contrôle, plus rien n'existant à quoi se retenir. La peur panique devant cette chute dans le vide correspond à l'angoisse qu'éprouve le conscient à s'abîmer dans les ténèbres de l'inconscience afin d'assurer sa renaissance. Voir « Naissance et Renaissance ». Le moi doit alors abandonner toutes les valeurs auxquelles il se raccrochait, telles celles du conscient collectif (Persona), les illusions de certaines valeurs morales, philosophiques ou intellectuelles, les croyances idéologiques et sentimentales, l'égocentrisme aveugle, etc. pour « descendre de sa hauteur »[1] et plonger dans « ses propres profondeurs ».

Une instabilité provisoire va donc faire place à une stabilité rassurante mais précaire afin de tendre vers une stabilité plus sûre.

Un maître se promenant un jour rencontra un de ses élèves pendu par les dents à une feuille d'arbre au-dessus d'un gouffre insondable. Au lieu de voler à son secours, il lui demande paisiblement : « Qu'est-ce que le Zen (le Soi) ? » Pour répondre, l'élève doit « lâcher prise ». Cette petite parabole souligne bien la peur que nous éprouvons pour l'inconscient, c'est-à-dire l'affrontement de l'inconnu, voire de la folie.

● *Dans les rêves :*

Les chutes sont nombreuses dans les songes.

Elles vont de la simple glissade à la chute vertigineuse en passant par l'écroulement. Voir « Écroulement ».

Pour la simple glissade, le saut à terre, ou le vol se terminant par une chute, nous pouvons nous référer à Jung qui indique que « ceux qui manquent de réalisme ou qui ont trop bonne opinion d'eux-mêmes, ou qui font des projets grandioses sans rapport avec leurs capacités réelles, rêvent qu'ils volent ou qu'ils tombent[2] ».

Quant aux rêves de chute vertigineuse dans le vide, chargés d'une telle angoisse que généralement ils réveillent, ils se rapportent à la plongée du moi-conscient dans les profondeurs de l'inconscient. Dès lors, il y a panique pour le moi stable de se dissoudre dans l'incohérence et l'instable.

Le rêveur doit retrouver les bases solides de la bonne vieille terre et ses lois où il reprendra racine. Mais, en attendant, il « tombe de haut ».

TRANSE (Entrer en)

La transe est l'état du médium dépersonnalisé comme si l'esprit étranger s'était substitué à lui : « entrer en transe ». Primitivement, le mot signifiait inquiétude ou appréhension extrêmement vive. Le terme vient du verbe « transir » du latin « transirer » = « aller au-delà ».

---

1. *M.M.*, p. 122.
2. Jung in *L'Homme et ses symboles, oc,* p. 50.

● *Dans les rêves :*

Les songes parlent peu de transes.

Si c'est le cas, il semble que cet état puisse être assimilé à « l'ivresse sacrée » ou aux transes des chamans, des derviches ou des mises en « état second » par certaines danses. On exécute celles-ci en les scandant, c'est-à-dire en marquant avec insistance et interminablement les temps forts afin de faire taire la tension créée par l'opposition de l'intellect conscient aux contenus de l'inconscient.

TRANSPERCEMENT DOULOUREUX (Le)

Le thème du transpercement douloureux appartient à celui de la blessure qui guérit. Il exprime les tourments de l'introversion dirigée au plus profond de soi-même, c'est-à-dire de l'inconscient maternel afin d'assurer sa propre renaissance. Voir « Blessure » et « Piqûre ».

Le processus d'individuation, assimilable à une véritable initiation, est considéré par Jung comme une « introversion volontaire ». L'arme qui transperce est « phallique ». L'énergie psychique créatrice est orientée vers l'inconscient afin de mettre de l'ordre dans la « Massa Confusa », pénétrer dans la matrice intérieure [1].

Le coup de lance de Longin : le coup de poignard sacrificiel du taureau de Mithra ; la lance qui perce Odin et Huitzilopochtli ; la dent du sanglier qui tue Adonis ; le dard acéré d'un coin d'airain enfoncé dans la poitrine de Prométhée enchaîné ; ce sont autant d'exemples de rachat par la mort et retour dans le sein de la Mère, du péché originel d'Adam et du renouvellement spirituel [2].

Ce thème du transpercement douloureux est merveilleusement exprimé par ce poème de sainte Thérèse d'Avila :

> « Au plus profond de mon cœur,
> J'ai senti un coup subit :
> Le dard était divin,
> Car il a opéré de grandes merveilles ;
> Par le coup je fus blessée,
> Et bien que la blessure fût mortelle,
> Et cause une douleur sans égale,
> C'est une mort qui donne la vie.
> Si elle tue, comment donne-t-elle la vie ?
> Et si elle donne la vie, comment fait-elle mourir ?
> Comment guérit-elle, quand elle blesse,
> Et se voit-elle unie au dard ?
> Ce dard a des artifices si divins,

---

1. « Auto-incubation dirigée, châtiment de soi par soi et introversion sont des concepts très voisins. La plongée en soi (introversion) est pénétration dans l'inconscient en même temps qu'ascèse » (*M.A.S.*, p. 430).

2. Cf. *Ibid.*, p. 704.

Que dans une si cruelle agonie
Il sort triomphant de la blessure
Et accomplit de grandes œuvres [1]. »

● *Dans les rêves :*

Dans les songes, le transpercement douloureux apparaît parfois comme possédant le même symbolisme que la blessure qui guérit.

Mais la plupart du temps, il est l'expression d'une attaque qui blesse souvent dans le dos (l'inconscient), dont il faut rechercher l'origine à travers le symbolisme du personnage ou de l'animal qui transperce le rêveur et, bien entendu, ses associations d'idées et ses affects.

TRAVERSER UNE RIVIÈRE, UNE ROUTE, UNE FRONTIÈRE, UNE LIMITE, UN COL, etc.

Pour le Yi-King, « traverser les grandes eaux » indique que, avant de réussir l'entreprise pour laquelle le consultant a posé sa question, celui-ci aura à « traverser » une période difficile, voire dangereuse, et demandant réflexion. Il devra déployer toutes ses énergies pour affronter les difficultés de la situation s'il veut qu'elle aboutisse favorablement.

● *Dans les rêves :*

Ce thème, très fréquent dans les songes, possède la même signification symbolique que celui du « Passage Difficile, Étroit ou Dangereux (S'engager dans un). » Voir cette rubrique.

TRÉPIGNER

Le mot vient de l'ancien français « treper » = « frapper du pied, sauter, danser ».

Les primitifs se livrent fréquemment au trépignement.

● *Dans les rêves :*

Le trépignement est rare dans les songes.

Il semble être un geste de fécondité, apparenté à la danse (voir ce mot), par l'action d'élever le rythme particulier et personnel au niveau du rythme général et cosmique.

TRIER

Le mot vient du latin « tritare » = « broyer ».

Dans les mythes, religions et contes folkloriques, le triage s'opère généralement à partir d'un amas de graines au cours d'un rituel symbolique ou inspiré des sentences paraboliques.

En effet, constate M.-L. von Franz, « un tas de graines mélangées représente un certain aspect de l'inconscient collectif envisagé, à la fois,

1. Sainte Thérèse de Jésus, *Œuvres, oc,* p. 1590.

comme une seule essence et comme une multiplicité d'images[1] ». Et elle ajoute : « Trier les grains, c'est trier les germes, les symboles et archétypes des situations naissantes et les clarifier. Si, patiemment, on y réussit, on vit mieux des situations même impossibles et, souvent, celles-ci se démêlent et il se présente des situations imprévisibles[2]. »

Sur un plan d'un symbolisme plus prosaïque, les intestins peuvent symboliser ce tri purificateur puisqu'ils conservent les éléments nécessaires à la physiologie et rejettent les déchets et poisons susceptibles d'intoxiquer le corps. Voir « Intestins », « Excréments » et « Excrétions Physiologiques ».

Mais, de même que, pour le corps, l'usage des remèdes drastiques nuit à sa bonne santé, de même « trier le grain » exige, sur le plan psychologique, une certaine subtilité et une longue patience, toute précipitation allant à l'encontre du temps de croissance.

On peut donc dire, qu'au niveau psychologique, le triage tend à ramener le psychisme à une sorte de pureté virginale en le libérant de tout ce qui lui est « toxique », en éliminant tout ce qu'il possède de nuisible pour lui-même et en écartant de lui tout ce qui n'est pas nécessaire à l'épanouissement de sa vie intérieure et extérieure.

● *Dans les rêves :*

Trier est une image qui se présente fréquemment dans les songes.

On peut trier une pièce, une maison, des objets, des bagages encombrants ou séparer l'inutile ou le malfaisant de l'utile et du bienfaisant.

En somme, le triage des rêves s'apparente au « nettoyage » (voir « Nettoyer »), à la clarification intérieure, à la mise en ordre au sein de la psyché.

Et l'on sait que « le Soi est, du point de vue psychologique, l'archétype par excellence de l'Ordre[3] ».

Mais, pour « trier » et « nettoyer », il est d'abord nécessaire de « broyer » les résistances à l'encontre de l'inconscient où se trouve le meilleur et le pire.

TUER

Dans la mythologie, les religions et les légendes, tuer le Dragon, le Serpent ou le monstre, est un acte de bravoure auréolé de gloire, qu'accomplit un dieu ou un héros[4]. Ce thème symbolise la victoire

---

1. *A.O.A.*, p. 148.
2. *F.C.F.*, p. 262.
3. *M.M.*, p. 270.
4. Le héros mythologique est généralement fils d'un dieu et d'une mortelle, tel Héraclès, ou d'une déesse et d'un mortel tel Énée. Il est donc un demi-dieu. Dans les légendes, épopées, chansons de gestes, etc., le héros est un personnage extraordinaire auquel on prête un courage et des exploits remarquables.

définitive de ce dieu ou de ce héros sur son angoisse terrifiante d'avoir à affronter les puissances de l'inconscient.

Jung a pu observer que, « dans la bouche de l'enfant, " tuer " est un mot qui ne tire pas à conséquence, surtout quand on sait qu'il l'emploie indifféremment pour désigner n'importe quelle idée d'éloignement, de suppression, de destruction [1] ». Il en est de même chez les primitifs ou chez certains meurtriers au niveau mental peu développé qui passent à l'acte sans avoir bien conscience de l'horreur de leur geste et de ses conséquences. Simplement, ils suppriment.

● *Dans les rêves :*

Au niveau du symbolisme onirique, tuer c'est vouloir supprimer un contenu psychique, le refouler et, de ce fait, l'empêcher de jouer le rôle qui lui revient dans l'ensemble de la psyché.

Les conséquences peuvent en être tragiques. Si, par exemple, la sexualité est « tuée » (refoulée) totalement ou partiellement, elle ira renforcer l'Ombre qui pourra se manifester par pulsions sadiques, compensées par des mécanismes d'auto-punition masochistes.

Dans un songe, autant la mort (voir ce mot) peut être positive, autant le meurtre peut être négatif et générateur d'angoisses.

Tuer un être vivant :

Le rêveur refoule au maximum le complexe ou la fonction symbolisée par cet être vivant au lieu de l'assimiler à la conscience.

S'il s'agit d'un animal, le rêveur se coupe de ses fondements instinctifs et risque de se trouver complètement perdu dans l'existence.

Le rêveur assiste au meurtre d'un être vivant par un autre être vivant :

Cette image est l'expression d'un implacable conflit entre deux polarités (à déterminer).

Le rêveur est tué par un être vivant, un objet ou dans tout autre circonstance :

Ce rêve est toujours à prendre très au sérieux.

Un complexe, une situation, une attitude, une fonction ou tout simplement la Vie anéantit le rêveur.

Il risque de ne plus réagir que difficilement, il est en proie à la psychasthénie, il ne sait plus très bien où il en est. Il convient de rechercher ce qui le « tue » dans son monde intérieur ou dans son existence extérieure, ou, peut-être, dans les deux.

1. *P. et E.*, p. 135.

U

URINE (L') — URINER

Le mot vient du latin populaire « aurina », d'après « aurun » = « or » à cause de sa couleur.

En fait, « urine » se dit « urina » en latin, mot qui se rapproche de « urere » = « brûler » et on constate que l'urine est un liquide chargé d'éliminer un certain nombre de déchets de l'organisme venant des éléments de la nutrition et « brûlés » par l'oxygène de la respiration.

En règle générale, quand l'émission involontaire répétée des urines (parfois diurne mais le plus souvent nocturne) est le fait d'un sujet âgé de plus de quatre ans et qu'elle ne peut être attribuée à aucune lésion organique, on parle d'énurésie.

L'origine de l'énurésie est nettement psychique mais peut avoir plusieurs causes ; on a constaté, en effet, que l'énurésie apparaissait chez les enfants dont les parents s'apprêtaient à divorcer, ou qu'elle coïncidait avec la naissance d'un petit frère ou d'une petite sœur, ou avec l'admission à l'école maternelle, etc.

Chez l'enfant du type « pensée » trop cérébralisé ou tout autre enfant auquel on demande trop d'effort intellectuel, l'énurésie peut apparaître par désir inconscient de retour à la petite enfance, à l'époque bénie où cette douloureuse tension entre l'intellect et la nature instinctive n'existait pas encore. En toute généralité, l'énurésie marque le désir inconscient de revenir à l'état bienheureux de bébé par nostalgie du « paradis perdu ».

Pour Jung, « l'énurésie constitue un succédané de la sexualité. Le besoin d'uriner, dans les rêves et à l'état de veille, très souvent est l'expression d'un besoin, d'une impulsion quelconque : par exemple, angoisse, attente, excitation réprimée, incapacité de s'exprimer, nécessité d'extérioriser un contenu inconscient, etc. [1] ».

En alchimie, « l'Aqua Puerorum » (l'urine des enfants) ou « Aqua Permanens » (« l'eau permanente ») est le « Mercurius Philosophorum », c'est-à-dire la substance transformante secrète et, en même temps, l'Esprit demeurant dans la « Prima Materia » de toute créature vivante [2].

● *Dans les rêves :*

« Dans les cauchemars, on voit souvent le rêveur errer sans parvenir à trouver l'endroit propice pour uriner ; cela signifie toujours qu'il est dans l'impossibilité d'exprimer sa vraie nature, sa spontanéité [3] ».

Si, dans un songe, le rêveur urine abondamment, il se « soulage » de toute contrainte, « revenant, enfin, à une expression de lui-même complè-

1. *P. et E.*, p. 234.
2. Cf. *P. et Al.*, p. 305 et 310.
3. *A.O.A.*, p. 188.

tement naturelle et vraie [1] ». Ces contraintes sont évidemment à recher-cher parmi les complexes et oppressions subjectives qui tiennent l'ego à leur merci.

Enfin, l'urine peut apparaître comme appartenant aux « Excrétions Physiologiques » (voir ce mot).

UTÉRUS (L')

● *Dans les rêves :*

L'utérus évoque, symboliquement, la fonction créatrice du principe féminin. Il est un centre maternel générateur de vie.

C'est pourquoi, l'utérus, dans les songes, est le lieu de naissance de « l'Enfant Intérieur » ou « Enfant Spirituel » correspondant au « Fils des Philosophes » de l'Alchimie.

V

VAMPIRES (Les)

Voir « Sang ».

VENTRE (Le)

Par euphémisme, le « bas-ventre » est le sexe situé en bas du ventre.

En tant qu'évocation de la digestion intestinale, le ventre nous rappelle que c'est dans l'intestin que s'opère l'absorption des aliments par les villosités dont il est tapissé.

En fait, l'intestin trie les aliments, retient ceux qui sont propres à la vie du corps, en opère la synthèse et rejette les déchets qui, sinon, intoxique-raient l'organisme. Il joue, ainsi, du point de vue physique, le même rôle que l'intelligence et le discernement dans la vie de l'esprit. En effectuant ce tri, l'intestin rappelle la parabole du bon grain et de l'ivraie [2] ou le van rituel des mystères antiques : il faut éliminer les éléments nuisibles et ne conserver que ceux nécessaires.

Le ventre contient l'utérus maternel, lui-même renfermant l'enfant en gestation. Aussi, les ventres d'animaux, tel celui de la baleine de Jonas, vont-ils servir à symboliser la Mère Terrible qui engloutit, broie et dépèce le moi-conscient de l'homme. Mais de leurs entrailles matricielles va s'élaborer la régénérescence par la deuxième naissance. Voir « Naissance et Renaissance ».

Du fait que les viscères ventraux n'obéissent qu'au système neuro-végétatif, le raisonnement et la volonté n'ont aucun pouvoir sur leur

1. *Ibid.*
2. *Matth.*, XIII-24.

fonctionnement. Ils sont ainsi assimilables aux pulsions instinctives, principalement digestives et sexuelles, dont ils peuvent évoquer les activités : « ventre affamé n'a pas d'oreilles », « l'aiguillon de la chair », etc.

Dépendant du sympathique et du para-sympathique, eux-mêmes tributaires de l'inconscient, le ventre et les organes qu'il contient sont fortement soumis aux émotions, spasmes viscéraux, constipations par crispation, débâcles diarrhéiques, etc. Aussi peut-on « faire dans sa culotte », si l'on a très peur.

À la limite, le ventre évoquera le matérialisme sensuel. On peut avoir « les yeux plus grands que le ventre » et saint Paul constate : « Ces gens-là ne servent pas notre Seigneur le Christ, mais leur ventre »[1] ou encore : « Ils ont pour dieu leur ventre[2]. »

Parfois, le ventre évoque le monde intérieur, lieu du centre spirituel : « Le Sage se complaît en son ventre et non point en son œil, préférant l'interne à l'externe » dit le Tao de Lao-Tseu[3].

Pour les Japonais, « Hara[4] » qui signifie « ventre » est le centre vital de l'homme. Retrouver l'unité primordiale, « l'état des enfants » de l'Évangile[5], déchirée par la conscience rationnelle et discursive, l'ego pensant, ou les impulsions incohérentes et passionnées du sentiment et de la sexualité, c'est atteindre l'état « Hara ».

On atteint ce centre de gravité — le Soi de Jung — en se concentrant sur le centre de gravité corporel. Au moindre instant de disponibilité, les Japonais fixent ainsi leur attention sur Hara. Cette façon de concevoir la signification du centre du corps et de l'âme a déterminé l'idéal de beauté du Japonais : le Japonais appréciera, avant tout, une certaine prédominance du bas-ventre, en même temps qu'une maîtrise que témoigne la fermeté. Un gros ventre (qui souligne le centre de gravité véritable et non un ventre adipeux) n'est, de ce fait, nullement repoussant pour lui ; bien au contraire et les Maîtres du « Sumo » (lutte japonaise) ont toujours des ventres énormes, ce qui ne les empêche pas, malgré leur poids, de faire preuve d'une agilité de chat. Leur ventre est le siège de leur force qui n'est pas seulement physique mais également spirituelle ; et cette maîtrise spirituelle témoigne de la maîtrise du « Hara ». À tel point que certains Maîtres du « Sumo », réellement en possession du « Hara », peuvent vaincre en dehors de la force musculaire, mais à l'aide de la seule force transcendantale émanant du « Hara ».

Celui qui atteint la maîtrise du « Hara » peut garder son calme dans n'importe quelle circonstance, même devant la mort, et il ne se sent jamais déchoir, même devant un vainqueur. Il devient « total », surmontant tout

1. *Rom.*, XVI-18.
2. *Phil.*, III-19.
3. *Vt.*, 12.
4. Cf. Kalfried van Durckeim, *Hara*, le courrier du livre, 1974.
5. *Matth.*, XVIII-3.

ce qui barre la route à son « devenir ». Il est « entier ». En japonais, un tel individu est dénommé : « Hara no aru trito », c'est-à-dire, « l'homme qui a du ventre ».

Mais, par ailleurs, on observe que certaines représentations sculpturales et picturales, tant romanes que gothiques primitives, accentuent le ventre des personnages spiritualisés. Il semble que, par ce symbole, l'individu s'humilie pour s'ouvrir les portes du ciel grâce à la conscience qu'il a de la faiblesse de son moi et de l'attachement sensuel (le ventre) au monde. Cette façon de souligner le ventre semble vouloir dire : « Je ne saurais gagner le ciel en éludant les lois de la Terre. »

● *Dans les rêves :*

L'évocation du ventre, dans les songes, paraît principalement se rapporter à l'émotivité perturbant le psychisme ; au plan instinctif et végétatif de l'existence qui agit hors de la volonté de la conscience et avec qui il faut cependant compter ; plus rarement, à une éventuelle maternité d'ordre psychique.

Chez les femmes, et suivant les associations d'idées, il peut s'agir des règles.

VERTIGE (Le)

Voir « Tomber dans le vide ».

VIE (La)

La vie est souvent opposée à l'esprit, surtout dans certaines religions qui prônent la limitation des désirs, le renoncement, et même l'ascèse. Celle-ci propose de pratiquer toutes sortes d'exercices physiques et moraux qui tendent à l'affranchissement de l'esprit par le mépris du corps. Voir « Ascétisme ».

Or, rien n'est plus nocif que ce mépris du corps car, si ce corps est bien associé à la vie animale, il est aussi, chez l'homme, l'indispensable réceptacle de l'esprit.

À ce propos, Jung écrit : « Je crois au danger que fait courir l'esprit et ne crois pas à sa suprématie absolue... Je ne crois qu'au verbe incarné dans la chair et qu'au corps animé par l'Esprit, dans lequel le Yang et le Yin de la philosophie chinoise se sont mariés en une figure vivante[1]. »

La vie instinctive proprement dite et la vie de l'esprit sont pour lui deux puissances qui nous dépassent[2], mais (« la psyché dépend du corps et le corps de la psyché[3] ») il nous appartient précisément de rechercher en nous-mêmes l'équilibre de l'homme chtonien et de l'homme spirituel.

Cette nécessité d'unir Vie et Esprit se retrouve dans la vénération des

1. *A.D.C.*, p. 125.
2. *E.P.*, p. 84 ; *G.P.*, p. 182.
3. *Ibid.*, p. 82.

Vierges Noires (voir « Virginité ») ou dans la projection collective qui fait entourer le petit Jésus, dans sa crèche, d'un bœuf et d'un âne, alors que ces animaux ne sont nullement cités dans les Évangiles.

● *Dans les rêves :*

Les allusions à la Vie, dans les songes, apparaissent pour avertir le rêveur qu'il mène une existence soit trop matérialiste, soit (et surtout) trop spiritualiste, plusieurs religions présentant un certain idéalisme ascétique comme supérieur à la vie instinctive. Dans ces derniers cas, relativement nombreux, le rêve « rectifie la situation [1] ». La plupart du temps, ce sont des images d'animaux, de prostituées ou de personnages grossiers ou primitifs qui, par compensation, assurent l'auto-régulation psychique [2].

Jung va jusqu'à avertir le psychothérapeute d'éviter toutes erreurs grossières à ce sujet : « Si je ne reconnais que des valeurs " naturelles ", je minimiserai, gênerai, ou même anéantirai par mon hypothèse physique le développement spirituel de mon patient. Si, par contre, en dernière analyse, je ramène tout aux sphères éthérées, je méconnaîtrai et violenterai l'individu naturel dans sa légitime existence physique. La plupart des suicides survenant au cours d'un traitement psychothérapeutique proviennent de fausses manœuvres de cette sorte [3]. »

VIE (Les Âges de la)

Nous ne parlerons pas, ici, des étapes se succédant au cours du développement psychique de l'existence humaine et qui sont souvent à la source des passages critiques rencontrés au cours de la vie : venue au monde [4], naissance de l'ego, premiers contacts avec l'école et les « autres », passage de l'enfance à l'adolescence puis de l'adolescence à l'état adulte, enfin, de la première partie de la vie à la deuxième.

Dans la présente rubrique, nous n'exposerons que l'aspect psychique des problèmes de la première et de la deuxième partie de l'existence et ses répercussions caractérielles.

D'une manière tout à fait schématique, on estime que ce n'est généralement que vers vingt ans (sauf traumatismes ou atmosphère traumatisante) que le moi est parvenu à se constituer solidement [5] ; que trente ans est l'époque où le moi est le plus éloigné du Soi ; que vers cinquante ans, il est souhaitable de plonger en soi-même pour trouver « l'Univers et ses Dieux » [6] ; enfin, que vers soixante ans, l'enrichissement intérieur doit se développer jusqu'à la mort.

1. *H.D.A.*, p. 234.
2. Cf. *Ibid.*, p. 258.
3. *Ibid.*, p. 22.
4. Cf. F. Leboyer, *Pour une Naissance sans violence*, Seuil, 1975.
5. *I.C.F.*, p. 75.
6. On oublie généralement que le « Connais-toi toi-même » du Temple de Delphes est suivi de « et tu connaîtras l'Univers et ses Dieux ».

Un apport, capital et empirique, de Jung à la psychologie des profondeurs concerne ce qu'il a appelé : « les âges de la vie », distinguant le matin de l'après-midi de l'existence avec, comme point culminant, « le solstice de la vie »[1] se situant entre quarante et quarante-cinq ans chez l'homme et trente-cinq à quarante ans chez la femme[2]. « Notre vie, écrit Jung, est comparable au cours du soleil. Le matin, le soleil augmente progressivement sa force jusqu'à ce qu'il atteigne, brillant et intense, son apogée de midi. Alors survient l'énantiodromie[3], sa constante marche en avant n'implique plus augmentation mais bien diminution de sa force.

Au sommet de leur existence, les individus des deux sexes peuvent aussi être vivement secoués par le « démon de midi »[4] défini comme étant une tentation de nature affective et sexuelle qui s'empare des humains vers le milieu de la vie. Il semble, qu'avant de s'engager sur la pente descendante, l'homme veuille inconsciemment exalter la vie instinctive et affective qu'il devra bientôt abandonner pour réserver toutes ses disponibilités au monde intérieur.

La démarcation entre la vie de la jeunesse et celle de l'âge mûr est admirablement mise en relief par cette image du Christ :

> « Pais mes brebis.
> En vérité, en vérité, je te le dis,
> Quand tu étais jeune,
> Tu mettais toi-même ta ceinture,
> Et tu allais où tu voulais ;
> Quand tu seras vieux,
> Tu étendras les mains,
> Un autre te nouera ta ceinture
> Et te mènera où tu ne voudrais pas[5]. »

La ceinture se place précisément à mi-chemin entre les instincts sexuels d'une part (le « bas de la ceinture »!...) et, d'autre part, le cœur (sentiment) et la tête (intellect).

Autrement dit, l'épanouissement de la vie de l'individu jeune (homme ou femme) est entre les mains de sa volonté consciente afin qu'il puisse connaître l'amour, fonder une famille, la faire subsister par son travail professionnel, s'insérer dans la vie sociale et faire face aux obligations de toutes sortes exigées par l'existence. Puis, lorsque vient l'âge mûr, ce n'est plus la volition de l'ego qui dirige la vie mais le Soi qui prend en main le processus d'individuation, souvent loin des intentions du moi volontaire.

---

1. Cf. *P.A.M.*, Ch. VIII.
2. *H.D.A.*, p. 364.
3. Énantiodromie ou « course en sens contraire » : terme employé par Héraclite pour désigner la fonction régulatrice des contraires et que toute chose peut, un jour, se précipiter dans son contraire. Cf. *T. P.*, p. 444-445.
4. Expression venant de la Bible : *Is.*, X C-6.
5. *Jean*, XXI-18.

La première partie de la vie va donc être plus extravertie que la seconde car la recherche intérieure vers la totalité est considérée par Jung comme « une introversion dirigée ». Ce renversement des valeurs se produisant au sommet de l'existence est exprimée de manière très intéressante par la lame XII du Tarot : « Le Pendu. » On y voit un homme pendu par les pieds dont les jambes se croisent. Le renversement des valeurs est exprimé par le fait de la pendaison par les pieds : la tête (la volonté intellectuelle consciente) et la poitrine contenant le cœur (la vie affective) sont désormais en dessous, dominées par la croix (« conjunctio oppositorum ») formée par les jambes.

Mais le passage critique du matin à l'après-midi de la vie ne se fait pas sans une profonde angoisse exprimée par la pendaison, position dans laquelle, il semble que l'on perde tout contrôle car momentanément, on ne peut plus se raccrocher aux mêmes valeurs. Voir « Pendu. » Et ce passage critique, pour lequel la plupart sont cruellement impréparés, provoque parfois une telle détresse qu'elle entraîne à des suicides « inexplicables » pour lesquels on accusera aussi bien le surmenage que la ménopause ou le « retour d'âge ». « Pour le médecin de l'âme, dit Jung, le vieillard qui ne veut renoncer à la vie est aussi faible et maladif que le jeune homme incapable de la construire. Il s'agit, en effet, dans l'un ou l'autre cas, de la même convoitise infantile, de la même crainte, du même défi, du même entêtement [1]. »

Enfin, dernier point observé par Jung, l'homme, sur la pente descendante, a tendance à se féminiser et la femme à se viriliser.

Les prises de conscience effectuées dans la première partie de la vie permettent de passer avec le minimum d'encombre le cap du milieu de l'existence et de se préparer sans trop d'amertume aux exigences de la deuxième partie.

● *Dans les rêves :*

Les allusions se rapportant au matin, au midi et au soir de la vie apparaissent fréquemment dans les songes.

Dans la première partie de l'existence, il sera fait allusion à la nostalgie de la petite enfance, à l'angoisse devant les obligations quotidiennes, à la vanité de certains systèmes pseudo-spirituels qui ne sont que prétextes à fuites et refuges aveugles, au refus de se prendre en charge. Certains symboles apparaîtront montrant le blocage de l'évolution : rêves d'impuissance psychique, de véhicules en panne, d'impasses où l'on se fourvoie, etc. et, principalement, aux difficultés d'ordre sexuel et affectif avec le sexe opposé.

Au solstice de l'existence, on rencontrera des rêves de catastrophe cosmique, de refus d'abandonner la jeunesse, d'obsessions sexuelles, de terreur devant les exigences du monde interne et de ses valeurs spirituelles.

---

1. *A. et V.*, p. 185.

Tout au long de la deuxième partie de l'existence, les rêves se référeront principalement, non seulement au regret du dynamisme de la jeunesse, au déroulement du processus d'individuation et à la mise en ordre de l'univers intérieur, mais aussi à la nécessité d'accepter son destin qui veut qu'une vie, si riche soit-elle, ait le déclin et la mort pour aboutissement.

VIEILLISSEMENT D'UNE IMAGE (Le)

● *Dans les rêves :*

Le vieillissement d'une image est relativement rare dans les songes. Généralement, ce motif indique la dégradation de l'influence de l'image (à déterminer) sur le comportement psychique.

La plupart du temps, il s'agit de représentations de complexes parentaux, de la Persona, du pouvoir possessif de l'anima ou de l'animus, de l'influence d'une doctrine néfaste, etc.

Plus rarement, ce vieillissement donne de la maturité à un élément psychique positif mais encore peu développé du rêveur (à déterminer).

VIERGE (Être)

Voir « Virginité ».

VIRGINITÉ (La)

Au figuré, la virginité caractérise ce qui est intact, ce qui est pur.

Être « vierge », c'est, tout d'abord, n'avoir jamais eu de relations sexuelles, mais, au sens second, le terme s'applique à ce qui n'a jamais été touché, sali, souillé, terni, ou simplement utilisé. La virginité possède une idée de non-mélange, de non-contamination ; elle n'est pas corrompue par des éléments étrangers à elle-même : la forêt « vierge », de l'huile « extra-vierge », une cire « vierge », un casier judiciaire « vierge »...

De nombreuses déesses mythologiques — Ishtar, Shing-Moo, Pallas-Athéna, Hestia-Vesta, Artémis-Diane — sont dites « vierges ».

Hestia-Vesta, divinité du feu, c'est-à-dire de l'élan mystique le plus pur, était vierge. À Rome, son temple ne possédait pas de statue mais un feu sacré[1] entretenu par les Vestales. Ces prêtresses, à l'image de la déesse, devaient être d'une pureté absolue et le moindre manquement à leur règle de chasteté était sanctionné de la peine capitale : elles étaient fouettées à mort ou enterrées vives. Les Vestales étaient choisies dans les plus grandes familles de Rome, à l'âge de six à dix ans, et restaient au service de la déesse pendant une durée de vingt à trente ans. Elles rentraient ensuite au sein de la société romaine avec la permission de contracter mariage. En compensation de toutes ces rigueurs, elles étaient universellement respectées et certaines hautes dignités leur étaient confiées.

---

1. Le feu est purificateur en ce qu'il détruit tout ce qui, en l'occurrence, altère « l'inaltérable » pouvoir de la divinité et la flamme du feu semble se dépouiller de la matière pour s'élever vers le ciel.

À Babylone, la Grande Déesse Mère Ishtar était à la fois considérée comme vierge et appelée « La Courtisane Compatissante ». Les « Courtisanes Sacrées » de ses temples s'appelaient aussi les « Vierges Sacrées ».

La Vierge Sainte de la mythologie chinoise, Shing-Moo, la Grande Mère, conçut et enfanta son fils alors qu'elle était encore vierge. Elle est vénérée comme un modèle de pureté mais elle est également la patronne des prostituées[1].

On retrouve donc, dans certaines religions d'origine très ancienne, la virginité spirituelle assimilable à la « Prostitution Sacrée ». Ces deux évocations soulignent le caractère transcendantal d'un amour universel inconditionné qui se refuse à se limiter à satisfaire la possessivité d'un seul ego. Voir « Sexuels et la Sexualité (Les Organes) ».

La Vierge, n'étant pas liée à un homme, n'appartient qu'à elle-même, dispose d'elle-même, toujours prête à assurer l'amour universel par la fécondité de l'esprit. Elle demeure donc en constante disponibilité pour maintenir l'union du Masculin et du Féminin en toute généralité et non au mariage qui l'unirait à tel ou tel ego individuel. Sa puissance est telle, car elle représente également l'inconscient maternel, que bien souvent, elle domine l'élément mâle qui sera à la fois son fils et son amant[2].

C'est ainsi qu'elle tiendra souvent un épi phallique à la main et que, dans le signe zodiacal de la Vierge, elle sera représentée par le M de la Mère incluant une petite boucle représentant son signe complémentaire, les Poissons, avides de mysticisme et gage de renaissance, image de son fils qu'elle contient dans son sein.

La Vierge Marie des chrétiens, de manière assez semblable à Mâyâ, conçut le Christ par le fait de l'Esprit Saint, alors qu'elle n'était que fiancée et non encore mariée à Joseph, l'annonce lui en ayant été faite par l'ange Gabriel[3]. Par la suite, le Concile d'Éphèse, en 431, décerna à Marie le titre de « Mère de Dieu » et affirma sa maternité divine[4], tandis que l'Immaculée Conception fut érigée en dogme par Pie XII en 1950.

Chez les protestants, Luther reconnaît que Marie est vierge avant et après son enfantement et il a écrit un traité sur le « Magnificat », célébrant la foi et la pauvreté de Marie. Calvin confirme, lui aussi, la maternité divine ; mais la réprobation du culte des saints a, par la suite, entraîné les réformés à refuser la plus grande part de ces dogmes post-bibliques.

« Notre Dame », ou Madone (it. « Mia Donna » = « Ma Dame »), est le titre donné à la Vierge Marie par les catholiques depuis le milieu du Moyen Âge. Il correspond, par projection, au féminin de « Notre-Seigneur », pour compenser l'exclusion de la femme dans les religions judéo-chrétiennes et ce titre honore de nombreux sanctuaires, églises

---

1. Cf. E. Harding, *Les Mystères de la Femme*, oc, p. 110 et sv.
2. P. Solié, *La femme essentielle*, Seghers-Laffont, 1980.
3. *Matth.*, I-18 et *Luc.*, I-26 et sv.
4. Cf. M. Mercier, *Histoire du Vatican*, Éd. Lavauzelle, 1976.

et cathédrales consacrés à la Vierge : Paris, Chartres, Lourdes, etc. [1].
Certains de ces lieux saints abritent des *Vierges Noires* particulièrement
vénérées. On en trouve environ cent cinquante en France, les principales
étant celles du Puy, de Rocamadour, de Marseille, Chartres (brûlée en
1792), de Boulogne-sur-Mer, etc. Elles existent également en Belgique, en
Suisse, en Espagne, en Italie, en Pologne et il ne faut pas oublier les
Vierges noires iconiques byzantines.

Nous pouvons mettre en parallèle ces Vierges Noires chrétiennes avec
l'aspect sombre souvent ajouté à l'aspect clair de beaucoup de Grandes
Déesses Mères ; rappelons entre autres l'Artémis d'Éphèse, la Vénus
Ménélis, Kali-Dourga, Ishtar, etc.

Parfois, l'idée-force « Vierge Noire » est vénérée sous la forme d'une
pierre noire. Ce sera le cas, par exemple, de la Pierre Hystérolythe
(« Pierre Utérus ») ou « Pierre de la Mère des Dieux », chez les Anciens
ou de la Ka'aba de La Mecque chez les musulmans.

Dans son cadre primitif, c'est-à-dire non déplacé dans un sanctuaire ou
une église, la Vierge Noire est installée dans l'endroit le plus mystérieux, le
plus retiré, le plus sombre d'une crypte. Près d'elle se trouve un puits, une
source (eaux primordiales génératrices aussi pures que purificatrices) et,
souvent, une forêt (inconscient labyrinthique mais lien entre le Ciel et la
Terre, entre le Créateur et la Création).

La robe de ces Vierges Noires affecte la forme d'un triangle qui s'évase
jusqu'aux pieds (image phallique ainsi que flamme de la création s'élevant
vers le Créateur) et peut être décorée de ceps de vigne, d'épis de blé ou,
comme le socle de l'Artémis d'Éphèse, d'animaux de toutes sortes
(fécondité et fertilité de l'Alma Mater).

Dans certains cas, les mains sont plus grandes que nature pour souligner leur virtuosité dans l'œuvre de la Création et beaucoup sont voilées
pour marquer que cette œuvre de la Création, aussi bien psychique
que physique, ne peut s'accomplir que dans le mystère et la pureté
absolue.

L'enfant qui les accompagne est placé soit sur le genou gauche de sa
Mère (côté de l'inconscient), soit au Centre comme si Marie, image de la
Sagesse maternelle, enseignait à travers son fils, le Christ.

Souvent, aussi, la couleur verte (couleur du tapis végétal qui recouvre le
globe) est associée à la couleur noire. Ainsi, à Marseille, la Vierge Noire
est revêtue de vert et on doit la toucher le 2 février, jour de la Chandeleur
(lat. « festa candelarum » = « fête des chandelles »), avec des cierges verts
avant d'allumer ceux-ci. Cette tradition évoque le renouvellement de la vie
printanière qui s'épanouit à travers son verdoiement. Notons, au passage,
que le vert est également la couleur de Vénus.

Les Vierges Noires ont pris, au moins en France, la place des statues
noires du culte d'Isis, amenées tardivement par les Romains. Comme ces

---

1. On en comptait près de 200 avant la Révolution.

dernières, on les implore pour guérir, comparables en cela à la Vierge de Lourdes.

A Chartres, on vénère le voile de la Vierge que l'on peut mettre en parallèle avec les sept voiles d'Isis que les adeptes des mystères de la déesse étaient censés « dévoiler » en sept stades d'enseignement pour progresser vers la Connaissance.

D'après Guillot de Givray, cité par M. Sénard[1], le mot « Paris » viendrait de « Bar Isis » ou « Vaisseau d'Isis » et nous savons que cette capitale porte un vaisseau sur ses armes. Quant à la région parisienne, de nombreux lieux possèdent la consonance d'Isis : Issy, le Parisis...

Comme Isis-Hathor et la plupart des Grandes Mères, les Vierges Noires sont associées à la lune ; c'est pourquoi on les représente sur ou sous un croissant de lune.

L'apparition des Vierges Noires dans le monde chrétien vient du fait que la religion biblique, essentiellement patriarcale, ne possède pas l'équivalent féminin des autres religions, c'est-à-dire les Grandes Déesses Mères qui évoquent aussi bien l'Anima Mundi que la Nature Créée[2].

Les Vierges Noires évoquent la Création, la Nature et son aspect cruel, implacable si on ne se plie pas à ses lois (Kali). Les fidèles implorent donc sa « pitié » surtout en cas de « punition » par la maladie. Elles évoquent aussi l'Anima Mundi obscure qui, au niveau personnel, est bien l'Épouse intérieure du Cantique des Cantiques mais « voilée »[3] et « noire car le soleil l'a brûlée »[4]. Ce qui signifie que l'anima individuelle est, tout d'abord et archétypiquement, reléguée dans l'inconscient, « brûlée » par l'éclat démesuré de la conscience intellectuelle et « voilée » aux yeux d'un ego aussi limité qu'arrogant.

Les Vierges Noires évoquent enfin les ténèbres de l'inconscient maternel susceptible d'effectuer la régénérescence[5] si l'ego pénètre en son sein « matriciel » afin de renaître. La Vierge Noire est la « masse vivante informe » rappelant directement le « Chaos » alchimique, la « massa ou materia informis » ou « confusa » qui contient les germes de vie divins depuis la création[6], ainsi que le centre intérieur de la plus grande lumière, le Soi, enfoui dans cette zone obscure et qui agit comme régulateur de l'évolution. L'angoisse, la peur panique, d'avoir à l'affronter est symbolisée par le Dragon qu'il faut « tuer » pour délivrer la jeune fille vierge (l'anima). Mais, sans dragons à vaincre, il n'y aurait pas de héros..

Sur un autre plan, la virginité spirituelle est l'expression du développe-

---

1. M. Sénard, *Le Zodiaque, oc,* p. 173.
2. La Vierge Marie n'est qu'historique et ne peut être considérée comme la « Mère Monde » que par projection compensatrice.
3. *Cant.,* IV-3.
4. *Ibid.,* I-5 et 6.
5. La Ka'aba de La Mecque ou les déesses lunes figurées par des pierres noires, par exemple, dont les pèlerinages assurent la « renaissance » salvatrice.
6. *P. et Al.,* p. 192.

ment de la lumière intérieure. Celle-ci s'oppose aux pièges et obstacles qui pullulent dans la zone obscure de la psyché et qui gouvernent le moi : orgueil, excès de rationalisme, matérialisme, sensualisme, brutalité, égocentrisme et égoïsme, soumission à la Persona, dépendance aux complexes parentaux, etc. Elle est « La Force » qui jugule le lion de la lame XI des Tarots.

Plus l'ego-conscient accapare exclusivement pour lui-même amour et sexualité, plus l'anima vierge se trouve reléguée dans l'Ombre ténébreuse de l'inconscience. « Cette " anima Virginale ", dit Jung, n'est pas tournée vers le monde extérieur et, par conséquent, n'a pas été corrompue par lui. Elle est tournée vers le " Soleil Intérieur ", " l'image du dieu ", autrement dit vers l'archétype de la totalité transcendante, le Soi[1] ».

En tout état de cause, la Vierge est l'expression de cette sagesse intérieure, « impolluée » et « impolluable » s'activant à tout vivifier dans l'homme et qui, pour Goethe, sera cet « Éternel Féminin qui nous enlève au Ciel »[2]. Elle est la sagesse universelle de la Création, la Sophia des gnostiques.

Aussi, dans les contes folkloriques, la jeune princesse est-elle généralement âgée de seize ans, ce qui signifie qu'elle est vierge et pubère. Après quelques aventures mouvementées, elle peut s'unir au prince[3], avoir « beaucoup d'enfants et être très heureuse »...

Cette virginité de l'âme est ressentie comme tellement précieuse que, toujours par projection, l'homme attache une très grande importance (quelles que soient les soi-disant idées larges qu'il affiche) à ce que sa fiancée soit vierge jusqu'à la nuit de noces.

Dans de nombreux pays où il est coutume d'acheter sa femme, celle-ci a plus de prix si elle est vierge tandis que, dans certaines civilisations (chinoise ou musulmane, par exemple) pour bien montrer à quel point l'anima, projetée sur l'épouse, se présente dans tout son mystère et dénuée de passions et désirs égoïstes, il est coutume de ne dévoiler la conjointe qu'après le mariage, l'époux ne l'ayant jamais vue avant la cérémonie.

En outre, chez les Arabes, l'usage voulait que le jour du mariage, celui-ci étant consommé, on montre aux amis venus à la noce un linge taché de sang qui témoigne de la virginité de la jeune mariée.

● *Dans les rêves :*

Il semble que, dans les songes, l'allusion à la virginité puisse se rapporter à quatre éventualités :

■ À une initiation sexuelle physique qui a laissé une empreinte décevante, pénible ou culpabilisée, etc. dans l'inconscient du rêveur ou de

---

1. *M.A.S.*, p. 534.
2. *Faust*, 2ᵉ partie, dernière scène.
3. Prince = lat. « princeps » = « principe premier ». Il ne s'agit nullement, en l'occurrence, du mariage d'un homme et d'une femme mais du principe masculin et du principe féminin qui s'unissent au sein d'un psychisme humain, ce qui conduit à la fécondité et à la plénitude.

la rêveuse, même si leur conscient s'imagine avoir classé l'affaire. Parfois, cette réminiscence est si douloureuse qu'elle gêne l'aisance des rapports sexuels et l'analyse doit peu à peu libérer un tel rêveur de certains réflexes de peur, de crispations, de contractions, de spasmes, de semi-frigidité ou de semi-impuissance qui peuvent en résulter.

■ À un attachement profond à celui ou à celle qui a révélé la jouissance sexuelle à l'autre, même si les rapports entre eux se sont dégradés par la suite, tant la sexualité porte en elle-même une puissance instinctive et affective qui stimule l'évolution vers la hiérogamie, elle-même condensant toutes les oppositions.

■ À une virginité morbide installée chez le rêveur, malgré son âge adulte, et qui lui confère la qualification de « vieille fille » ou de « vieux garçon » avec tout ce que cela comporte d'infécondité, d'inhibitions, de répercussions sur le caractère, d'incidences psychosomatiques, etc.

■ Très rarement, et, généralement, dans un rêve jaillissant des couches les plus profondes et énigmatiques de l'inconscient, la virginité se rapporte à l'Anima Universelle et aux lois implacables de la Création, non contaminée par l'espèce humaine limitée à elle-même.

L'image donne une impression d'amour de la part de la Mère Monde, mais d'inflexibilité à tout manquement à ses décrets. Une telle représentation contient en germe la possibilité d'une vie régénérée car, vierge de toute souillure, cette Grande Déesse Mère est aussi la substance immaculée que féconde l'Esprit, lui-même impollué. Dans leur pureté absolue, le Féminin et le Masculin se recherchent en vue d'un « Mariage Sacré » ou « Mariage Mystique », gage de renaissance spirituelle[1].

VISER

Viser, c'est diriger attentivement son regard (et, par extension, un objet, une arme) vers le but, la cible à atteindre.

● *Dans les rêves :*

Le geste de viser, dans les songes, correspond à prendre conscience de quelque chose (à déterminer) afin de le réintégrer à sa mesure dans l'ensemble psychique.

Le geste peut utiliser une arme mais sans intention pour cela de tuer.

VOIX (La)

Dans le Nouveau Testament, saint Jean parle du « Verbe qui était Dieu »[2] et du « Verbe qui s'est fait chair »[3].

---

1. « Vierge, dit Maître Eckhart, c'est-à-dire une personne libre de toute image étrangère, aussi disponible qu'avant sa naissance » (Maître Eckhart, *Traités et Sermons*, Aubier-Montaigne, 1942, p. 123.) Peut-être pourrait-on dire : « libre de tout *a priorisme* quel qu'il soit. »
2. *Jean*, I-1.
3. *Jean*, I-14.

Pour les Égyptiens, la création du monde s'effectua de la manière suivante : « Au début, l'Univers était couvert d'eau d'où était surgie une colline sombre et humide. Les grenouilles et les serpents s'y plaisaient. Un oiseau aquatique fit un nid sur cette colline et y pondit un œuf. Il en sortit une oie et la lumière naquit avec elle, car elle était le soleil. L'oiseau s'envola au-dessus des eaux en criaillant de toutes ses forces car il était le " *Grand Criailleur* ". Ce fut là le premier éclat de lumière dans l'obscurité et le premier bruit dans le silence qui avait régné jusqu'ici sur la Terre »[1].

Nous voyons qu'ici, comme dans la Bible, les eaux primordiales représentent le chaos de l'inconscience, et la parole, le Verbe créateur de la conscience.

Le Vedânta, ainsi que la Bible[2], assimile la parole — ce souffle chaud — au feu qui, comme elle, est source d'énergie et de clarté. Mais la parole, comme le feu, peut tout créer ou tout détruire suivant l'intention de celui qui les manie. On ignore, par exemple, si des « paroles enflammées » ou si « enflammer un auditoire par des discours » entraîneront le bien ou le mal.

À son niveau le plus élevé, le « Logos Spermatikos », le « Verbe qui ensemence » des stoïciens, est l'Esprit Créateur qui engendre, réalise et métamorphose : il inspire, agit et permet d'évoluer par la prise de conscience.

Dans cette perspective, le Logos est le « Principe Créateur du Monde »[3] : à travers lui, l'idée devient réalité.

Le Logos étant, avant tout, géniteur, appartient au principe masculin dont il « est l'aspect véritablement divin[4] ».

Il n'est donc pas étonnant qu'il existe « un rapport entre les organes génitaux mâles et le phénomène de la voix (manifestation du son créateur) et entre ces mêmes organes et le fonctionnement du cerveau[5] ».

La voix mue à la puberté, la chapelle Sixtine utilisait des castrats, on dit : « une voix de châtré » et les troubles sexuels occasionnent des troubles mentaux et vice-versa.

Voir « Bouche », « Langage » et « Cri ».

● *Dans les rêves :*

Dans certaines circonstances, aucun personnage ne parle mais « une voix se fait entendre »... C'est là ce qu'on appelle la « voix intérieure ».

Jung écrit à ce sujet : « J'explique ce phénomène de la voix, dans les rêves, comme la manifestation d'une personnalité plus complète, dont le moi-conscient du rêveur ne représente qu'une partie et j'estime que c'est à cause de cela que la voix témoigne d'une intelligence et d'une clarté

---

1. A. Erman, *La Religion des Égyptiens, oc*, p. 87.
2. Par exemple : *Is.* XXX-7 ou *Jer.* XXIII-29, etc.
3. *R.C.*, p. 287.
4. E. Harding, *Les Mystères de la Femme, oc*, p. 42.
5. M. Sénard, *Le Zodiaque, oc*, p. 285.

supérieure à celle du conscient actuel du sujet. C'est cette supériorité qui confère à la voix son incontestable autorité[1]. »

En fait, la voix dans les rêves correspond à une sorte de message de l'inconscient, véritable intuition, qui instruit, avertit, critique ou met en garde le conscient et, le plus souvent, montre au rêveur la voie à suivre.

Car la plupart du temps, ce que dit la voix dépasse la conscience que le sujet possède de lui-même ; elle lui paraît déroutante, voire absurde et ne rien avoir à faire avec le contexte du rêve et la vie du rêveur. Elle est toujours inattendue, souvent dénuée de signification apparente, assimilable en cela à certaines inscriptions insolites aperçues dans les rêves.

Mais ce que dit la voix, si on en saisit le sens, énonce une vérité irréfutable, exprimée de manière « absolument autoritaire et n'apparaissant d'habitude que dans les moments décisifs[2] ».

Il arrive, plus souvent qu'on ne le croit, que, dans un rêve, une voix énonce clairement une phrase.

« Ces ordres énoncés oniriques sont toujours très concis et impressionnants, et se rapportent généralement de façon plus directe au problème en cause que les allusions enveloppées que sont les images symboliques[3]. »

Il faut considérer les voix des rêves comme une manifestation du « savoir absolu » et Jung disait que, « généralement, si l'on entend subitement une voix en rêve, elle résoud le problème avec une autorité souveraine et dissipe tout doute possible[4] ».

En bref, la voix entendue dans les rêves constitue un message capital que le Soi adresse au moi et dont celui-ci doit tenir compte à tout prix.

VOLER DANS LES AIRS

Il existe de nombreux symboles relatifs au « vol magique » et à l'ascension céleste qui évoquent « l'expérience spirituelle »[5].

Le « vol magique, écrit Mircéa Éliade, exprime le fait que la pesanteur est abolie, qu'il s'est effectué une mutation ontologique dans l'être humain lui-même. D'autre part, tout un ensemble de symboles et de significations ayant trait à la vie spirituelle, et surtout aux pouvoirs de l'intelligence, sont solidaires du " vol " et des " ailes ". »

Le vol traduit l'intelligence, la *compréhension des choses secrètes* ou des vérités métaphysiques. « L'intelligence est plus rapide que les oiseaux, dit le Rig-Véda[6]. »

Et on peut traduire tous les mythes et les symbolismes du « vol

---

1. *P. et R.*, p. 85 ; voir aussi, *M.M.*, p. 116.
2. *P. et Al.*, p. 258.
3. *V.I.C.F.*, p. 135.
4. *Ibid.*, p. 259.
5. Elie, Mahomet, Icare, Pégase, etc.
6. VI-9,5.

magique » par la nostalgie de voir le corps humain se comporter en « esprit », « *de transmuer la modalité corporelle de l'homme en modalité de l'Esprit*[1] ».

● *Dans les rêves :*

Voler dans les airs fait partie de ces thèmes qui donnent aux rêves un caractère cosmique : l'infini du temps et de l'espace, la grande célérité et l'étendue des mouvements, les relations astrologiques, les analogies telluriques, solaires et lunaires, la transformation des proportions du corps, le sujet qui rêve qu'il est mort, qu'il est fou, qu'il ne se reconnaît pas, etc., tous ces rêves soulignent l'élément collectif de la psyché et s'accompagnent, de ce fait, de sensations de désorientation, de vertiges auxquels se joignent souvent des symptômes d'inflation psychique. Tous ces motifs appartiennent aux activités de l'inconscient collectif[2].

Voler dans les airs peut, dans les songes, prendre un sens négatif ou un sens positif suivant le contexte du rêve, les affects et les associations d'idées du rêveur :

(−) « Ceux qui manquent de réalisme, dit Jung, ou qui ont une trop bonne opinion d'eux-mêmes, ou qui font des projets grandioses sans rapport avec leurs capacités réelles, rêvent qu'ils volent et qu'ils tombent[3]. »

On se complaît dans une éthique idéaliste sentimentale et utopique, dans des rêveries et des aspirations impossibles ou dans des pensées inutiles et creuses par pur rationalisme intellectuel.

Dans certains cas, il y a présomption dans l'essor spirituel (inflation psychique). Ce sera le cas d'Icare et de Phaéton qui ont présumé de leur capacité en jouant avec le feu (le soleil).

Dans une atmosphère psychique rongée par l'angoisse, le vol dans les airs peut se présenter comme une débandade vertigineuse équivalant à une « fuite en avant » désespérée pour se libérer de cette insupportable angoisse ou d'une présence monstrueuse, source de peur panique[4].

Le vol peut aussi indiquer un refus inconscient de cette douloureuse incarnation qui nous contraint à évoluer dans la souffrance. Nous voudrions à tout prix quitter cette « Vallée de larmes » et rejoindre, même au risque de mourir, le « paradis perdu ». Telle cette jeune femme qui rêvait qu'elle prenait son essor pour bondir vers les cieux mais qu'un homme vigoureux (l'animus-guide) retenait par la main afin qu'elle ne s'évade pas de la terre.

En outre, l'élévation dans l'air se prolongeant par une sorte d'extase, qui

1. Mircéa Éliade in « *Polarité du Symbole* », p. 16-17, *Études carmélitaines*, Éd. Desclée de Brower, 1960.
2. D'après *D.M.I.*, p. 101-102.
3. Jung in *L'Homme et ses symboles, oc.*
4. Cf. Mircéa Éliade, *Mythes, Rêves et Mystères*, Gallimard, 1957, p. 139-140.

peut réveiller, est un avertissement de possibilité d'accident, parfois avec une issue fatale. Le rêveur devrait tenir compte de cet avertissement et éviter les situations dangereuses et les risques [1].

(+) Sous son aspect positif, voler dans les airs est avant tout un acte de transcendance au sens jungien du terme. L'envolée évoque parfaitement les efforts plus ou moins réussis de libération des contraintes imposées par les contenus et processus inconscients : « voler de ses propres ailes », « prendre son essor »...

La « Weltanschauung » [2], par la puissance de l'Esprit, passe du restreint au panoramique, du fini à l'infini.

VOLER (Dérober)

Un individu peut voler par malhonnêteté foncière, manque de sens moral, etc., mais souvent, le vol est une pulsion, quasi instinctive, venant compenser une frustration.

Dans la mythologie grecque, nous observons qu'Hermès, messager de la volonté divine et qui a pour mission de relier l'Olympe à la Terre, est à la fois héraut, interprète et médiateur. Mais il est aussi dieu des moyens de communication et d'échange ainsi que celui du commerce et des marchands.

Cependant, Mercure vola plusieurs fois, dans sa jeunesse, avant de devenir le Messager des Dieux. Il était, donc, parfois aussi, considéré comme le dieu des voleurs.

Ce qui signifie que, dans la phase où le sujet est encore plongé dans l'infantilisme psychique, les échanges entre les éléments qui s'activent au sein de la psyché se font au profit du seul ego. La répartition des échanges de courants et contre-courants d'énergie entre les pôles opposés peuvent s'effectuer correctement (commerce) ou non (vol). Dans le vol on prend sans rien donner en échange. Si donc la distribution est incorrecte, il y a vol d'une polarité ou d'un contenu quelconque au détriment d'un autre.

Mais le vol apparaît parfois sous la forme du « rapt » qui est l'enlèvement d'une personne ou d'une chose par violence intrépide ou séduction.

Sur le plan juridique, le rapt est illégal (« retenue en otage », « kidnapping »...) et, en théologie, le mot « rapt » est parfois employé comme synonyme « d'extase » car les mots « ravissement » et « rapt » viennent tous deux du latin « raptus » [3].

De nombreux mythes et de nombreuses religions utilisent le thème du rapt et celui-ci s'y accompagne parfois de sentiments de culpabilité car le rapt permet de s'approprier quelque chose de non accordé.

Mais, surtout, les rapts mythologiques soulignent l'audace que confère le violent désir de posséder afin d'unir à soi et de réaliser.

1. Cf. *H.D.A.*, p. 298-299.
2. « Conception du Monde ».
3. Extase (gr. « ektasis » = « action d'être hors de soi », « ravissement de l'âme qui se trouve comme transportée hors du corps »).

Mais de nombreuses autres formes de rapt figurent en mythologie : les rapts d'enfants destinés à être perdus dans la Nature, image symbolique de l'arrachement brutal et définitif de la fixation infantile à la « parenté » afin d'aborder courageusement l'état adulte des responsabilités et obligations voulues par la Loi : Dionysos, Blanche-Neige, etc. ; les rapts d'un personnage du sexe opposé : Orion enlevé par Aurore, Europe enlevée par Zeus, Déjanire enlevée à Héraklès par Nessus, Korè enlevée par Hadès ou, encore, les Sabines enlevées par Romulus et Rémus afin de procurer des femmes aux premiers Romains [1].

Ces thèmes illustrent la violence des désirs sexuels et, de ce fait, l'union du conscient et de l'inconscient, chacun étant du sexe opposé, comme l'a démontré Jung à propos de l'anima et de l'animus. La réalisation de cette union ne peut d'abord se faire que dans la violence, la ruse et le danger, tant sont brutales les pulsions sexuelles les plus primitives. Voir « Sexuels et la Sexualité (Les Organes) ».

On trouve aussi les rapts d'animaux comme les bœufs de Géryon enlevés par Héraklès ou les génisses d'Apollon enlevées par Hermès. Ici, c'est l'énergie investie dans l'inconscience animale que le conscient a l'audace de ravir ; autrement dit, la volonté consciente ose affronter l'inconscient et ses dangers ; les rapts de ceintures, tel Héraklès arrachant la ceinture d'Hippolyte, reine des Amazones, ou tel le héros polynésien Manû qui arrache la ceinture de sa mère [2]. Par cette audace équivalant au « viol » du tabou de l'inceste, le héros marque son ardent désir d'affronter l'inconscient maternel. Une signification identique doit être donnée au motif d'Horus arrachant la parure royale de la tête de sa mère Isis [3] ou du Myste qui devait, symboliquement, arracher les sept voiles de la même Déesse Mère. Ces gestes symboliques évoquent la possibilité d'union avec l'inconscient-Mère, ou « anima primordiale », c'est-à-dire avec l'invisible, avec l'occulte qui conduit à l'initiation.

« Dans le culte de Diane d'Aricie, signale Jung, celui-là seul pouvait devenir prêtre qui avait l'audace de couper des branches dans le bois sacré de la déesse [4] ». Autrement dit, la transcendance ne peut s'effectuer que si l'on ose surmonter les interdits des puissances sacralisées de l'inconscient.

De nombreuses coutumes matrimoniales obligent le fiancé à simuler l'enlèvement de sa future épouse et, aux U.S.A., par exemple, il est d'usage courant que le jeune marié franchisse la porte du domicile conjugal en portant dans ses bras la jeune femme à laquelle il vient de s'unir.

Enfin, plus près de nous, un usage populaire veut que l'on ravisse la jarretière de la mariée le jour de ses noces.

---

1. Cf. Jung et Kerényi, *Introduction à l'Essence de la Mythologie, oc*, p. 135.
2. *M.A.S.*, p. 431.
3. *Ibid.*
4. *Ibid.*, p. 294.

A son niveau plus pernicieux, le voleur, le kleptomane (gr. « kleptes » = « voleur » et « mania » = « folie ») ou le boulimique (voir ce mot) a particulièrement manqué de tendresse et de compréhension dans son enfance : les maisons d'arrêt et les prisons sont pleines de sujets de cette catégorie.

Pour ce genre d'individus, voler est inconsciemment associé à l'idée de récupérer un dû dont ils ont été amèrement frustrés. Cependant, certains jeunes gens volent aux devantures des boutiques ou dans les grands magasins. Ce geste vient compenser soit un manque d'affirmation de soi (« j'ai osé défier la loi »), soit une frustration de la possibilité de vivre une existence satisfaisante. C'est pourquoi « dans l'ancienne Sparte, on ordonnait aux jeunes de voler et de chaparder pour donner la preuve de leur indépendance et de leur virilité. C'est ainsi que se faisait leur initiation à l'état adulte [1] ».

Attirance irrésistible de certaines femmes pour un bandit, un escroc ou un voleur (parfois même un meurtrier) :
Voir « Sexuels et la Sexualité (Les Organes) ».

● **Dans les rêves :**
Les voleurs apparaissent relativement fréquemment dans les songes. En toute généralité, ce qu'on vole n'est ni mérité ni accordé. Il convient, dès lors, de déterminer si le vol concerne la vie matérielle, la vie affective ou la voie de l'individuation du rêveur qui se « dérobe » devant l'effort tout en cherchant le maximum de profit. Le moi se refuse à payer son dû à l'existence, à la société, à l'inconscient.

Parfois, le voleur personnifie un contenu inconscient (à déterminer) qui dérobe à son profit quelque chose d'important pour l'existence actuelle du rêveur. Une masse d'énergie est ainsi détournée de sa vie consciente qui peut la rendre fade, ennuyeuse et plate, ce qui provoque chez lui de fort méchantes humeurs.

De toute façon, les vols des rêves indiquent une malhonnêteté envers les autres et envers soi-même. On peut ainsi s'attribuer, avec une parfaite inconscience, des sentiments et des qualités qui ne nous appartiennent pas : nous dupons et les autres et nous-mêmes.

Plusieurs cas peuvent se produire :

C'est le rêveur lui-même qui dérobe un objet ou vole un personnage dont il convient, dans les deux cas, de déterminer le symbolisme :
Parfois, sa malhonnêteté consiste à monter dans un train ou à pénétrer dans une salle de spectacle sans avoir payé de billet.

Ce geste indique que l'ego-conscient d'un tel rêveur s arroge des droits illégitimes à posséder immédiatement la chose volée sans y mettre le temps

1. *A.O.A.*, p. 95.

nécessaire à acquérir la somme lui permettant de l'obtenir. Symboliquement, il refuse de « payer » de sa personne pour s'engager dans le
« véhicule » de l'évolution.

Le moi, égoïste, infantile et aveugle (et nous le sommes tous), vole le
« capital » de ses « frères » intérieurs en prenant sans donner :

■ *Sentiments, affection, amour* : on reçoit sans rien céder en retour ;

■ *Sexualité* : on profite de l'autre sans tenir compte de ses réels besoins
affectifs et sans se préoccuper des conséquences ;

■ *Travail* : on élude ses devoirs, ses obligations en profitant du labeur
des autres ;

■ *Profession* : couvert par la légalité, on retire de son métier, de ses
titres, de ses fonctions, de son négoce, prestige et profit, sans se soucier de
l'intérêt commun.

Pour M.-L. von Franz, une bonne part de ces prédispositions égocentriques et apathiques résultent d'un complexe-mère positif, c'est-à-dire si
« aimante » qu'on ne peut s'en détacher pour prendre son autonomie
d'adulte : « La plupart des hommes, écrit-elle, qui ont un complexe
maternel positif sont paresseux, car la mère est le sein et elle est aussi le
symbole de la matière, et la matière, c'est l'inertie. La mère positive est
comme un grand lit de plumes qui retient l'homme prisonnier dans son
confort.

Enfant, il ne réussit pas à l'école et ne se construit pas par l'effort, le
travail et l'étude, et adulte il se montre incapable de faire face à la lutte
pour l'existence et de gagner sa vie.

En conséquence, on verra naître en lui une tendance à devenir un escroc
et à demander à sa compagne, ou à sa compagnie d'assurance, de payer
pour lui [1]. »

Un personnage (à déterminer) dérobe au rêveur un objet, plus ou moins
important (à déterminer) :

Dans les rêves d'hommes :

■ *Le voleur est un homme* : l'Ombre dont l'aspect doit être précisé, mais
qui, généralement, représente l'instinct primitif, bestial, égoïste et dangereux, s'empare violemment d'une partie de l'énergie de l'ego-conscient car
celui-ci, trop intellectuel, sentimental ou idéologique, refuse de reconnaître son existence et en agissant ainsi, tente de récupérer la part d'énergie à
laquelle elle a droit et dont elle se sent frustrée.

■ *Le voleur est une femme* : l'anima et son flot émotionnel refoulés à
l'excès veulent « vivre » et exigent brutalement la part d'énergie qui leur
revient afin que le sentiment et les affects puissent s'exprimer normalement au sein de la psyché.

1. *F.C.F.*, p. 124.

Dans les rêves de femmes :

▪ *Le voleur est un homme :* l'animus négatif ainsi que la crainte de la sexualité trop refoulée se manifestent avec violence afin que la rêveuse les reconnaisse et puisse les transmuer en animus positif et harmonie sexuelle. La sexualité physique et la sexualité psychique réclament brutalement leurs droits d'existence.

▪ *Le voleur est une femme :* il s'agit, dans ce cas, d'un aspect négatif de la rêveuse faisant partie de son Ombre dont il convient de rechercher la nature. Cet aspect de l'Ombre s'empare de trop d'énergie revenant légitimement au moi-conscient et cause ainsi à la rêveuse un préjudice important pour mener à bien tant sa vie intérieure que sa vie affective et professionnelle.

Le rêveur ou la rêveuse aperçoivent en songe un personnage en train de voler un objet (à déterminer) à un autre personnage :

Un contenu psychique (à déterminer) s'attribue trop d'énergie psychique au sens de la sentence arabe : « Trop de quelque chose est un manque de quelque chose. »

Le rêveur aperçoit un ou plusieurs voleurs pénétrer dans un lieu quelconque :

Le côté « escroc » (voir ci-dessus) de l'Ombre, s'il s'agit d'un homme, ou de l'animus négatif, s'il s'agit d'une femme, émerge de l'inconscient afin de permettre au rêveur d'en prendre conscience.

Au deuxième degré :

A un niveau d'autant plus hermétique qu'il est plus profond et plus universel [1], l'ego du rêveur, c'est-à-dire le rêveur lui-même, peut voler à son profit de l'énergie qui, à son degré d'évolution, revient désormais à l'anthropos, c'est-à-dire au « Soi supracosmique, dans lequel la liberté et la dignité de l'homme individuel sont contenues [2] ».

Enfin et parfois, mais rarement, le vol apparaît comme positif lorsqu'il est l'expression du courage et de l'audace nécessaires au rêveur pour affronter le processus de sa propre réalisation ; ou du courage et de l'audace d'un élément très refoulé (à déterminer) nécessaires à un autre contenu inconscient, très refoulé également, pour prendre la place qui lui revient dans l'ensemble psychique (« Ali baba et les quarante voleurs »).

VOMIR

● *Dans les rêves :*

Vomir, dans les songes, c'est tendre à éliminer ce qui est inassimilable pour le rêveur : cela me « reste sur l'estomac », « je ne peux digérer cela », « cela ne passe pas », « je ne peux l'avaler »...

1. C'est-à-dire lorsque la prise de conscience du rêveur est suffisamment avancée pour « entendre » un tel langage symbolique de l'inconscient.
2. *R.C.*, p. 321.

Quelque chose (à déterminer) fait « rendre gorge », c'est-à-dire fait restituer par force ce qu'on a pris par des moyens illicites. Un tel rêve de vomissement est, la plupart du temps, accompagné d'un sentiment de détente.

Si les contenus de l'inconscient sont devenus indigestes, c'est que le conscient les a rendus tels par excès d'intellect systématique, d'idéologie sentimentale ou de moralisme contraire aux lois de la nature instinctive.

Si le rêveur vomit du sang, ou bien il souffre intensément de l'attitude du conscient, ou bien, l'analyse lui permet de se libérer, avec un grand soulagement.

Y

YEUX (Les)

Si les yeux discernent le monde extérieur, ils possèdent également un facteur de magnétisme[1] qui peut avoir une action aussi puissante que mystérieuse : « avoir un regard magnétique », « avoir le mauvais œil », etc. Les yeux reflètent l'état physique, et surtout psychique, de l'individu car les émotions telles que les sentiments, les passions, la joie, la tristesse, l'agitation, l'angoisse, la colère, l'asthénie, la volupté, etc. se peignent dans le regard. Aussi, les yeux sont-ils qualifiés de « miroirs de l'âme ».

Mais l'œil évoque, avant tout, la claire vision des choses par opposition à l'aveuglement de soi ; la lumière par opposition à l'ombre ; la clarté de la conscience par opposition aux ténèbres de l'inconscience. Voir « Aveugle (Être) ».

Dans plusieurs religions, l'œil droit est assimilé au soleil et l'œil gauche à la lune, c'est-à-dire aux deux luminaires célestes.

A titre d'exemple, prenons la mythologie égyptienne[2].

Horus, à l'origine dieu du ciel, puis dieu du soleil, était d'abord considéré comme possédant un œil-soleil et un œil-lune. Le premier inspirait la terreur et équivaut à la puissance paternelle, le second meurt et renaît (phases obscures et lumineuses de la lune) et équivaut à la puissance maternelle.

Ré, autre dieu du soleil, était représenté par un faucon au regard perçant, et portait un disque solaire sur la tête. Lorsque les hommes complotèrent contre lui, ce dieu, dont l'œil était le soleil lui-même, le dirigea contre eux (puissance magique de l'œil signalée plus haut), et ceux-ci, épouvantés, s'enfuirent dans le désert. Alors, il envoya sur terre Hathor

---

1. C'est-à-dire, qui exerce une influence occulte et puissante (analogue à celle du fluide magnétique de la physique) telle que hypnose, suggestion, etc.
2. Cf. A. Erman, *La Religion des Égyptiens*, oc.

qui, de son œil, les poursuivit pour les tuer, sauf quelques-uns qui furent sauvés par Ré lui-même [1].

Hathor, déesse du ciel et de la joie, portait, entre ses cornes de vache céleste, l'œil du soleil.

Une légende égyptienne raconte également que Thot, dieu lunaire à tête d'ibis (assimilé plus tard à Hermès), pendant un orage, enleva les mèches de cheveux qui encombraient l'œil de Ré (les nuages qui cachent le soleil) et nettoya cet œil alors que celui-ci était malade et pleurait (clarification en soi-même par la prise de conscience).

L'œil est, dans la plupart des religions, assimilé à la divinité omnisciente parce qu'elle voit tout.

C'est ainsi que Phoebus Apollon était réputé tout voir et tout entendre. C'est lui qui avait révélé à Héphaïstos l'infidélité d'Aphrodite avec Arès et, à Déméter, l'enlèvement de sa fille par Pluton. Aussi, les Anciens le représentaient-ils parfois comme un œil ouvert sur le monde. Car, en tant que symbole de la connaissance absolue et illimitée, l'œil est l'image de la vision universelle de Dieu et, par extension, Dieu lui-même.

Dans l'Apocalypse, le « Fils de l'Homme » a des « yeux comme une flamme ardente » [2].

L'iconographie judéo-chrétienne représente fréquemment Dieu sous la forme du « Delta Mystique », c'est-à-dire d'un triangle entouré de rayons dans lequel est dessiné un œil ou, pour les Juifs, les lettres hébraïques qui composent le nom de Jéhovah. Parfois, cet œil pleure les péchés du monde. Car, dit Jung, « l'Œil de Dieu " panskopos " (voyant tout) explore et sonde le cœur des hommes, c'est-à-dire met à nu la vérité de leur cœur, dévoilant impitoyablement la totalité de leur âme [3] ». Cet « œil de dieu » devient aussi l'œil de la justice intérieure, témoin implacable de nos actes les plus cachés : « L'œil était dans la tombe et regardait Caïn. »

De là, de nombreuses représentations, depuis les temps les plus reculés, d'yeux entourés de dards et d'animaux qui, telles les gargouilles des cathédrales, défendent le Soi-Dieu — ou Connaissance Absolue — de ceux qui, par concupiscence et aveuglement, n'en sont pas dignes.

Cette culpabilité, cette crainte d'être découvert par l'œil de Dieu dans l'inconscient, fait porter, dans certaines civilisations, des amulettes en forme d'œil pour conjurer le mauvais sort, pour se garantir du « mauvais œil », susceptible de nous faire expier nos errements.

De même, *mutatis mutandis,* observe-t-on que de nombreux individus, tourmentés par des sentiments d'infériorité et de culpabilité, se plaisent à cacher leurs yeux derrière des lunettes noires, comme s'ils redoutaient

---

1. Ce thème possède une analogie intéressante avec le motif des déluges que l'on retrouve dans toutes les grandes religions ou encore le motif de l'arrogance des hommes envers les dieux.

2. *Apoc.,* I-14.

3. *M.M.,* p. 80.

d'être trahis par leur regard (l'œil intérieur de Dieu est, alors, projeté dans le monde extérieur).

Mais cet œil de Dieu en nous, c'est-à-dire, répétons-le, Dieu lui-même, est également celui du Soi, de la Connaissance qui, à partir de ce centre de la totalité, peut nous illuminer par sa vision intérieure profonde.

L'œil est l'image de la conscience éclairée, de la possibilité d'une connaissance totale[1] : « La lampe du corps, c'est l'œil, dit le Christ. Si donc ton œil est sain, ton corps entier sera dans la lumière. Mais si ton œil est malade, ton corps tout entier sera dans les ténèbres. Si donc la lumière qui est en toi est ténèbres, quelles ténèbres ce sera[2] ! »

« Ce qu'il te faut voir, dit Krishna à son disciple Arjuna dans la Baghavad-Gîta, ton œil humain ne peut le saisir : mais il y a un œil divin, et cet œil, voici, je te le donne. Contemple Moi et Mon yoga divin[3]. »

Maître Eckhart dit également : « L'œil dans lequel je vois Dieu est le même œil par lequel Dieu me voit. Mon œil et l'œil de Dieu sont un seul et même œil, une seule et même vision, une seule et même connaissance, un seul et même amour[4]. »

On retrouve un thème identique dans les visions d'Ezéchiel[5], de Zacharie[6] et surtout, dans l'Apocalypse[7] : le Prophète « visionnaire » voit ce que nul autre ne voit, son œil se confondant avec l'œil de Dieu qui s'active au sein de lui-même.

Enfin, pour Jacob Boehme, « l'âme possède deux yeux, l'un sacré et divin, l'autre violent, infernal, participant du feu ; et cet œil-là, il doit le fermer, et s'en servir pour régner secrètement, par l'angoisse et la mort, en le second principe, celui de l'Amour ». (Parole qui rejoint le thème de l'erreur qui conduit à la souffrance et celui de la souffrance qui conduit au processus d'individuation.)

Une autre expression symbolique de l'omniscience de la divinité consiste à doter les représentations divines d'innombrables yeux répétés sur tout le corps. Cette image évoque « celui qui voit tout », dans toutes les directions, à tous les niveaux et qui épie le monde à travers la vie et ses multiples aspects. Par exemple, le dieu protecteur égyptien Bès, le dieu Mithra, les dieux hindous Çiva et Rudra, etc. sont décrits comme possédant mille yeux et mille pieds, couvrant ainsi l'étendue de la Terre[8].

Ce motif exprime également que, pour la Divinité, le temps n'existe pas car elle appréhende tout à la fois : « la luminosité inconsciente »[9] est

1. *Luc*, XVII-21.
2. *Matth.*, VI-22/23.
3. *Baghavad Gîta*, XI-8.
4. Maître Eckhart, *Traités et Sermons, oc*, p. 179.
5. *Ezech.*, I-18 et sv.
6. *Zaccharie*, I à VI.
7. *Apoc.*, IV-6.
8. Cf. *M.A.S.*, p. 224, 225 et 227.
9. *R. à J.*, p. 194.

toujours en éveil. L'œil de Dieu s'activant au sein de l'inconscient est également exprimé par l'image alchimique du « centre », tantôt représenté par le soleil, tantôt par un œil de poisson, car les « yeux de poissons dénués de paupières sont toujours ouverts, comme les yeux de Dieu. Ils sont synonymes des « Scintillae » qui, de leur côté, représentent les étincelles de l'âme [1].

Bien entendu, comme tout symbole, celui des yeux peut prendre un aspect négatif.

C'est ainsi qu'ils peuvent être l'expression de la présomption orgueilleuse telle qu'elle apparaît dans le mythe d'Argos, surnommé « panoptès » (« celui qui voit tout »). Ce prince argien était un géant aux cent yeux dont cinquante restaient ouverts tandis que les cinquante autres étaient fermés par le sommeil. Il avait été chargé par Héra de garder Io, qu'elle avait changée en vache pour se venger de ses rapports avec Zeus. Mais Hermès lui-même, pour venger Io, endormit Argos au son de sa flûte et lui coupa la tête. Héra, furieuse, métamorphosa Argos en paon et répandit ses yeux sur sa queue : « vaniteux comme un paon », « faire la roue », « se pavaner »...

Troisième Œil ou Œil Unique :

« Sur toutes choses, on peut faire deux affirmations exactement contraires », disait le philosophe grec Protagoras.

Cet aphorisme se révèle comme étant particulièrement exact dans le symbolisme du « troisième œil » ou « œil unique » qui peut aussi bien être l'expression de la conscience totale finale que de l'inconscience totale primordiale.

Nous ne sortons de « *l'aveuglement* » de l'inconscience que proportionnellement au degré de « *vision* » de notre conscience et l'« Œil unique » peut aussi bien être l'image de cette ignorance que cette connaissance (au sens hindou des termes).

Les occultistes hermétiques et les religions anciennes considéraient qu'il y avait en nous un « troisième œil », organe de la vision intérieure spirituelle ésotérique qui avait son siège dans la glande pinéale. Et on observe que les dictionnaires modernes indiquent également que la glande pinéale (qui vient du mot « pin ») semble être le vestige d'un troisième œil jusqu'à être réellement ce « troisième œil » chez certains lézards et les serpents.

A noter également que la Thyrse, cet attribut de Dionysos porté par les Ménades, était formée d'un bâton terminé par une pomme de pin. C'est que les Grecs, en l'occurrence, considéraient la glande pinéale comme le lien organique entre les états de conscience objectifs et subjectifs, entre le monde visible et le monde invisible [2].

---

1. *M.M.*, p. 230 et 271.
2. À rapprocher de la semi-ivresse ou « ivresse sacrée » de Dionysos, ce qui signifie suppression de la tension conflictuelle entre le conscient et l'inconscient.

Même le rationaliste Descartes était arrivé à la conclusion que la glande pinéale était le siège de l'âme ou de l'esprit sidéral. Nous dirions, aujourd'hui, de la conscience cosmique[1].

Dans le même ordre d'idée, pour les Hindous, vision occulte et pouvoir occulte se situent au milieu du front au point de l'Ajnâ Chakra et ils se livrent à des méditations sur ce point. L'Ajnâ Chakra est l'avant-dernier des sept chakras éveillés par la déesse Kundalini et le premier qui soit relié au spirituel, les trois premiers étant d'ordre physique et les troisième et quatrième affectant la personnalité psychique.

La légende de Çiva illustre merveilleusement, par l'image symbolique, l'élaboration de l'illumination de la Connaissance et son processus qui n'excluent nullement le rejet des lois de la vie. Mais cette illumination est presque impossible à définir pour qui n'en a pas fait l'expérience.

Voici ce qu'un maître bouddhiste japonais dit de l'illumination : « Quand nous nous sommes libérés de l'illusion du moi, nous éveillons notre intime, pure et divine Sagesse. C'est cette Sagesse que les Maîtres du Zen nomment l'esprit de Bouddha ou Bodhi (le savoir grâce auquel on reçoit l'illumination) ou Prajnâ (sagesse suprême). Elle est la lumière divine, le ciel intérieur, la clé de tous les trésors de l'âme, le centre de la pensée et de la conscience, la source de l'ascendant et de la puissance, le siège de la bonté, de la justice, de la sympathie, de la compassion, la mesure de toute chose. Quand ce savoir intime est totalement éveillé en nous, nous sommes capables de comprendre que chacun de nous est identique en esprit, en essence, en nature avec la Vie Universelle ou Bouddha, que chacun vit avec Bouddha face à face, que chacun reçoit la grâce débordante du Sanctifié (Bouddha) qui éveille nos forces morales, dessille notre " *œil spirituel* ", développe en nous un nouveau pouvoir, nous donne notre mission, et que la vie n'est pas l'océan de la naissance, de la maladie, de la vieillesse et de la mort et non plus une vallée de larmes, mais le temple sacré de Bouddha, le « pays pur » (sukhâvâti, pays de la béatitude) où nous pouvons jouir de la béatitude du Nirvâna. C'est alors que notre esprit est totalement transformé. Nous ne sommes plus troublés par la colère et la haine, harcelés par l'envie et l'ambition, blessés par le souci et le chagrin, vaincus par la tristesse et le désespoir...[2] » Cette description est à mettre en parallèle avec l'indéfinissable Soi de Jung.

Mais l'œil unique se retrouve dans d'autres religions : dans la mythologie germano-scandinave, Wotan-Odin, dieu de la guerre et de la poésie, était borgne. Aux Indes, Ganesha, dieu-éléphant de l'Intelligence et de la Sagesse, possède un « troisième œil » au milieu du front ainsi que, comme nous l'avons vu, Çiva, dieu des forces indomptées de la nature.

Chez les Mayas, les représentations des divinités sont souvent dotées d'un strabisme convergent qui souligne l'harmonie parfaite des oppositions

---

1. Cf. M. Sénard, *Le Zodiaque, oc*, p. 488.
2. Cité par Jung in *Introduction à l'essence du Bouddhisme, oc*, p. 19.

car les regards des deux yeux se rejoignent à quelques centimètres du visage (conjonction des oppositions)[1].

Nous pouvons conclure, à propos de « l'œil unique », du « troisième œil » et du « strabisme convergent », que ces images indiquent qu'il n'y a plus de vision de droite et de vision de gauche, de vérité de droite et de vérité de gauche, qui ne peuvent que déclencher un douloureux antagonisme inférieur. « La Vérité qui nous rendra libre »[2] est « une » dans la perception des choses et implique l'unicité de la Sagesse.

« L'œil unique », sous son aspect positif, est donc l'image de la vision parfaite de la réalité, de la consciente totale car la « non-dualité » est atteinte, c'est-à-dire le « Nirvâna »[3].

Mais, comme nous l'avons déjà dit, comme pour tous les symboles, « l'œil unique » peut apparaître aussi sous un aspect négatif si les forces obscures des passions et des instincts grossiers ne sont pas différenciées par la prise de conscience.

Dans la tradition chrétienne, il arrive que le diable soit représenté avec un seul œil[4] et la mythologie grecque parle des Cyclopes d'Homère qui n'ont rien de commun avec les Cyclopes d'Héphaïstos. « Ce sont des hommes d'une taille gigantesque, d'une laideur repoussante, avec leur " œil unique " au milieu du front, qui habitaient la côte sud-ouest de la Sicile.

Ils s'adonnaient à la vie pastorale mais étaient grossiers, malfaisants, vivant isolés dans des cavernes et égorgeant pour les dévorer les étrangers qui abordaient leur rivage.

Le plus connu est Polyphème qui avait fait prisonnier Ulysse et ses compagnons. Pour lui échapper, le héros grec enivra le Cyclope, lui creva l'œil au moyen d'un pieu rougi au feu et sortit de la caverne en s'attachant, ainsi que ses compagnons, au ventre des béliers[5]. »

On retrouve également, dans la mythologie celte et les légendes irlandaises, des êtres sombres, difformes et titanesques, ne possédant qu'un seul œil, doués de pouvoirs extraordinaires (« le mauvais œil ») qui évoquent les forces brutales non encore éclairées par l'esprit, ainsi que leur influence néfaste sur les êtres vivants.

Il est évident que cette catégorie de Cyclopes et de Géants (voir ce mot) primitifs menaient une vie animale, donc quasi inconsciente car, dit

1. Dans les temples de la ville mexicaine de Palenque, par exemple.
2. *Jean*, VIII-32.
3. « Nirvâna » : mot sanscrit qui, étymologiquement, est formé de « nir » = « négation » et « dwamda » = « dualité » et qui se traduit généralement par « libération ou extinction des oppositions ».
4. Ce troisième œil attribué au démon dans la tradition chrétienne signifie que le Prince des Ténèbres (la puissance de l'inconscient) n'a pas encore différencié, par l'esprit, le jeu des oppositions (Yin et Yang) et ne connaît que les pulsions instinctives obscures, brutales, passionnelles incontrôlées.
5. *Mythologie générale Larousse*.

Jung, « l'inconscience est un état proche de la Nature et de l'animalité [1] ».
En eux, les dualités, non encore différenciées, sont confondues. Les dualités yin et yang ne peuvent encore jouer afin de procéder à l'initiation (lat. : « initiare » = « initier », « commencer ») aux mystères du processus d'individuation, celui-ci ne pouvant s'accomplir que par la prise de conscience réciproque du jeu des opposés.

En guise de conclusion, nous dirons que l'œil est à ce point évocateur des possibilités de perception des mystères de la Connaissance que, dans plusieurs religions, il est associé au serpent (Horus, Phanès...) : c'est par la prise de conscience des ténèbres de notre Ombre mystérieuse, par sa claire « vision », que nous parvenons à la lumière de la totalité.

Aussi, le mot « ophis » = « serpent » possède-t-il, en grec, une consonance étrangement similaire à celle du mot « ophtalmos » = « œil ».

● *Dans les rêves :*

Dans les songes, les thèmes se rapportant aux yeux et au regard peuvent prendre des significations très diverses.

Rêves soulignant l'acuité d'un regard :

Lorsque, dans un rêve, l'accent est mis sur l'expression particulièrement intense d'un regard, cette expression reflète la puissance et l'importance de l'affect ressenti pour le contenu psychique symbolisé par l'être qui possède ce regard (à déterminer).

Parfois, l'œil ou les yeux profonds et intenses se rapportent à la claire « vision » des choses, à la prise de conscience, ou à l'illumination possible, suivant le degré d'acuité de ce regard.

Rêves mettant l'accent sur un regard d'enfant :

Les yeux limpides de ces enfants, en tant que miroirs de l'âme, se rapportent, généralement, à « l'enfant intérieur » ou « enfant spirituel », image de la nature « post-consciente de l'homme »[2] et traduisant « l'aspect des enfants » au sens évangélique et taoïste du terme[3] ou « Soi » jungien.

De tels enfants apparaissant dans les rêves ont, généralement, les yeux bleus (voir plus loin) et les cheveux blonds (voir « Cheveux »).

Rêves dans lesquels un regard vous observe et vous poursuit sans que l'on puisse s'y soustraire :

Un tel rêve « signifie, dit M.-L. von Franz, avoir mauvaise conscience » (à déterminer). Et elle ajoute : « On pourrait dire, en termes jungiens,

---

1. *R. à J.*, p. 70.
2. Jung dans Jung et Kerenyi, *Introduction à l'Essence de la mythologie, oc,* p. 122.
3. *Matth.*, XVIII-3 et Lao-Tseu, *La Voie et sa Vertu, oc,* Vt 28.

que l'âme humaine contient un " savoir absolu " qui connaît le bien et le mal et auquel on ne peut échapper[1]. Ce n'est pas par hasard si " conscience " signifie à la fois " avoir conscience de... " et avoir " bonne " ou " mauvaise " conscience car, souvent, la faute consiste à ne pas vouloir avoir conscience de quelque chose. On ne peut échapper aux reproches de sa conscience, même si la police ne vous attrape pas et si tout le monde ignore votre crime[2] » !

Rêves d'yeux fermés :

(−) Le rêveur se refuse à voir un problème majeur pour lui et pratique la politique de l'autruche qui se refuse à regarder un problème ou, simplement, la vérité en face. Par exemple, une vision objective de soi-même ou des autres (généralement des proches). Voir « Aveugle (Être) ».

(+) Le rêveur ferme les yeux aux illusions et tentations du monde extérieur pour se livrer, à l'abri des distractions et en toute sérénité, au recueillement, à la méditation, à la contemplation intérieure, telles les représentations du Bouddha en illumination.

Rêves d'œil unique :

Ainsi que nous l'avons vu, ci-dessus, « l'œil unique » est l'expression de l'unicité de la Sagesse. Rappelons que, dès lors, il n'y a plus de vision de droite et de vision de gauche, de vérité de droite et de vérité de gauche.

L'œil unique évoque la non-dualité : les yeux de l'illusion font place à l'œil de l'esprit. La grande vérité est « une » et conduit au Nirdwandva.

N. B. : Il est probable que le strabisme convergent (sauf cas spécial découlant des associations du rêveur) possède, dans les rêves, la même signification que celle de « l'œil unique ». Mais nous ne l'avons jamais rencontré au niveau onirique.

Rêves d'yeux bleus :

Les yeux bleus, comme les cheveux blonds, « psychisent » et spiritualisent l'image du rêve.

C'est ainsi que « l'enfant spirituel », l'animus dans son expression la plus pure, ou le « Vieux Sage » possèdent toujours des yeux d'un bleu clair profond et lumineux tel celui d'un ciel serein.

Rêves d'yeux noirs :

Les yeux noirs matérialisent et « sensualisent » l'image onirique.

Ainsi, suivant la légende, Dionysos possédait des yeux noirs et une chevelure blonde.

1. « Il y a, écrit Jung, au fond de chaque homme un juge impitoyable qui mesure nos fautes, même si nous n'avons conscience d'aucune injustice. Bien que nous n'en sachions rien, c'est comme si, quelque part, on en avait connaissance » (*A. et V.*, p. 277). Dans la mythologie grecque, par exemple, le tribunal intérieur est personnifié par les Juges des Enfers.

2. *F.C.F.*, p. 293.

Par cette image, Dionysos harmonise l'esprit et la matière, de même, qu'en étant « entre deux vins », il conciliait la conscience et l'inconscience.

Rêves d'affections oculaires .

Ces rêves indiquent que le psychisme du rêveur est « affecté » dans ses facultés de perception, c'est-à-dire dans sa possibilité de voir correctement le déroulement des événements intérieurs et extérieurs.

Rêves de borgnes :

(−) Le rêveur ne voit qu'un seul aspect des choses. C'est « l'odieuse unilatéralité » de Jung[1].

(+) Un symbolisme identique à celui de « l'œil unique » (Wotan-Odin).

Rêves de crevaison d'yeux et d'énucléation :

Ce genre de rêves, peu courants, se rapporte à la castration psychique qui résulte du refus de prendre conscience de soi-même par nostalgie du paradis perdu.

Ainsi, Œdipe qui, inconsciemment, a tué Laïos et épousé Jocaste, ignorant qu'il s'agissait de son père et de sa mère, désespéré de la mort de sa Mère-Épouse, s'arrache les yeux avec une agrafe de son manteau. Autrement dit, dans son atroce souffrance, il se rend « aveugle » (voir ce mot) et impuissant à évoluer vers la clarté de la conscience totale.

En tout état de cause et sur le plan symbolique, les yeux nous aident à prendre conscience de nous-mêmes. Ils permettent de « voir » au sens évangélique du terme et de sortir de notre aveuglement.

Avant la mise en route de notre prise de conscience, si dure soit-elle, « l'œil voit tout et ne se voit pas lui-même », ainsi que le proclame une sentence anglaise[2].

Rêves de visages possédant quatre yeux :

Ce motif, très rare dans les songes, semble donner à l'image représentée une signification de possible progression vers l'individuation[3].

1. *M.M.*, p. 104.
2. H. Smith, *Sermons*, I-284, 1585.
3. M.-L. Von Franz in *L'Homme et ses symboles, oc*, p. 187.

ABRÉGÉ DES TITRES
DES ŒUVRES DE C.-G. JUNG
(traduites en français) auxquelles se réfère
le présent ouvrage

A.D.C.: Aspect du drame contemporain, Georg. 1948, Trad. R. Cahen.

A. et V.: L'Âme et la Vie, Buchet-Chastel, 1963, Trad. R. Cahen et Y. Le Lay.

D.M.I.: Dialectique du Moi et de l'Inconscient, Gallimard, 1964, Trad. R. Cahen.

E.P.: L'Énergétique psychique, Georg. 1956, Trad. Y. Le Lay.

G.P.: La Guérison psychologique, Georg. 1953, Trad. R. Cahen.

H.D.A.: L'Homme à la découverte de son âme, Mont-Blanc, 1944, Trad. R. Cahen.

I.E.M.: Introduction à l'essence de la mythologie (C.-G. Jung et Ch. Kerenyi), Payot, 1953, Trad. H. E. del Médico.

M.A.S.: Métamorphoses de l'âme et ses symboles, Georg. 1953, Trad. Y. Le Lay.

M.C.: Mysterium Conjunctionis (C.-G. Jung et M.-L. von Franz), Albin Michel, 1981, Trad. E. Perrot.

M.F.O.: Commentaire sur le Mystère de la Fleur d'Or, Albin Michel, 1979, Trad. E. Perrot.

M.M.: Un Mythe moderne, Gallimard, 1961, Trad. R. Cahen.

M.V.: Ma Vie, Gallimard, 1966, Trad. R. Cahen et Y. Le Lay.

P. et A.: Présent et Avenir, Buchet-Chastel, 1962, Trad. R. Cahen.

P. et Al.: Psychologie et Alchimie, Buchet-Chastel, 1970, Trad. R. Cahen et H. Pernet.

P.A.M.: Problèmes de l'âme moderne, Buchet-Chastel, 1960, Trad. Y. Le Lay.

P. et E.: Psychologie et Éducation, Buchet-Chastel, 1963, Trad. Y. Le Lay.

P.I.: Psychologie de l'inconscient, Georg. 1952, Trad. R. Cahen.

P. et R.: Psychologie et Religion, Buchet-Chastel, 1958, Trad. M. Bernson et G. Cahen.

P.T.: Psychologie du transfert, Albin Michel, 1980, Trad. E. Perrot.

R.C.: Les Racines de la conscience, Buchet-Chastel, 1971, Trad. Y. Le Lay.

R. à J.: Réponse à Job, Buchet-Chastel, 1964, Trad. R. Cahen.

T.P.: Types psychologiques, Georg. 1950, Trad. Y. Le Lay.

ABRÉGÉ DES TITRES
DES ŒUVRES DE M.-L. VON FRANZ
(traduites en français) auxquelles se réfère
le présent ouvrage

A.O.A.: *L'Âne d'Or d'Apulée,* La Fontaine de Pierre, 1978, Trad. F. St
René Taillandier.

F.C.F.: *La Femme dans les Contes de Fées,* La Fontaine de Pierre,
1979, Trad. F. St René Taillandier.

I.C.F.: *L'Interprétation des Contes de Fées,* La Fontaine de Pierre,
1978, Trad. F. St René Taillandier.

J.M.T.: *C.-G. Jung, son mythe en notre temps,* Buchet-Chastel, 1975,
Trad. E. Perrot.

N. et T.: *Nombre et Temps,* La Fontaine de Pierre, 1978, Trad.
E. Perrot.

O.C.F.: *L'Ombre et le Mal dans les Contes de Fées,* La Fontaine de
Pierre, 1980, Trad. E. Perrot.

V. I. C. F.: *La Voie de l'Individuation dans les Contes de Fées,* La
Fontaine de Pierre, 1978, Trad. F. St René Taillandier.

INDEX DES RUBRIQUES

Rajeunissement d'une image (Le)
Ramper
Rapetissement d'une image (Le)
Rapt (Le)
Regarder en arrière
Règles (Les)
Renaissance ou seconde naissance (La)
Repas en commun (Le)
Rire (Le)

Salive (La)
Sang (Le)
Sauter à terre
Seins (Les)
Sexuels et la Sexualité (Les organes)
Silence (Le)
Skier
Soif (Avoir)
Solitude et Isolement
Squelette et les os (Le)
Suicide (Le)

Tailles plus petites ou plus grandes que nature (Les)
Talon (Le)
Tête (La)
Toilette (Faire sa)

Tomber dans le vide
Transe (Entrer en)
Transpercement douloureux (Le)
Traverser une rivière, une route, une frontière, une limite, un col, etc.
Trépigner
Trier
Tuer

Urine — Uriner
Utérus (L')

Vampire (Le)
Ventre (Le)
Vertige (Le)
Vie (La)
Vie (Les âges de la)
Vieillissement d'une image (Le)
Vierge (Être)
Virginité (La)
Viser
Voix (La)
Voler dans les airs
Voler (Dérober)
Vomir

Yeux (Les)

TABLE DES MATIÈRES

Achevé d'imprimer en avril 1987
sur presse CAMERON,
dans les ateliers de la S.E.P.C.
à Saint-Amand-Montrond (Cher)

Nº d'Édition : 43. Nº d'Impression : 610.
Dépôt légal : avril 1987.

Imprimé en France